JN193011

銀河英雄伝説 6
飛翔篇

田中芳樹

ついに銀河帝国皇帝へと昇りつめ，今や至尊の冠を戴く存在となったラインハルト。即位直後に彼を襲った暗殺事件が，各処で暗躍する〈地球教団〉の差し金であることを知り，彼らの聖地たる地球に軍を派遣する。一方ヤンは，退役ののち，副官と結婚して悠々と生活を楽しんでいたが，己の周囲に監視網が張り巡らされていることに気がつく。不穏な空気が漂う中，調査のため地球へと潜入したユリアンたちを待ち受けていたのは，地球教団による監禁と，帝国軍の大艦隊だった。そしてヤンの不安を裏付けるように，彼の元に黒服に身を包んだ男たちが訪れる。一度は平穏を迎えたかに見えた銀河は，再び動乱に呑まれようとしていた……。

銀河英雄伝説 6

飛翔篇

田 中 芳 樹

創元ＳＦ文庫

LEGEND OF THE GALACTIC HEROES VI

by

Yoshiki Tanaka

1985

目次

登場人物

●銀河帝国

ラインハルト・フォン・ローエングラム……皇帝
パウル・フォン・オーベルシュタイン……軍務尚書。元帥
ウォルフガング・ミッターマイヤー……宇宙艦隊司令長官。元帥。〝疾風ウォルフ《ウォルフ・デア・シュトルム》〟
オスカー・フォン・ロイエンタール……統帥本部総長。元帥。金銀妖瞳《ヘテロクロミア》の提督
フリッツ・ヨーゼフ・ビッテンフェルト……〝黒色槍騎兵《シュワルツ・ランツェンレイター》〟艦隊司令官。上級大将
エルネスト・メックリンガー……統帥本部次長。上級大将。〝芸術家提督〟
ウルリッヒ・ケスラー……憲兵総監兼首都防衛司令官。上級大将
アウグスト・ザムエル・ワーレン……艦隊司令官。上級大将
コルネリアス・ルッツ……艦隊司令官。上級大将
ナイトハルト・ミュラー……艦隊司令官。上級大将。〝鉄壁ミュラー〟
ヘルムート・レンネンカンプ……同盟駐在高等弁務官。上級大将
アーダルベルト・フォン・ファーレンハイト……艦隊司令官。上級大将
アルツール・フォン・シュトライト……皇帝高級副官。中将
ヒルデガルド・フォン・マリーンドルフ……皇帝首席秘書官。大佐待遇。ヒルダ

フランツ・フォン・マリーンドルフ……………国務尚書。ヒルダの父
ハインリッヒ・フォン・キュンメル……………男爵。ヒルダの従弟
ハイドリッヒ・ラング……………内務省内国安全保障局長
アンネローゼ・フォン・グリューネワルト……………ラインハルトの姉。大公妃
ヨブ・トリューニヒト……………同盟の元国家元首
ルドルフ・フォン・ゴールデンバウム……………銀河帝国ゴールデンバウム王朝の始祖

†墓誌

ジークフリード・キルヒアイス……………アンネローゼの信頼に殉ず

●自由惑星同盟

ヤン・ウェンリー……………イゼルローン要塞司令官、駐留艦隊司令官。元帥。退役
ユリアン・ミンツ……………ヤンの被保護者。中尉
フレデリカ・グリーンヒル・ヤン……………ヤンの副官。少佐。退役
アレックス・キャゼルヌ……………後方勤務本部長代理。中将
ワルター・フォン・シェーンコップ……………要塞防御指揮官。中将。退役
フィッシャー……………要塞艦隊副司令官。艦隊運用の達人。自宅待機

ムライ……………………参謀長。少将。自宅待機
パトリチェフ……………副参謀長。准将。自宅待機
ダスティ・アッテンボロー……分艦隊司令官。ヤンの後輩。中将。退役
オリビエ・ポプラン……要塞第一空戦隊長。中佐
アレクサンドル・ビュコック……宇宙艦隊司令長官。元帥。退役
ルイ・マシュンゴ………ユリアンの護衛役。少尉
カーテローゼ・フォン・クロイツェル……伍長。カリン
ウィリバルト・ヨアヒム・フォン・メルカッツ……老練の宿将。ヤン艦隊の残存兵力を指揮
ベルンハルト・フォン・シュナイダー……メルカッツの副官。中佐
ジョアン・レベロ………元首

†墓誌

イワン・コーネフ　……沈着冷静な撃墜王。〝バーミリオン星域会戦〟で戦死

●フェザーン自治領《ラント》

アドリアン・ルビンスキー……第五代自治領主《ランデスヘル》。〝フェザーンの黒狐〟
ニコラス・ボルテック……代理総督

ボリス・コーネフ……………………独立商人。ヤンの旧知。〝ベリョースカ〟号船長

地球教大主教ド・ヴィリエ……………………地球教総書記代理。大主教

注／肩書き階級等は〔風雲篇〕終了時、もしくは〔飛翔篇〕登場時のものです

銀河英雄伝説6

飛翔篇

序章　地球衰亡の記録

「……かつて人類社会は地球という一天体のみで成立していた。現在は地球とほかの少数の天体によって成立している。将来は地球を一部分とする多数の天体によって成立するであろう。これはべつに予言ではない。時期を未来に設定しただけの、たんなる既成の事実である……」

地球統一政府《グローバル・ガバメント》（ＧＧ）の第五代宇宙省長官をつとめたカーロス・シルヴァが冥王星《めいおうせい》探査団の進発にあたってそう述べたのは西暦二一八〇年のことであった。シルヴァは有能な実務家ではあったが、とくに哲学的な思索や独創的な表現力にめぐまれた人ではなく、この演説は彼自身が語ったように、当時の人々にとっての常識を述べたものにすぎない。

　だが、その常識が具象化するまでに、人類は、数億リットルにおよぶ同胞の血を飲みほさねばならなかった。人類の政治的中枢が地球を離れてほかの天体にうつったのはシルヴァの演説から、七世紀ちかくも経過したのちのことであった。

……西暦《AD》二一二九年に地球統一政府《グローバル・ガバメント》が誕生すると、九〇年にわたる戦乱に倦《う》み疲れた人々は、人類の生んだ最悪の創造物――主権国家が地上から一掃され、億単位の生命が権力者の欲望の供物壇にそなえられる愚行から自分たちが永遠に解放されるであろうと信じた。〝一三日間戦争〟と称される熱核兵器の応酬は、当事者であった北方連合国家《ノーザン・コンドミニアム》（NC）と三大陸合州国《ユナイテッド・ステーツ・オブ・ユーラブリカ》（USE）両国の大都市群を、放射能の井戸に変えてしまったのだが、それじたいは武力を濫用したむくいであった。救われなかったのは、なんの野心も責任もなく、肉食獣どうしの猛悪な戦いにまきこまれた弱小国である。二大強国は、そこに資源があって敵国に利用されるおそれがある、という理由で、無関係の国に熱核兵器を撃ちこんだ。両国が滅亡したのは、かろうじて生き残った国々にとって、ささやかな慰めであった。このような大国の暴虐をふせぐには、強力な統一政体が必要なように思われたのだ。

長期的にみれば、それは、複数の権力が単一の権力に統合されただけのことであったかもしれない。だが、人々は、事象を皮肉の目で見ることに疲れていた。

「戦争がなくなれば内乱がおきるだけさ」

という、おそらくは正しいが、なんら希望も喜びももたらさない一部の者の意見に、人々は耳をふさいだ。世界の人口が一〇億前後にまで減少し、食糧生産力が痛撃をこうむった当時、じつのところ内乱をおこすような余力をもつ勢力などなかった。

統一政府の首都は、オーストラリア大陸の東北部、太平洋に面したブリスベーンにさだめられた。これは南半球にあって戦乱の被害がすくなかったことと、地上最大の経済圏の一環をなし、広大な土地資源にめぐまれていること、さらに、二大戦犯国から遠く離れていることなどの理由にもとづいていた。

統一政府が誕生したあとの人類史が、それ以前の歴史とことなる最大の点は、宗教の支配力がいちじるしく低下したことにある。地球統一政府《GG》の誕生によってようやく終熄《しゅうそく》した動乱の時代を短縮するのに、旧来の宗教勢力はなんらの貢献もなしえなかった。むしろ動乱の初期に、対立する諸勢力間の憎悪と偏見を助長する要因となり、各宗派の私兵集団は神の名をとなえつつ異教徒の女子供を虐殺してまわった。ことに、北方連合国家《ノーザン・コンドミニアム》の崩壊後、北アメリカ大陸を割拠した群小の教団国家《オーダー・ネーション》群は、かつて理性と共和政治の本拠と称された広大な産業国家を金属と樹脂とコンクリートの原野に変え、迷信と排他性の病原菌をばらまいて、生き残った人々を肉体的にも精神的にも破滅させたのだった。

けっきょくのところ、神も降臨せず、救世主も出現せず、人々は自分たち自身のエネルギーによって世界を滅亡の淵からかろうじてひきずりあげたのだった。

再建は急速にすすんだ。人々は熱狂的に大小の事業にとりくみ、都市を建設し、荒野を緑化し、宇宙という辺境《フロンティア》に歩みを進めた。

〝辺境《フロンティア》を有する文明は衰弱しない〟との説は正しいもののように思えた。地球統一政府の成立以前において、人類の足跡は火星までにとどまっていたが、西暦二一六六年には小惑星《アステロイド・》帯《ベルト》をこえて木星の衛星イオに開発基地を建設するにいたった。この当時、統一政府《GG》内においてもっとも活力的な部局は宇宙省であって、航路・資源・施設・通信・管理・教育・学術・探査・船舶の各局からなる巨大な機構の本部は月面におかれ、その規模の拡大は時間に比例し、二二〇〇年代のなかばにはその人口は首都ブリスベーンを凌駕《りょうが》する。

「ブリスベーンは地球の首都だが、月面都市《ルナシティ》は全太陽系の首都だ」

などという声があがったのはこのころである。

それからしばらく、人類の実質的な生存圏は太陽系内部にとどまった。二二五三年には最初の恒星間探査船がアルファ・ケンタウリに進発したが、二〇年後になっても帰還せず、人々を落胆させた。もっとも、人口はまだ四〇億であったから、太陽系内部だけでも充分な居住空間が確保されてはいた。

西暦二三六〇年、ついに超光速航行が実現し、アントネル・ヤノーシュ博士を長とする宇宙省技術陣は全人類の英雄となった。跳躍《ワープ》は最初、その距離も短く、人体とくに女性の出産能力にいちじるしい悪影響がみられたが、二三九一年には完全な実用化にこぎつけ、探査範囲が拡大し、二四〇二年にはカノープス星系に居住可能の惑星が発見される。恒星間移住時代のはじまりである。

だが、恒星間航行の開始は、〝単一の権力〟体制に亀裂が生じる、その第一歩であった。西暦二四〇四年、第一次恒星移民団が楽天的な歓呼の声をあびつつイオの恒星間航行基地を進発したとき、地球のブリスベーン市《シティ》では統一政府の首脳たちが額を集め、あまりに地球から遠い入植地に、どのていどの自治権を認めるか、延々と討論をつづけていたのである。

最初は〝宇宙省航路局航行安全部〟としてささやかに発足した一機構が、〝宇宙省保安局〟に昇格し、省次官を長とする〝宇宙警備隊〟となり、ついに〝宇宙軍〟の成立をみるまで、八〇年の歳月が必要であった。これは統一政府の誕生以前に、天空の高みから弱小諸国を脅迫し威圧した北方連合国家航空宇宙軍《NCASF》とはまったくことなる性質のもので、市民の航宙の安全を確保し、犯罪と事故から人権および経済機構をまもるための治安システムである、と説明された。恒星間航行時代になると、あらゆる軍隊が平和防衛をとなえつつ侵略と外征に狂奔したものであるという過去の事実を、ほとんどの人が忘れさっていた。

〝軍隊とは一国内における最強の暴力組織である〟という命題は、近代以降の歴史を知る者にとって、いわば恐怖の常識である。しかも、全人類の統一国家においては、外側にもこれ以上の武力集団は存在しない。であるからには最小限の武力でことたりるはずなのに、宇宙軍は際限なく肥大化をつづけた。

西暦二五二七年になると、肥大化した軍組織内部の退廃ぶりが、統一議会の軍縮・軍備管理部会において皮肉たっぷりの告発をうけるにいたった。

「……高級軍人とは、武装せる貴族の別名であるのか。ひとつの例として、第四方面総監部に所属する宇宙母艦デキシーランドの艦長、アーノルド・F・バーチ大佐の優雅な生活ぶりを拝見するとしよう。彼の部屋は、執務室、居間、寝室、バスルームからなり、総面積は二四〇平方メートルである。ちなみに、彼の部屋の下層は兵士用の居室であって、おなじ面積に九〇名の兵士がつめこまれている。労働力の面から言えば、艦長に副官がつくのは当然として、秘書（女性士官）一名、従卒六名、専用コック二名、専用看護婦一名が彼につかえている。むろん彼らの給料は国民が負担する租税のなかから支払われるのだが、より大きな悲しみをさそう事実は、専用看護婦を必要とする病人が一艦の指揮をおしつけられているという非人道的な実状である」

この告発はかえって非難の的となった。すでに軍部は、議会内にも言論界にも、充分な数の代弁者を獲得していたのである。

恒星間航行は技術と距離の壁を前にして、無限の発展という甘美な夢をしぼませかけていた。二四八〇年に、人類の生存圏は地球を中心とする半径六〇光年の球体をなしていた。二五三〇年には半径八四光年、二五八〇年には半径九一光年、二六三〇年には半径九四光年で、停滞の状況はあきらかだった。統一政府《GG》誕生以来の活力が失われかけたようにみえるなかで、軍隊と官僚組織だけが恐竜のように肥大化をつづけていた。

経済的な不公平も顕在化していた。地球はすでに農工鉱業生産を放棄し、資本と金融によって一〇〇をこえる植民星の産業を支配し、利益と資源を貪欲に吸いあげた。政治的に言えば、植民星は自治権こそかたちでは認められているものの、地球の一部分としての権利であって、地球と対等ではなかった。汎《はん》人類評議会という機構がもうけられてはいたが、代議員の七割は地球からの選出で、規定の改正には七割の賛同を必要としたから、改正は永遠の夢想だった。あるとき、スピカ星系選出の代議員が、富の地球への偏在を是正するようもとめたことがあった。

「植民星の人民が貧困なのは、彼ら自身の無能さに責任がある。吾々《われわれ》地球市民に罪があるなどと言うのは、自立心と向上心を欠く奴隷的精神のあらわれでしかない」

統一政府の与党国民共和党《NRP》の書記長ジョシュア・リューブリックの返答は、植民星人の激昂《げっこう》をかった。地球資本の圧力によって単一作物栽培《モノカルチュア》を強制されたあげく、作物を買いたたかれ、飢餓に瀕《ひん》した植民星もあるなかで、地球側の対応は冷淡にすぎた。

「当時、地球には資源が欠けていた。そして地球人には想像力が欠けていた。とくに後者こそが、事態の悪化を招来した原因であることには、異論の余地がない」とは、歴史家イブン・シャーマの言である。

想像力の欠如するところ、地球の住人たちは傲然《ごうぜん》として強者の論理をつらぬいた。強者の強者たるゆえんは、武力と富であった。地球は植民諸星の富を収奪し、それによって軍事力を強化した。植民星の人々は、自分たちを監視し弾圧する兵士たちを養わされたのである。

忍耐の極に達した植民星側では、西暦二六八二年にいたり、結束して地球側に要求をつきつけた。第一に、肥大した軍備の縮小。第二に、人口に応じて汎人類評議会の代議員選出数の配分を変えること。第三に、地球資本が植民星の内政に干渉するのをやめること。要求した者にとっては、当然の、しかもささやかな望みだったが、要求された者にとっては許しがたい冒瀆《ぼうとく》だった。ひざを屈して哀願するならともかく、要求とはなにごとか。身のほど知らずの辺境の未開人どもが、宗主国であり超大国である地球に、対等顔で要求をつきつけるとは！

地球は汎人類評議会の分担金の支払いを停止したが、よき時代が終わりかけていることを感じとりもして、なにか策《て》をうつべきだと考えた。

歴史家イブン・シャーマは歎息《たんそく》する。

「……この時期、精神面における地球の衰退は、すでに深いものとなっていた。公正さに背《そむ》いても既得権を確保したい、とのぞみ、反対者を抑圧することによってその確保を絶対のものとしようとする精神のどこに、向上と進歩への余地が残されているであろうか」

だが、じつのところ、当時の地球人にとって向上と進歩など意味のないことであったかもしれない。植民星の不満を、地球は陰謀と武力によっておさえつけようとした。反地球派の先鋒《せんぽう》である、つらにくいシリウス星系政府が立役者にえらばれた。

奇怪な情報が流れはじめた。

シリウスがことあるごとに地球を非難するのは、平等をめざしてなどではなく、地球にかわって人類社会の覇者たらんとする野心のためである。シリウスにとっておそるべきは地球のみであり、地球を弱体化し、地球と植民星の友好関係に亀裂を生じさせるのが、その政略である。各植民星は、地球をゆえなく非難すべきではない。それは地球の滅亡につながるのではなく、まさに、各植民星がシリウスに隷属し、現在の自由と未来の可能性を喪失することにこそつながるのだ。シリウスこそ、地球と各植民星の共通の敵であり、人類をおびやかす存在なのである。シリウスは、誰も知らないあいだに着々と国力をたくわえ、軍備を増強し、スパイ網を完成させつつある。シリウスに注意せよ……。

この情報について確認をもとめられたとき、シリウスの首脳部は一笑にふした。ほかの植民星の首脳たちも笑ったが、その笑いは自信と健康さに欠けていた。

こうしてシリウスは地球にとって公認の敵国となった。それは制御可能の敵であり、地球がひとたび実力を誇示すれば、ひざを屈して慈悲を請う以外の選択をあたえられない、あわれな悪役であるはずだった。だが、地球がシリウスの脅威と実力を誇大に宣伝していくうち、計算外の効果があらわれてきたのだ。

シリウスの、地球を凌駕せんとする実力と意思の存在を、多くの人々が信じはじめたのである。シリウス以外の諸自治国も、そしてシリウス自身も……。

最初、地球は悪意にみちた喜びをもって、シリウスの虚像が拡大し、蜃気楼《しんきろう》に彩色がほどこされる情景をみまもっていた。諸植民星がシリウスの力をおそれ、地球にすりよってくれば、めでたしめでたしであったのだ。だが、皮肉な観察眼の所有者はかならずいるもので、マレンツィオという記者が冷笑まじりの記事を書いた。

「……昨夜、近所の道路が水びたしになった。地下埋設の下水管が破裂したからである。シリウス星系から潜入した破壊工作員のしわざであろう。今朝、F地区《ブロック》を騒がせた連続放火事件の犯人が検挙された。シリウスから潜入したスパイに洗脳されて悪事におよんだのであろう。イヴに禁断の実を食させたのも、アメリカ大陸の原住民を虐殺したのも、バミューダ海域で客船を沈没させたのも、すべてシリウスの破壊工作の一端であるにちがいない。ああ、シリウスよ、汝《なんじ》は万能の悪なる者として、歴史上に屹立《きつりつ》せん」

この署名記事は、治安当局の怒りと憎悪をかわずにいられなかったが、言論活動を理由に公然と処罰するわけにはいかず、経営者を脅迫して辺境に左遷させたのだった。

そうこうするうち、シリウスを仮想敵にしたてる地球の政略は、失笑すべき結果を生んだ。いくつかの植民星が、地球にたいする反感のあまり、シリウスのほうに身をすりよせはじめたのである。まったく、地球の専横に反対するにはシリウスにたよる以外ない――そう思わせたのは地球自身だった。

地球にとって、事態は急速に悪化した。一種のなだれ現象が生じて、各植民星はつぎつぎとシリウスとの握手をもとめた。地球政府が苦虫を何万匹もまとめて嚙みつぶしているあいだに、シリウスは反地球陣営の盟主の座を獲得しつつあった。西暦二六八九年にいたって、地球は、真に不愉快な存在となったシリウスに、きびしい教訓をたれてやろうと決意した。シリウスの急激な軍事力増強に恐怖をおぼえたということもあろう。

シリウスが諸植民星の警備隊を集めて合同訓練をおこない、重火器の供与を約束したことが、先制攻撃の口実となった。電撃作戦は戦術的には完全に成功した。シリウスの主星である第六惑星ロンドリーナは地球軍に制圧され、シリウスをはじめとする諸植民星軍は宇宙に飛びたつこともかなわず、地上にむなしく残骸をさらしたのである。

勝利はおさめはしたものの、地球軍の綱紀は堕天使を喜ばせるレベルにまで低下していた。現地司令部によって膨大な数字が操作された。押収した物資の量は過小に申告されたが、実数との差量は高級士官たちの巨大なポケットにしまいこまれたのだった。いっぽう、敵軍の戦死者数は過大に申告された。実数六〇万人の戦死者は、一五〇万人に水増しされたが、その数字をもっともらしくみせかけるため、非戦闘員を大量殺害したうえ、死体を切断して何人ぶんもの死体の一部分にみせるなどという蛮行が平然とおこなわれた。味方の戦死者数を過小に報告し、死者にたいして送られてきた給料を着服した士官さえ実在した。

醜悪な笑劇《ファルス》のクライマックスとなったのは、翌二六九〇年二月にブリスベーン市《シティ》で開かれた軍法会議である。これは、戦場に潜入して生命がけの取材を敢行した一報道記者の告発にもとづいておこなわれたもので、地球軍将兵による非戦闘員虐殺の罪をあきらかにする目的を有していた。しかし、証言台に立ったのは、当の地球軍将兵のみで、被害者住民がわからはただひとりの証言者も喚問《かんもん》されなかった。将兵たちは、むろん、自分たちの罪を否定した。自分たちは祖国と同胞の名誉のために敢闘したのに、正義漢きどりの無知な報道記者の売名行為によっておとしめられるのは心外だ、と、涙を流してみせた。軍法会議は、告発された者全員に無罪を宣告し、告発した者を名誉毀損《きそん》罪にあたると決めつけ、軍部は彼にたいし今後の取材を拒否する、との決定をくだして閉廷した。無罪になった軍人たちは、戦友たちの肩車にのって首都のメイン・ストリートを行進し、大声で軍歌を合唱した。それらの軍歌のタイトルは、「正義の旗のもとに」「平和の守り」「名誉こそわが生命」「勇者の凱旋《がいせん》」などというものであった。

この事件で、地球軍は味をしめた。どのような非道をおこなおうとも、事実を歪曲《わいきょく》して、罪にたいする罰をまぬがれることが可能であるように思えた。罰をうけないですむからには、罪を犯さねば損というものであった。非戦闘員を虐殺し、女性に暴行をくわえ、都市を破壊し、物資を略奪することは、闘志と敵意にみちた敵軍と戦うより、はるかに容易で、しかも実利のあることだった。軍部は、もはや軍人というより盗賊集団の目つきで、つぎなる理想的な戦場を探しもとめた。

かくして、〝ラグラン市《シティ》事件〟が発生する。

前回の戦闘で敗れた植民星連合軍の敗残兵が、武器をもったまま、一部、ラグラン市に逃げこんだのは事実であった。だが、地球軍にとってより重要な事実は、この都市が、惑星ロンドリーナの豊富な天然資源を生産し集散する中心であり、〝地上の富と地下の富は、ことごとくラグラン市に集まる〟ことであった。地球軍は地上部隊に大動員をかけ、機械化野戦師団一五個をもって市《シティ》の周囲に兵士と兵器の壁をつくり、空中攻撃師団四個と都市型戦闘師団六個をもって市街地に突入する態勢をととのえた。当初の突入予定は五月九日であったが、これは二度にわたって延期された。一度はラグラン市の市長マサーリックが病身をおして攻撃回避の交渉におとずれたからであり、いま一度は軍部内において、総司令部作戦局次長クレランボー中将が、現地部隊の作戦案を不備なものとして再三、却下するという方法で、蛮行の実施を妨害しようと努力したからである。だが努力の甲斐《かい》なく、五月一四日夜にいたって、一〇個師団の兵力はラグラン市の市街地に空陸両面から突入した。

じつのところ、この突入はかならずしも計画どおりのものではなかった。大兵力の包囲下におかれたラグラン市では、恐慌の支配するところ、逃げこんできた敗残兵を地球軍にひきわたせば攻撃を回避しうる、と、短絡した一部勢力が自警団を組織して敗残兵狩りをはじめたのである。狩られるほうにも立場があり、武器があるから、無抵抗で狩りたてられはしなかった。市内各処で銃撃戦が発生し、午後八時二〇分、市内西地区の液化水素タンクが爆発炎上するのを望見した包囲軍は、このアクシデントを奇貨として攻撃を開始したのである。〝染血の夜《ブラッド・ナイト》〟のはじまりであった。

包囲軍の兵士にくだされた命令は、過激をきわめた。

「武器を所有し、抵抗する者は射殺せよ。なお、武器を所有すると疑われる者、抵抗の可能性ありとみなされる者、逃亡や隠匿のおそれありと判断される者もこれに準じて処置をおこなうべし」

後日、軍部は、この命令が兵士の自衛と秩序維持のうえからみてやむをえざるものであった、と主張したが、無差別殺人を煽動《せんどう》する意図は隠しようもなかった。

市内に突入した地球軍は、公認された殺戮《さつりく》と破壊をほしいままにし、公認こそされなかったが黙認された暴行と掠奪《りやくだつ》に熱中した。市立美術館に収蔵された絵画や宝石細工は強奪され、貴重な古書のたぐいは価値を理解しない兵士たちによって火中に蹴《け》こまれた。

市内北地区にはダイヤモンド原石の研磨工場、ゴールドやプラチナの加工場などが集中していたが、当然ながら欲望の拍車にかりたてられた地球軍の攻撃目標となり、空から殺到した第二空中攻撃師団と陸から侵入した第五都市型戦闘師団とが衝突し、醜悪な同士討ちが発生した。双方で一五〇〇人の死者がでたが、後日の調査で六〇余の死体から腹部を切開した痕跡《こんせき》が発見された。のみこんだダイヤ原石を、胃を裂かれて強奪されたものと推定された。これと同種の被害者は、その一〇〇倍以上も民間人のなかに生まれたが、軍用ナイフであごを裂かれて金歯を抜きとられた老人や、耳ごと高価なピアスを奪われた女性、指ごと指輪を強奪された女性などが続出した。

〝染血の夜〟の一〇時間で、地球軍によって殺害されたラグラン市民は九〇万人をこし、破壊または掠奪によってあたえられた損害は一五〇億共通単位におよんだとされる。現地司令部は、兵士たちが強奪してきた金品の相当部分を、口実をつけて横どりしたあげく、地球の総司令部には、激戦のすえ、敵軍を排除し市《シティ》の制圧に成功した、と報告したのだった。

友軍の蛮行をふせぐことに失敗したクレランボーは怒りと嘆きのペンをとって日記にしるした。

「およそ人間社会において存在の最悪なるものは、羞恥心《しゅうちしん》と自制心の欠如した軍隊である。いま私のいる職場がまさにそれなのだ」

また、首都の軍総司令部で、ウイスキーグラスを片手に通信スクリーンをながめて談笑していた軍幹部たちは、老将ハズリット提督のにがにがしい声に酔いをさまされた。

「貴官らは喜んでいるらしい。他人の都市が炎上するのは楽しいものらしいな。だが、一〇年後、吾々の首都が、あれとおなじ姿になるかもしれぬ。すこしはその可能性を考えてみてもよいのではないか」

だが、味方の非を批判する者は、永遠の少数派である。ふたりは白眼の環《わ》のなかに孤立し、ほどなく現役をしりぞくにいたった。

「ラグラン市《シティ》において虐殺や掠奪がおこなわれたという事実はいっさい存在しない。そう言いたてる者は地球軍の名誉を傷つけ、歴史を捏造《ねつぞう》することを策謀する反逆の徒と烙印《らくいん》をおしてよいであろう」

軍部の首席報道官をつとめるウェーバー少将は最初そう言明したが、三日後に前言をひるがえした。

「虐殺と掠奪は、たしかにあった。ただし規模はいたって小規模で、死者は最大限二万人ほどのものである。また、加害者は地球軍ではなく、同市に潜伏した反地球過激派ゲリラであり、みずからの犯罪を地球軍におしつけ、反地球的気運の拡大に利用しようとしたものである。この憎悪すべき醜行にたいしては、かならず相応のむくいがあろう」

短期間のうちに見解が一変した理由、このような結論がみちびきだされるにいたった推理と捜査の過程——それらは一言も語られることがなかった。重要なのは弁舌ではなく行動だ、と、軍部は主張した。軍隊の任務は、民間人に危害をくわえ秩序を破壊する兇悪な武装勢力に懲罰をあたえることにある。したがって、任務を完全に遂行するために、いま一度、ラグラン市《シティ》の掃討作戦をおこなわなくてはならない。

〝大そうじ《クリーン・アップ》〟と〝でっちあげ《フレーム・アップ》〟とをくみあわせて〝ダブル・アップ〟と称されるこのやりかたは、三つの目的を有していたとされる。掠奪しそこなった物資の再掠奪、目撃者たちの消去、反地球勢力の徹底的な弾圧がそれであるが、いずれにしても当時の地球軍はクレランボーが評したように自制心を失い、それ自身の内圧によって暴走したとみてよいであろう。反地球陣営にたいして恐怖を植えつけ、反抗の意思をそぐという第四の目的もあったかもしれないが、古来、それが成功した例はなく、かえって憎悪と敵愾心《てきがいしん》を呼びさますだけである。この〝再掃討〟によって、さらに三五万人が死者の列にくわわった。

だが、苛酷な弾圧の手も、見えざる指のあいだから、いくつかのささやかな砂粒をとりおとしていた。その砂粒から、地球政府にとっての後悔と、諸惑星にとっての歓喜が生まれおちるのである。

当時二五歳の立体TV《ソリビジヨン》の放送記者であったカーレ・パルムグレンは、軍隊の検問にあって所持品検査を拒否したことからレーザー・ライフルの銃床で乱打され、意識不明の重傷をおった。死体の山のなかで意識を回復した彼は、液体ロケット燃料をかけて焼かれる同胞の死体を見ながら、煙にまぎれてようやく逃亡に成功した。

二三歳の、金属ラジウム鉱山の会計係で、労働組合の書記をつとめていたウインスロー・ケネス・タウンゼントは、アパートの窓から軍隊の行進を見おろしていたところを酔った兵士に狙撃された。ビームは彼の傍にいた母親の額をつらぬいた。訴えを無視され、かえって母親殺しの罪を着せられた彼は、鉱山に逃げこみ、追跡をふりきって姿を消した。

二〇歳の、医科大学の付属施設で薬草学を学んでいたジョリオ・フランクールは、恋人を暴行した地球軍兵士の頭を、二〇〇〇ページの薬草図鑑でぶちわってしまい、その場から地下水道にもぐりこんで逃亡者たるを余儀なくされた。脱出に成功したのち、恋人が自殺したことを彼は知った。

一九歳の、政治にも革命にも関心をもたず、音楽学校で作曲を勉強していたチャオ・ユイルンは、保安部隊の無差別射撃で、親がわりに彼を育ててくれた兄夫婦を殺され、三歳の甥《おい》を抱いて、炎上するラグラン市《シティ》を脱出した。

彼ら四人は生き残ってのちに有名な存在となったのだが、それ以外にも、炎上する自分たちの街を見やって地球軍への復讐を誓約した者は無数に存在した。ほとんどの者は途上に倒れ、無名に終わったのだが。

「ラグラン市は炎上のすえにつぎのものを生んだ。炭化した壮大な廃墟、一二五万人の死者、二五〇万人の負傷者、四〇万人の虜囚《りよしゆう》、そして四人の復讐者」

この表現はかならずしも正当ではない。四人の青年が一四年後に地球政府を権力と栄華の安楽椅子から蹴落とした動機は、復讐心だけではないからである。だが、理想と理念の深い水底には、炎上するラグラン市の幻影が音もなく泡だっていたかもしれない。

四人が一堂に会した最初の場所は、中立地帯であったプロキシマ系第五惑星プロセルピナであり、時日は西暦二六九一年二月二八日とされている。ただ、これは各自が名のって会ったときであり、それ以前にたがいの名を知らぬまま、反地球派の根拠地で会っていたことは当然ありうる。

のちに〝適材適所の模範〟と称されるようになる四人の役割分担は自然発生的なものであった。パルムグレンは理念と言論によって反地球陣営の統合と市民の啓発につとめ、精神的指導力と組織力をもって反地球統一戦線の象徴となった。タウンゼントは財政にかんする鋭い感覚と質量ともなった行政処理能力によって反地球統一戦線の経済的基盤をととのえ、野心的な経済建設計画によって低開発星域の生産力を〝向上というより跳躍〟させ、さらに生産物を効率的な流通機構にのせることに成功した。フランクールは反地球戦線の実戦組織である〝黒《ブラック・》旗軍《フラッグ・フォース》（BFF）〟の総司令官として、本来は烏合《うごう》の衆でしかない革命派を集め、再編成し、組織化し、統率し、指揮した。当時、地球政府軍には傑出した三人の提督がおり、物量においても圧倒的であったため、初期には彼も一度ならず敗北を喫《きっ》したが、歴史的な〝ヴェガ星域会戦〟において地球軍艦隊の分断に成功し、地球軍不敗の神話をつきくずして以後は八四回の戦闘にすべて勝利をおさめた。チャオ・ユイルンは情報、謀略、破壊工作を担当した。彼は日常においてはパン屋の釣銭をごまかすことさえできない内気な若者だったが、地球政府の権力体制を崩壊せしめるためには、下級悪魔も鼻白むほどの辛辣《しんらつ》な策謀を弄《ろう》してのけた。反地球統一戦線の内部で自分たちが主導権をにぎるため、優柔不断な旧指導部に〝地球のスパイ〟との汚名をきせて追放したのを手はじめに、敵味方の陣営に無数のブラックホールをつくって、それに倍する人数を落としこんだ。

地球軍の三提督――コリンズ、シャトルフ、ヴィネッティは、いずれも経験と理論をかねそなえた非凡な用兵家だったが、ヴェガ星域会戦においてはたがいに協調と連絡を欠き、フランクールの各個撃破作戦によって敗者の地位をあたえられた。それ以後、三者間に奏《かな》でられた不協和音につけこんだのがチャオである。彼はメフィストフェレスから表彰状をさずけられてもよいほどの周密さで陰謀をめぐらせた。まずヴィネッティにクーデターを使嗾《しそう》しておいて、コリンズを殺害させ、その事実をシャトルフに知らせてヴィネッティを捕殺させ、さらにすべての責任をシャトルフにおしつけ、ヴィネッティの旧部下を煽動し、暴動によってシャトルフを襲撃、射殺させたのである。全身にダース単位の銃弾を撃ちこまれたシャトルフは、血の泥濘《でいねい》に半身をひたしながらなお三〇秒ほど生きていたが、

「ばか者……」

という一言を残して絶命した。

こうして、西暦二七〇三年、完全に孤立し、食糧と工業原料とエネルギー源の供給を絶たれた地球が、自暴自棄の軍事的冒険にでて決戦をいどんだとき、装備だけはりっぱな地球軍をひきいたのは、力量も協調性もない二流以下の提督たちであった。彼らはフランクールの巧妙な用兵の前に敗北をかさね、ことに第二次ヴェガ会戦では八〇〇〇隻の黒旗軍に六万隻の地球軍が大敗するという醜態をしめした。翌二七〇四年には、地球軍は太陽系すら維持しえなくなり、小惑星帯《アステロイド・ベルト》を最後の防御陣として、ほとんど無意味な抵抗をつづけていた。この期におよんで、地球軍はついに地球人をまもるという形式すら放棄し、民間人の食糧を徴発して軍需用にまわしていた。

木星まで進出した黒旗軍《BFF》の内部では、フランクール総司令とチャオ政治委員とのあいだで、

意見が対立した。全面攻撃を主張するフランクールにたいして、チャオは持久戦をとなえた。地球軍はもはや降伏か衰弱死のどちらかを選択するしかない。あくまで降伏せぬというなら、〝地球の表面が餓死体で埋まるだけのことだ〟というのである。

折衷案が採用された。地球にとっては、もっとも残酷な結果となった。補給を完全に途絶し、二カ月にわたる持久のすえ、黒旗軍は全面攻撃を開始したのである。

ラグラン市《シティ》の惨劇は、規模を一〇〇倍にして再現された。

破壊と殺戮のしめくくりとして、地球政府および軍部の高官六万余人が戦争犯罪者として大量処刑されたあと、シリウスの——というよりラグラン・グループの支配権が確立されたかにみえた。もはや地球の権力と権威は劫火《ごうか》のなかで灰と化し、とってかわる者といえば、烏合の衆でしかない反地球勢力を統合したこの四人しかいないはずだった。だが、〝シリウスの時代〟は一瞬の光芒《こうぼう》でしかなかったのだ。

〝シリウス戦役〟終結二年後の西暦二七〇六年、革命と解放の象徴であったパルムグレンが四一歳で急死したのである。風邪ぎみの身体をおして、雨中、解放戦争記念館の起工式にのぞみ、直後に急性肺炎をおこして倒れ、そのまま病床を離れることがなかった。

「私がいま死んだら、新体制は接着剤を失う。あと五年でいい、死神に待ってもらえたら……」

信頼する医師にそう語ったパルムグレンの死後、三カ月もたたぬうち、戦勝国のシリウスで、タウンゼント首相とフランクール国防相との対立が表面化した。

フランクールを怒らせたのは、タウンゼントが、地球旧体制を経済的にささえた巨大企業群、いわゆる〝ビッグ・シスターズ〟を解体せず、あらたな経済システムにくみこんで活用しようとしたことである。

フランクールは戦場においてはしたたかな現実主義者であり、構想と実行の双方ともにすぐれた柔軟性をしめしたが、政治や経済においては観念的なまでに原則にこだわった。ビッグ・シスターズの資本支配力をたたきこわしてこそ革命の完成と言えるのではないか、との意見をタウンゼントは一蹴した。彼としてはビッグ・シスターズの経済力を失うわけにいかなかったのだ。

感情的にこじれはじめた両者の対立を、当初、チャオ・ユイルンは深海魚どうしの闘争を海面上から遠くながめるように傍観していた。彼は地球政府の権力体制が無残に瓦解《がかい》するありさまを見とどけると、自分の役割は終わったと言わんばかりに、政治の第一線からしりぞいてしまっていたのである。新体制の確立後、副首相や内務長官の座を提示されながら、地位も権力も固辞し、再建途上にある故郷のラグラン市《シティ》に帰って小さな音楽学校をつくった彼は、ひとりで理事長と校長と事務員をかね、子供たちに歌やオルガンを教えて満足していた。彼自身に言わせれば、〝革命という熱病からも、政治という悪疫からも完全に解放されて〟本来の姿にもどったのだ、ということになる。

子供たちはよく彼になついた。彼らには、〝やさしい校長先生〟が、つい二、三年前までは立場のちがう相手を冷酷かつ辛辣な手段でだまし、おとしいれ、あるいは暗殺し、あるいは自殺に追いこんで地球政府の権力を崩壊させたのだなどという事実は想像もできないことだった。まだ若い校長先生のポケットにはいつも子供たちにあたえるためのチョコレートやキャンディーがつまっていて、子供の虫歯を気に病む母親たちの苦情の種になっていた。

チャオがもはやかかわる気のない場所で、タウンゼントとフランクールの抗争は尖鋭化の極に達した。最初、フランクールは合法的に最高権力を獲得しようとしたが、官僚群と経済界に根をはったタウンゼントの勢力をうごかしがたいとみて、非合法手段にきりかえた。クーデターである。だが、秒単位の差で、ゴールにとびこんだのはタウンゼントだった。かつてフランクールの命令に反して解任された一士官が、クーデター計画の存在をタウンゼントに密告したのである。ある朝、フランクールは自宅の寝室で、クーデター計画の発動を部下に命じようとTV電話《ヴィジホン》のスイッチに手をのばしたところを、ドアをけってとびこんだ公安局員に射殺されたのだった。

同時に〝黒旗軍〟はタウンゼント体制の忠実な番犬となるよう、苛烈な粛清と弾圧、改編をこうむった。フランクールの麾下《きか》にあったいわゆる〝十提督〟のうち、すでにひとりは病没していたが、さらに六人は処刑され、ひとりは獄死して、ふたりが生き残ったにすぎない。

権力闘争の勝者となったタウンゼントは、彼が打倒したフランクール同様、自己の正義を確信していた。すでに地球政府の権力を瓦解させた以上、今後に必要なことは混乱の収束と秩序の再建であり、人類社会の発展と市民生活の安定のためには、教条的革命家たるフランクールを粛清するのは必要なことだと思っていた。そして、あらたな社会は、彼の構想と手腕によってこそきずかれることをうたがわなかった。

その障害となる最後の存在は、チャオ・ユイルンであるように、タウンゼントには思われた。現在は音楽学校で子供に歌を教えて満足しているとしても、いつ権力への欲望を芽吹かせ、かつて地球軍にたいしておこなったように、冷酷きわまる策謀を弄してタウンゼントを打倒しようとするか、知れたものではない。

フランクールの死からわずか一週間後、司法省公安局の武装捜査官八名がラグラン市《シティ》に派遣された。チャオにしめされた逮捕状は、かつてラグラン・グループと主導権をあらそって粛清された革命家たちの死の責任を問うていた。チャオは一言も発せず逮捕状を読み終えると、同席していた甥——成長して学業のかたわら叔父の仕事をてつだっていた若者——に言った。

「私にとって謀略とは芸術だったが、タウンゼントにとってはビジネスだった。私が彼に敗れたのは当然だ。誰を恨みようもない」

脱出をすすめる甥にチャオはそう語り、先日購入したオルガンの代金の支払書にサインして甥に手わたした。二〇分後、隣室で待機していた公安局員は校長室にはいって、睡眠薬のため昏睡《こんすい》状態にあるチャオを見いだした。さらに二〇分後、〝革命の元勲〟の急死が確認されたが、生徒のひとりは、〝校長先生の部屋からでてきた、こわい顔の男が、ぬれたハンカチを気持ち悪そうに両手でひろげている〟光景を目撃している。帰宅した子供からそれを聞いた両親は蒼《そう》白《はく》になり、子供自身と自分たちの安全のために、かたく口どめしたのだった。

かつて惑星プロセルピナで、地球の専横をくいとめ、植民地を解放すべく誓約したラグラン・グループは、翌二七〇七年、完全に崩壊した。四人めが地上から退場したからである。シリウス星系首相にして汎人類評議会主席をかねる権力者ウインスロー・ケネス・タウンゼントは、対地球戦勝記念祭に出席するため地上車《ランド・カー》に乗りこんだが、会場に爆弾がしかけられているとの情報をうけ、首相官邸へひきかえす途中、極低周波ロケット弾を撃ちこまれたのだった。チャオの甥フォンが公安局の監視から逃亡して一カ月後のことだったので、彼が犯行グループの主犯と目《もく》されたが、その推論の真偽は不明である。フォンはついに逮捕されなかったのだ。不敵な犯行をおこないながら悠々と逃げおおせたのか、仲間に殺されでもしたのか、とにかく社会の表面には二度とあらわれなかった。

公安局の捜査も徹底しなかった。タウンゼントの肉体が四散した瞬間、彼ひとりの剛腕にささえられていた新秩序も消滅してしまったのである。制度や組織がそれじたいの生命力を発揮するには、時間の不足がはなはだしかった。タウンゼント個人にたいする官僚たちの忠誠心はなんら求心力をもたなかった。フランクールの横死《おうし》とその後の粛清によって萎縮《いしゅく》していた黒旗軍は、おさえられていたエネルギーを暴発させ、いくつかのグループに分裂して流血の抗争を開始した。

パルムグレンの生命のカレンダーにあと一〇年の時日があれば、宇宙暦《SE》の開始は九〇年早くなったであろう、との指摘はすくなからぬ人々からなされたが、その正しさを確認する手段はもはや存在しない。いずれにしても、建設途上で崩壊した〝脱地球的な宇宙秩序〟が再構築されるまで、一世紀になんなんとする歳月と無数の人々の努力がついやされた。アルデバラン系第二惑星テオリアを首都として銀河連邦《USG》が成立したのは西暦二八〇一年のことである。

以来、八世紀にわたる人類の歴史——発展と停滞、平和と戦乱、暴政と抵抗、服従と自立、進歩と反動の日々のうちに、人々の視線は完全に地球から離れた。権力と武力を失ったときから、この惑星は、存在する意義も、注目される価値も、ともに喪失して、忘却の海のささやかな漂流物となってしまったのだ。

……しかし、忘れられた惑星には、忘れずにいる少数の人々が存在していたのである。

第一章　キュンメル事件

Ⅰ

若者が玉座に腰をおろしたのは、それを最初に見たときから一二年ののちであった。当時、彼はラインハルト・フォン・ミューゼルという帝国軍幼年学校の一生徒であるにすぎず、大広間の壁ぎわからは、玉座にすわる者の顔を判別することすら困難であった。その距離およそ九〇メートル。その距離を零《ゼロ》にするのに若者は四〇〇〇日以上の時間を必要とした。

「金髪の孺子《こぞう》の人生は、一秒ごとに一トンの人血を吸いあげている」

若者に反感をいだく者はそう評する。その酷評を、若者は無言でうけいれてきた。それは誇張ではあっても、事実無根ではなかったからである。戦火のなかを闊歩《かっぽ》するうちに、多くの味方を失い、それに一〇〇倍する敵を葬りさってきたラインハルトであった。

群臣が片腕と叫びを高々とあげた。

「ラインハルト皇帝《ジーク・カイザー・ラインハルト》ばんざい！」

「新銀河帝国《ジーク・ノイエ・ライヒ》ばんざい！」

宇宙暦《SE》七九九年、帝国暦四九〇年、そして新帝国暦一年の六月二二日である。つい一分前、彼は黄金の髪に黄金の冠をいただき、ローエングラム王朝の初代皇帝となったのだ。

二三歳の専制君主。それも世襲によってではなく、実力によってえた地位と権力である。五世紀ちかくの昔に、銀河連邦《USG》を簒奪《さんだつ》してゴールデンバウム王朝をひらいたルドルフ大帝の子孫は、正当な理由もなく独占しつづけてきた玉座から追われた。簒奪が簒奪によってむくわれるまで、三八代四九〇年。ラインハルト以前のなにびともがなしえなかった歴史の変動が実現したのである。

　ラインハルトは玉座から立ちあがり、片手をあげて群臣の歓呼にこたえた。一連の動作が無音の旋律にのって、計算しえない自然の優美さをかたちづくる。若者の美貌《びぼう》は、その政戦両略の才能とともに当代に冠絶《かんぜつ》するものだったが、群臣を見わたす蒼氷色《アイス・ブルー》の瞳の印象は、ことに人々にとっては忘れがたいものであった。それは超高温の炎を封印して冷凍された蒼《あお》い宝石であって、ひとたび炎が噴きあがれば万物を焼きつくさずにはおかないであろうことを、さほど想像力にめぐまれない者にすら納得させるのだった。

　いま、若い皇帝の瞳にまず映るのは、最前列に位置する帝国軍の最高幹部たちである。黒を基調として各処に銀を配した軍服に身をかためた彼らは、皇帝と大差ない青年あるいは壮年で、若い主君の覇業にすくなからぬ貢献をなした名うての武人ぞろいであった。

帝国元帥パウル・フォン・オーベルシュタイン。三八歳である。年齢に似あわぬ半白の頭髪もさることながら、両眼とも義眼で、光コンピューターをくみこんだそれはときおり名状しがたい光彩を放つ。冷徹鋭利な謀略家と言われ、ラインハルトの覇業の影の部分に棲息《せいそく》すると評されていた。どのように評価され、あるいは誤解されようとも、一度として彼のほうから弁明をこころみたことはない。同僚や部下のなかで彼を好いている者はおそらく皆無であろうが、侮蔑する者もまたいない。彼の功績と才能はうたがいようもなかったし、主君にたいしてすら機嫌をとるどころか辛辣な意見を述べ、私利私欲をこととしないオーベルシュタインは、すくなくとも畏敬の念をいだかれてはいた。ただし、なるべくなら塀の外から礼儀をつくしたいというのが、人々の本心であったにちがいない。新王朝において彼は軍務尚書《しょうしょ》に任じられ、閣僚の一員として軍部を代表する身である。

帝国元帥ウォルフガング・ミッターマイヤー。三一歳である。おさまりの悪い蜂蜜《はちみつ》色の髪と、活力にとんだグレーの瞳をもっている。どちらかといえば小柄な身体は、体操選手のようにひきしまって均整がとれており、俊敏そのものといった印象だ。〝疾風ウォルフ《ウオルフ・デア・シユトルム》〟の異名によって全軍に知られる彼は、用兵のスピードにおいて他に類を見ず、衆目の一致するところ銀河帝国軍最高の勇将であった。三年前のアムリッツァ星域会戦にさきだってラインハルトの麾下にはいり、リップシュタット戦役、フェザーン攻略、ランテマリオ星域会戦、バーラト星系攻略などかずかずの戦いにおいて武勲を誇った。彼に匹敵する武勲の所有者といえば、故人としてジークフリード・キルヒアイス、生者としてオスカー・フォン・ロイエンタールがあるだけであろう。

そのオスカー・フォン・ロイエンタールは三二歳、黒いダークブラウンの髪、端整な美貌をもちあわせた長身の青年士官である。だがなによりも強烈な印象をあたえるのはその両眼で、金銀妖瞳《ヘテロクロミア》と呼ばれる黒い右目と青い左目のくみあわせであるにちがいない。ミッターマイヤーとともに〝帝国軍の双璧《そうへき》〟と称される彼は、攻撃にも防御にも卓絶した手腕を有していたが、戦わずして勝つ方法も知っている点で、単純な軍人の枠をこえる男だった。ひとたび帝国の敵陣営たる自由惑星同盟《フリー・プラネッツ》に奪われたイゼルローン要塞《ようさい》を奪回し、ミッターマイヤーとともに同盟首都ハイネセンを攻略するなどの武勲はかがやかしい。ミッターマイヤーとは一〇年来の親友だが、〝疾風ウォルフ《ウォルフ・デア・シュトルム》〟がよき家庭人であるのにたいし、彼は漁色家としての名が高かった。

新王朝では統帥本部総長として、平常は皇帝の代理として全軍を統轄し、皇帝親征の際には首席幕僚をつとめる。

以上の三名が、〝帝国軍三長官〟と称される武官の代表だが、このほかに、〝鉄壁ミュラー〟と呼ばれ、敵将である自由惑星同盟のヤン・ウェンリー元帥から〝良将〟と賞賛された二九歳のナイトハルト・ミュラー上級大将、軍人でありながら散文詩人としてまた水彩画家として名声のある三六歳のエルネスト・メックリンガー上級大将、憲兵総監と首都防衛司令官をかねる三七歳のウルリッヒ・ケスラー上級大将、三二歳のアウグスト・ザムエル・ワーレン上級大将、猛将として知られる〝黒色槍騎兵《シュワルツ・ランツェンレイター》〟艦隊司令官、三二歳のフリッツ・ヨーゼフ・ビッテンフェルト上級大将などがならんでいる。

　星々の海をかけめぐって戦火をくぐった男たちにまじって、うら若い女性がひとりいた。新王朝で国務尚書となったマリーンドルフ伯フランツの娘ヒルデガルド、通称ヒルダである。歴戦の勇者たちにとっては、〝マリーンドルフ嬢《フロイライン・マリーンドルフ》とその父君〟と呼ぶのが正確に思えるにちがいない。くすんだ色調の金髪を短くし、男とほとんど変わらぬ服装をしている二二歳の彼女は、活気にあふれた美貌の少年のようにみえるが、ごくわずかな化粧と襟もとからのぞくオレンジ色のスカーフとで女性たることを証明していた。彼女は自身、皇帝《カイザー》ラインハルトの首席秘書官をつとめ、軍隊においては大佐待遇である。一兵を指揮したこともないが、ミッターマイヤー元帥などに言わせれば〝一個艦隊の武力にまさる智謀〟の所有者であった。かつてはリップシュタット戦役における勝敗の帰結を正確に予見し、この年にはバーミリオン星系でヤン・ウェンリーのため苦戦しているラインハルトを救うべく、同盟首都ハイネセンの攻略を提案し、成功させている。

　彼らにくらべれば、多くの文官は過去の光彩において劣ったが、フェザーン自治領《ラント》の完全支配と自由惑星同盟の屈伏とがなり、ラインハルトが登極《とうきょく》した今日以降は、彼らの時代になるはずであった。若い皇帝とあたらしい王朝のもとで、旧弊《きゅうへい》は打破され、確立された秩序が伝統となるであろう、その源泉をつくるのは彼らである。ちかい未来は彼らにかならず媚《こび》を売ってくるはずだった。

国務尚書マリーンドルフ伯フランツは、式典が無事に進行し、パーティーにうつったことにささやかな満足をおぼえていた。旧王朝――ゴールデンバウム王朝時代の、浪費と虚礼を制度化したような式典のありかたが、彼は好みではなかった。みずからのぞんでのことではないが、国務尚書という職についた以上、国家レベルでの儀式や祭典は彼の管轄するところになる。なるべくなら簡素で充実したものでありたかった。

彼が新皇帝に好意的である理由はいくつかあったが、私生活が質素で式典が必要以上に盛大でないこともそのひとつだった。あれはポーズをとっているのだ、と悪く言う者もいるが、旧王朝の皇帝の大部分は、ポーズをとろうとすらしなかったのである。

「……お父さま、お疲れでしょう」

低い声をかけられてマリーンドルフ伯はふりむいた。彼を父と呼ぶただひとりの人間が立っていて、父親にワイングラスをさしだしている。

「ヒルダか、いや、疲れてはいないよ。今晩はよく眠れそうだがね、このままいけばな」

礼を言ってマリーンドルフ伯はワイングラスをうけとった。ヒルダの手に残ったグラスと合わせ、澄んだ音色をめでるようにかるく目を細めつつ、ゆっくりと赤い液体を舌の上でころがした。

「逸品だ。四一〇年ものかな」

さあ、どうでしょう、と応じたのみで、娘は父親のワイン談義を未発に封じてしまった。ワインの鑑定にはじまって、宝石や競走馬にかんする知識とか、花やドレスにたいしての素養とか、およそ貴族の姫君としての教養のすべてに、ヒルダは無関心だった。彼女に言わせれば、ワインにも宝石にも専門家がいるので、蘊蓄《うんちく》は彼らにまかせておけばよい、自分たちに必要なのは信頼するにたる専門家を見ぬく目だ、というのである。一〇歳にもならない小娘のころからそんなことを言っていたので、「かわいくない」と決めつけられて、ヒルダは貴族の令嬢たちからは疎遠だった。父親は心配したが、この小娘は「かわいくなくてもいいもん」と、あきらかに無理をした風情ながら断言して、読書と野歩きばかりしていた。今日の皇帝首席秘書官の地位は、その結実といえたかもしれない。

「そうそう、ハインリッヒがな、なにしろあの病身《からだ》なので式典には出席できんが、できれば自邸《ち》に陛下の行幸をあおぎたい、と言っていた。どうだ、お前からも陛下にお願いしてみてくれんかな」

三歳年少の、キュンメル男爵家の当主である従弟《いとこ》の名を聞くと、ヒルダの活発そうな瞳を微風がよぎった。病弱な従弟が、一度だけラインハルトを、その才能でなく健康を羨望する台詞《せりふ》をはいたことがあり、それはいささか節度を欠くように思えた。

ヒルダはそのとき、従弟をたしなめるべきか、めずらしく迷ったのだ。弟のように思ってきたハインリッヒの心情は理解できるが、残酷なことを言えば、彼が健康であったからといってラインハルトに匹敵する成果と業績をあげえたはずはない。ただ、ハインリッヒは才能上の限界を遠望するはるか以前の地点で、肉体上の限界点に達してしまい、その精神は燃焼する機会をあたえられぬまま、肉体にひきずられて朽《く》ちかけている。彼がみずからの病弱と他者の健康をのろいたくなるのもしぜんなことだった。

「そうね、お願いしてみましょう、無理かもしれないけど、ハインリッヒがどうしてもというなら」

ヒルダはそう答えた。ハインリッヒの余命はそう長くないのではないか、と、ヒルダも父親も思っている。多少のわがままならかなえてやりたかった。

新皇帝ラインハルトの即位早々、人々の耳目《じもく》をおどろかせることになる〝キュンメル事件〟の、ささやかな、これが発端であった。

II

ラインハルトの即位は六月二二日、彼がマリーンドルフ父娘に懇願されてキュンメル男爵ハインリッヒの邸宅を訪問したのは七月六日のことで、その間、若い新皇帝は一日の休暇もとることなく政務に精励《せいれい》していた。

ラインハルトは軍事上の敵手であったヤン・ウェンリーとの対照で、しばしば優劣を論じられるが、こと勤労精神にかけては、ラインハルトのほうがヤンをうわまわっていたことはうたがいえない。黄金の髪をもつ若い皇帝は、身心の活力を遊蕩《ゆうとう》にそそぎこむような退廃と、いまだ無縁であったし、みずからさだめた義務にしたがうことを喜びとする一面がたしかにあったのである。彼の施政《しせい》は、専制ではあったが、ゴールデンバウム王朝のそれにくらべ、清潔さと能率と公正さの点ではるかにまさっていた。民衆は、貴族の浪費をささえるためにより多くの租税を負担するという苦行から解放されていた。

ラインハルトのもとで編成された内閣の構成員はつぎの一〇名であった。

国務尚書　マリーンドルフ伯爵
軍務尚書　オーベルシュタイン元帥
財務尚書　リヒター
内務尚書　オスマイヤー
司法尚書　ブルックドルフ
民政尚書　ブラッケ
工部尚書　シルヴァーベルヒ
学芸尚書　ゼーフェルト博士
宮内尚書　ベルンハイム男爵

内閣書記官長　マインホフ
　宰相はおかれず、皇帝自身が最高行政官をかねる、いわゆる皇帝親政の体制である。旧帝国にくらべ、大貴族の利害を調整し家門を審査し結婚や相続を認可するための役所――典礼省が廃止され、かわって民政省と工部省がもうけられることになった。

　工部省の管轄する行政は広範囲にわたる。恒星間の輸送および通信、資源開発、民間用宇宙船および開発資材の生産、都市・鉱工業プラント・輸送基地・開発基地の建設などで、巨大な帝国の経済的ハードウェアの建設と、社会資本の整備という重要な任務が、新設のこの官庁にゆだねられていた。その長たる者は、政治的な構想力、行政処理能力、組織管理能力の三者に、きわめて高い水準の力量を所有していなくてはならなかった。三三歳のブルーノ・フォン・シルヴァーベルヒは、

「私は三者のうち二者はそなえているつもりだ」

　と自信のほどを語ったが、彼にはいまひとつ非公式ながら重要な職名があたえられていた。〝帝国首都建設長官〟というのがそれで、彼は、皇帝ラインハルトのひそやかな構想である惑星フェザーンへの遷都を実行する責任者でもあったのだ。将来、自由惑星同盟《フリー・プラネッツ》の領土を完全に併呑《へいどん》し、帝国の版図《はんと》が倍増したときその遷都の計画は実行され、フェザーンはあらたな時代の中枢として全人類に君臨するはずであった。

　内政を整備することは、星々の大海のなかで大軍をうごかし全能をあげて強敵を打倒する偉

業にくらべ、地味で散文的な仕事だった。外征がラインハルトの権利であるとすれば、内政は義務であって、創造的な喜びはともないがたかったが、若い美貌の皇帝は、地位と権力に付随する義務をおろそかにすることはけっしてなかった。

政治家としてのラインハルトの勤勉さを、簒奪者としての後ろめたさからもたらされたもの、と指摘する後世の歴史家がいるが、これは誤解である。ラインハルトはみずからが簒奪者であることに道義上のひけめを感じたことが一度もなかった。全生涯においてそうであった。彼が強奪したゴールデンバウム王朝の権力と栄華は、太古からつづいてきたものではなかったし、その永遠なることを誰に保障されたわけでもなかった。彼は、軍事上の敵手たるヤン・ウェンリーほど熱心に歴史を考察したことはなかったが、人類社会に生まれたあらゆる王朝が、征服なり簒奪なり、それ以前に存在した秩序という母胎を破壊して誕生した異形の子であることを知っていた。彼はたしかにゴールデンバウム王朝を簒奪したが、そのゴールデンバウム王朝じたい、開祖ルドルフ大帝が銀河連邦《USG》の国家組織を強奪し、数億人の血を飲みほして力ずくで成立させた歴史上の畸形児ではないか。皇帝ひとりの意思と、それを強制する軍事力とによってささえられる恒星間専制国家の出現など、誰が想像しただろうか。はてしない自己神格化の道を歩んだルドルフ大帝も、死をまぬがれることはできなかった。彼の作品であるゴールデンバウム王朝にも命数の終わりがきた——それだけのことだ。

ラインハルトは自己の所業に罪の意識をもたない若者ではなかった。ただ、それがゴールデンバウム王朝にたいしてむけられるべき正当な理由を見いだしていなかっただけである。彼が痛切な悔いと自己糾弾を余儀なくされるのは、もっとほかの人々にたいしてだった。生きている人と、死せる人と……。

季節が初夏から盛夏へと歩みをすすめようとする七月一日、国務尚書であるマリーンドルフ伯フランツが、若い皇帝に謁見《えっけん》をもとめてきた。

自分が巨大な恒星間帝国の政府の首席閣僚たるにふさわしい人物だとは、マリーンドルフ伯フランツは考えていなかった。旧王朝時代から、彼の精神のポケットに政治的野心がはいっていたことはない。彼はマリーンドルフ家と、先代に託されたキュンメル家と、両家の資産を堅実に管理し、政争や戦乱を回避して、衣食住に不自由しないていどの生活が送れればよいと考えていた。権力や地位に積極的にちかづく意思などなかった。

ラインハルトにしてみれば、新王朝は皇帝親政であり、内閣は皇帝の補佐機関であるにすぎない以上、首席閣僚が非凡な才人である必要はなかった。あまり自己を主張せず、閣僚一同の調整役に徹し、儀典や制度を過不足なく運営し、官僚たちの能力を発揮しやすいよう環境をととのえてくれれば充分すぎるほどだったのだ。くわえて、マリーンドルフ伯は誠実な君子人として知られていた。キュンメル家の資産管理をゆだねられて以後、その意思さえあれば資産をことごとく横領することも可能であり、そのような前例は旧典礼省の資料室いっぱいに繁殖しているのである。にもかかわらず、ハインリッヒが一七歳に達して資産の管理権を返還されたとき、それはすこしも目べりしていなかったのだ。おなじ時期、マリーンドルフ家の資産は、投資していた天然重水鉱山の事故でやや減少していたくらいだから、伯の公明正大さはうたがいようがなかったし、世俗のことに無能でもなかった。娘であるヒルダの才能を理解し長所を伸ばすこともできた。以上のようなかずかずの理由が彼を今日の地位につけたのである。

マリーンドルフ伯が言上したことは、ラインハルトをいささかおどろかせたようである。深深と一礼した国務尚書は、若い皇帝に、ご結婚なさる意思はございませんか、と言ったのだ。

「結婚だと……？」

「さようで。結婚なさり、後嗣《よつぎ》をもうけて帝位継承の秩序をさだめられることもまた、君主としての責務でございます」

独創性に欠けるものの、正論であることはうたがいえなかった。ラインハルトは返答の前に数秒、無言の前奏をおいた。

「その気はない……すくなくとも現在のところはな。予《よ》にはほかにやるべきことが多すぎる」

言葉はやわらかいが、それによって表現された拒絶の意思は、一万倍も堅かった。マリーンドルフ伯は黙然と一礼した。彼としてはこのとき結婚という人類社会の慣習について若い主君の注意を喚起《かんき》し、意のあるところを確認しておけば充分だったのである。おして強調すれば、気性の激しい皇帝が怒気を発するであろう、ぐらいの計算は、善良な伯でもするのだった。

マリーンドルフ伯は話題を転じ、病弱で余命にめぐまれぬ甥のキュンメル男爵が、一生の名誉として自邸に皇帝の行幸をのぞんでいることを語った。ラインハルトは計算されたものでない優美さで黄金色の頭をかるくかしげたが、すぐにうなずいて承知した。

喜んで退出したマリーンドルフ伯は、すぐにつぎの試練に直面することになった。二時間後にひらかれた定例閣議の直前に、軍務尚書オーベルシュタイン元帥から問われたのだ。

「陛下にご結婚をすすめられたとか。どのようなお考えでかな」

温厚な国務尚書は即答できなかった。義眼の軍務尚書が悪意の人ではないにしても冷徹で情を知らぬ男であることを、マリーンドルフ伯は知っていた。あるいは、知っているつもりだった。彼は用心し、天才のひらめきは欠くにせよ充分に整理された脳細胞の畑のなかから、慎重に言葉をえらび、表情をととのえた。

「陛下はいまだ二三歳のお若さ、ご結婚を急ぐ必要もないかとは思いますが、いずれ皇統の継続のためにもご結婚なさるのは当然のこと。皇妃の候補者を幾人かあげておいてもよろしかろうと思いましてな」

軍務尚書の義眼に異様な光がちらついたようにマリーンドルフ伯には思われる。

「なるほど、で、皇妃候補者の筆頭は、国務尚書のご令嬢ですかな」

オーベルシュタイン元帥の口調は、毒針ではないにせよ氷の針を植えこんだものであった。

マリーンドルフ伯は、自分の周囲の空気だけが、早春の季節にまで時を逆行したように感じた。

軍務尚書の言葉は冗談としては深刻であり、本気であるとすればいっそう深刻だった。あわただしい思考のすえ、冗談と解釈したように伯爵は演技した。

「いや、あれは自立と独歩の気風が強い娘でしてな、おとなしく宮廷の奥に端座して貴婦人をきどっているような者ではありません。いろいろ知っている娘ですが、自分が女であることだけは知らんのではないか、と、ときどき心配になるのですよ」

オーベルシュタインは笑わなかったが、

「国務尚書は良識家でいらっしゃる」

そうつぶやいて鉾《ほこ》をおさめ、マリーンドルフ伯にひと息つかせた。

帰宅して、ことのしだいを語った父親に、ヒルダは解題してみせた。

「軍務尚書は、お父さまとわたしとで、陛下をたぶらかして国政を壟断《ろうだん》することがないよう警告したのでしょう。そう本心から心配しているかどうかはともかくとして、いちおうはね」

「とほうもないことだ」

伯爵は憮然とした。オーベルシュタインのような男を相手に、皇帝にたいする政治的影響力をあらそうような覇気は彼にはなかった。さらに彼は、皇帝《カイザー》ラインハルトを娘の夫として考えるには、精神的に胃腸が弱かった。たんにおそれおおいというだけのことではない。

マリーンドルフ伯フランツが思うに、皇帝ラインハルトは偉大な天才児だが、天才とは、精神的エネルギーの量が常人と比較していちじるしく膨大なわけではない。むろんいくぶんかは多いにちがいないが、むしろ特定の分野に偏在しているのであって、水をいれたコップをかたむけたように、一部は深くなるが、一部はかえって浅くなる。古代の偉大な天文学者が夜空を見あげて星の運行を研究するうち誤って井戸に落ちた、という有名な逸話があるように、その〝浅さ〟は日常レベルにおいて発現することが多い。とくに性愛の面でしばしば常人の枠を踏みこえるようだ。

「歴史と芸術の世界から、色情狂と同性愛者を追放すれば、人類の文明は成立しない」

とは、『銀河帝国前史』の著者アルブレヒト・フォン・ブルックナー子爵の発言であるが、ラインハルトは逆に性愛にたいする関心がいちじるしくすくないのではないか、と思われ、それもまたこまったものだ、と、常識家である伯爵は気苦労をするのである。彼は、娘の婿には平凡で善良で、隠しごとをする必要のないような男性をのぞんでいた。もっとも、娘が、結婚をのぞめばの話だが……。

「なんにしても、ヒルダ、陛下のご厚情に甘えて、公私の別を忘れるようなことがあってはいかんよ。人間の数だけ誤解の種があるというからな」

明敏で活力に富んだ娘に、さしたる感銘をあたええないことを自覚しながらも、マリーンドルフ伯爵は平凡な父親の情をしめさずにいられなかった。

「ええ、わかってます」

気のやさしい父親を当面は安心させるため、ヒルダはそう答えた。じつのところ、この聡明な娘にもたしかにわからないことはあるので、彼女にたいするラインハルトの感情と、ラインハルトにたいする彼女の感情とは、分析不可能の極致だった。憎悪や嫌悪が存在しないことはたしかだが、〝きらいでない〟と〝すき〟とのあいだには巨大な距離があるはずだし、好意のなかにも無限の段階と種類があるはずだった。彼女の、そしておそらくラインハルトの欠点として、非理性的な事象を理性によって解釈しようとこころみる点があるかもしれない。

ヒルダがすぐ理解できたのは、まるで縁のないキュンメル家への行幸を承知したラインハルトの心理だった。

皇帝――最高権力者にして最高権威者たるもののばかばかしさは、臣下の邸宅を訪問するときですら政治的な配慮をせねばならないことであった。歴代の皇帝の多くが、対立しあう重臣たちのいずれの邸宅を最初に訪問するか、平常はろくに使いもしない頭脳をなやませたものである。そのような先例のかずかずは、ラインハルトにとっては笑止《しょうし》であったろう。

ハインリッヒ・フォン・キュンメル男爵は、ラインハルトの功臣でもなければ寵臣《ちょうしん》でもない。まさにその点が若い皇帝の気にいったのかもしれなかった。ゴールデンバウム王朝時代の慣習や礼式にたいして、金髪の覇者はいちじるしく非好意的であったから、一面識もない病弱の旧貴族に最初の臨御《りんぎょ》という栄誉をあたえてやることに興味をもったのでもあったろうか。

Ⅲ

その日、七月六日、皇帝ラインハルトに随行してキュンメル男爵邸を訪問した者は一六名であった。キュンメル家の当主の従姉であり皇帝の首席秘書官であるヒルデガルド・フォン・マリーンドルフ伯爵令嬢、皇帝の首席副官シュトライト中将、次席副官リュッケ大尉、皇帝親衛隊長キスリング准将、そして侍従四名、親衛隊員八名である。

多くの臣下に言わせれば、全宇宙の支配者たる者、より厳重な警護と壮麗な行列とを必要とする、すくなくとも一〇〇人以上の随員があってしかるべきだ、というのであった。ゴールデンバウム王朝時代から宮廷につかえて四〇年をへた老式部官が先例をあげてそう進言したが、

「予はゴールデンバウム王朝時代の先例をことごとく踏襲する気はない」

ラインハルトに言わせれば、一六名という随員でも多すぎるのである。彼は行動の軽快を好み、ときとして単独行をなしたことさえ一再ではなかった。後年、〃皇帝ラインハルトは影武者《ダブル》をもちいた〃と主張する歴史家が存在するゆえんである。

事実を述べれば、誰と特定はできないものの、影武者の使用を進言した臣下は実在した。〃芸術家提督〃と呼ばれるメックリンガー上級大将の記するところでは、ラインハルトは不機

嫌まで数ミリの距離に立って応じたという。

「用心すれば死なずにすむのか？　病気になれば、その影武者が私のかわりに病原菌をひきうけてくれるとでもいうのか。二度とらちもないことを言うな」

同様のことを憲兵総監ケスラー上級大将も書き残しており、進言した者は両者のうちいずれか、あるいは双方であろうと推定される。

「……皇帝にとって、一身の安全をはかるなどということは、冷笑の種にしかならぬようであった。それが自信であるのか、過信であるのか、あるいは哲学的な諦観《ていかん》であるのか、余人の理解のおよぶところではない……」

メックリンガーはそうも記している。彼は信仰と尊敬とのあいだに一線を引くことのできる人物で、ラインハルトを賞賛し、彼に忠誠をつくしながら、いっぽうでは、一代に冠絶したこの若い巨大な個性に、興味深い観察の視線をむけていた。そして、数万光年の宇宙を征服し支配しうる人物が、脳細胞の極小の部分におさまる内的宇宙《インナー・スペース》をもてあますことを、よく理解してもいたのである。

キュンメル男爵邸は、ごく平凡な邸宅だった。この家系には、傑出した権力者も、特異な趣味の才人も、常軌を逸した放蕩者もでなかったので、地位も資産もルドルフ大帝の御世からほとんど変動しておらず、五世紀におよぶ歴史のうちに幾度か増築や改装がおこなわれはしたが、前衛建築に興味をもつ者もいなかったので、旧様式の伝統がそのまま再生されつづけてきたのである。

むろん平凡とは言っても、旧王朝をささえた門閥貴族の生活水準から見てのことであって、生垣と濠《ほり》にかこまれた敷地は一般市民の住居の三〇〇戸ぶんほどにはあたる宏壮《こうそう》さであり、個性にはとぼしいながら幾何的な庭園と自然さをたくみによそおった人工林とが適度に配置されて、まず快適な生活環境を形成している。

ただ、この邸宅の当主にかんして知識を有する者は、先入観にもとづく洞察から、生気のなさを感じとるかもしれない。当主ハインリッヒ、第二〇代キュンメル男爵は、建設的なことのすべてと破壊的なことのすべてに従事していなかった。今年一九歳になる彼は、難産のすえに母親の胎内から引きだされたとき、すでに先天性代謝異常という病気とふたりづれだった。どうにか成長はしたものの、それは生きるというより緩慢に死にちかづくといったほうがよい状態だった。平民の家に生まれていれば、彼の生涯のカレンダーは最初の一年のぶんだけですんだであろう。悪名高い劣悪遺伝子排除法はとうに形骸化していたが、彼の生命を保護するには莫大な医療費を必要とした。経済的条件はときとして法律の機能をより冷厳に代行するものなのである。

いますこし健康であるなら、彼は、美貌の貴公子として若い女性たちの賛嘆を集めることもかなったであろう。だが彼の端整な目鼻をきわだたせるには、彼の肉づきは貧弱にすぎ、血は薄すぎた。彼が食事をとるのは楽しみのためではなく、一日ごとに消費される生のエネルギーを補給するだけのためであった。したがって、栄養学的な配慮は、つねに味覚に優先した。環境のすべては、彼の生命を、薄い粥《かゆ》のようにひきのばす、ただそれだけを目的として存在した。巨大な努力にもかかわらず、薄めつくした粥はたんなる湯水になりはてようとしていた。彼が生まれてから毎月毎週ささやかれつづけてきた言葉――「もう長くない」――は、今度こそ実現しそうだった。それを知るがゆえに、マリーンドルフ伯もヒルダも、皇帝に願って、ハインリッヒの望みをかなえてもらったのである。

皇帝一行がキュンメル邸の門をくぐったとき、一九歳の当主ハインリッヒ・フォン・キュンメル男爵がみずから迎えにでて、一同をおどろかせた。もっとも、電動式の車椅子に乗ってではあったが。生色はなかったが、頭髪も服装も隙なくととのえたハインリッヒは、ヒルダと目をあわせて一瞬に消える微笑をつくると、ラインハルトに頭をさげた。

「臣《わたくし》ごときの住居《すまい》へ玉体《ぎょくたい》をおはこびいただき、恐懼《きょうく》のきわみでございます。今日の一日をもって、キュンメル家の名は過分の栄光にかがやきましょう」

ラインハルトは過剰な修辞がすきではなかったが、このときは鷹揚《おうよう》にうなずき、卿《けい》が喜んでくれてうれしい、それだけで、贅をつくした酒池肉林の歓迎にまさる、と答えた。彼はその気になればいくらでも形式をまもってふるまうことができるのだ。ましてこの場合は、人助けの意味もあったし、彼の自尊心が傷つくわけでもなかった。弱々しい声であいさつを終えたハインリッヒが短くせきこむと、ヒルダが皇帝にかるく一礼してからいたわった。

「無理をしないほうがいいわ、ハインリッヒ」

ヒルダが言うと、ラインハルトもしぜんな優美さでうなずいた。

「フロイライン・マリーンドルフの言うとおりだ。無理をすることはない。まず自分の身体からたいせつにするがいい」

若い皇帝は尋常ないたわりの言葉をかけながら、奇妙におちつかぬ気分が血管のなかを走りまわるのを感じた。健常者が病人にたいしておぼえる後ろめたさかと思ったが、それだけにはとどまらないものがあった。ラインハルト自身の経験では、それは、戦闘スクリーンに映しだされた暗黒の宇宙空間が、人工の光点によってみたされはじめるのを見るときの感覚に似ていた。戦慄の波動が一瞬ごとに爆発へとちかづいていく、あの感覚。

ラインハルトは、誰にも見えないほどわずかに、かぶりをふった。理性より感覚をおもんじるのは、この場合、無意味であるはずだった。相手は半死の病人で、野心や権力欲とは縁がないのだ。

「どうぞ、中庭へおいでください。ささやかですが昼食の用意がととのえてあります」

電動式の車椅子に乗って、ハインリッヒは一同を案内した。糸杉の林のなかを、石畳の園路がめぐっている。帝国の首都は、七月といっても、熱帯や季節風帯のような高湿の暑熱とは縁がない。多少の距離を歩いても、わずかにしめった皮膚から汗が蒸発するのが、心地よいほどである。

林をぬけると建物の裏手で、方形の石畳が一辺二〇メートルほどに広がり、楡《にれ》の古木が二本、すずしげな緑蔭《りょくいん》をつくっている。大理石のテーブルに料理が用意されていた。召使たちがひきさがり、一同が座につくと、不意に風景が一変した。

正確には、風景のなかの人物が一変したのである。弱々しい、腰の低い若主人が背すじを伸ばし、唇を半月形にして兇々《まがまが》しい笑顔をつくった。

「いい中庭でしょう、ヒルダ姉さん」

「……ええ」

「ああ、ヒルダ姉さんは来たことがありますね。でも、このことは知らないでしょう……この中庭の下は地下室になっています。そしてそこにはゼッフル粒子がみちて陛下を地の底の世界にお迎えしようとしているんですよ」

そしてすべての風景が一瞬のうちに漂白されたのだ。危険きわまりない爆発性化学物質の名を耳にして、キスリング准将の黄玉《トパーズ》色の瞳が緊張をはらみ、腰のブラスターに手が伸びた。隊員たちがいっせいに指揮官にならおうとする。

「お静かに、皇帝陛下——全宇宙の支配者にして全人類の統治者、貴族とは名ばかりの貧家に生まれて玉座の主にまでなりあがった当代の偉人、ならびに忠良な臣下の諸君。起爆スイッチを押されたくなかったら、お静かに」

若い男爵の口調は熱っぽいが力強さを欠いていたので、冷笑されていることにとっさには気づかなかった者もいる。だが、危険さに気づかなかった者はいない。彼らは爆薬の真上に立っているのだ。沈黙のどろりと重い粘液をふりはらうように女性の声がした。

「ハインリッヒ、あなたは……」

「ヒルダ姉さん、あなたをまきこむのは本意ではなかった。できれば皇帝についてきてほしくなかった。でも、いまさらあなたひとり逃がそうとしても承知しないだろうね。伯父上が悲しむだろうけど、しかたない」

ハインリッヒの声は、苦しそうな咳で幾度か中断された。キスリング准将以下の親衛隊員が、その間隙に乗じようとしたことは一再ではなかったが、若い男爵の掌は、それじたいが意思をもつ生物のように起爆スイッチをにぎりしめて離さず、彼らとしては可能性の低いルーレットの目に、皇帝の生命をチップとしてのせることはできなかった。強健な彼らの小指のひとつきで絶命しそうな病人のあえぎを聞きながら、彼らは焦燥《しょうそう》と無力感の見えざる檻のなかに立ちつくしていた。

「男爵はなにやら演説したいようだ。させてやれ、時間だけでもかせがなくては」

シュトライトのささやきに、若いキスリングとリュッケは硬化させた表情のままわずかにうなずいた。皇帝暗殺の大罪をまさに犯そうとする半死の若者が、感情を制御しえなくなれば、地下から噴きあがる劫火は、ローエングラム王朝の若い開祖と、彼の近臣たちを、一瞬で焼きつくすだろう。ハインリッヒの掌に生命をにぎられているにせよ、その掌を広げねばならない。

「陛下、ご感想はいかがです？」

それまで一言も発せず、静かにすわっていたラインハルトは、かたちのいい眉をわずかにうごかしてハインリッヒの冷笑に応じた。

「ここで卿《けい》のために殺されるなら、予の命数もそれまでだ。惜しむべきなにものもない」

若い皇帝は不意に皮肉な感慨をもよおしたようで、端麗な唇が自嘲のかたちにかるくゆがんだ。

「即位からわずか一四日、これほど短命の王朝も類があるまい。ことさら予がのぞんだわけではないが、このひとつで歴史に名が残るかもしれぬな。不名誉な名だが、後世の評価をいまさら気にしてもしかたない。卿が予を殺す理由も、いまさら知ってもはじまらぬ」

病人の瞳に憎悪の光彩が浮きあがり、ほとんど無色の唇に神経質な慄《ふる》えが生じるのを見て、ヒルダは心のなかで肩をすくめた。このときヒルダは従弟の胸中を正確に洞察している。ハインリッヒはラインハルトに生命ごいをさせたかったのだ。宇宙を統治する絶対者が、ひざを屈して助命を嘆願すれば、ハインリッヒを支配してきた屈辱的な無力感が排気口を見いだし、彼はめくるめく満足感のなかで起爆スイッチを捨てるかもしれない。

だが、ハインリッヒが脆弱な肉体から自由になりえなかったのと微妙にことなる意味で、ラインハルトは自分自身の名声と矜持《きょうじ》から自由になりえなかった。彼は自由惑星《フリー・プラネッツ》同盟軍のヤン・

ウェンリー提督と対面したとき言ったものだ——自分はきらいな奴の命令をきかずにすむ力がほしかったのだ、と。いま生命をおしんで、脅迫者にあわれみをこうことは、ラインハルトの歩んできた道をみずから否定することだった。そうなったとき、彼は、幾人かの人に顔をさらすことができなくなるのだ。みずからの生命を犠牲にして彼をまもってくれた人や、貧しいなかで彼をいつくしんでくれた人を。

「ハインリッヒ、お願い、まだまにあうわ、スイッチをわたしによこして」

ヒルダは従弟のほうに譲歩をもとめた。成功の確率はともかく、時間をかせがねばならないと彼女も思ったのだ。

「……ああ、ヒルダ姉さん、あなたでもこまることはあるんですね。ぼくのみるあなたは、いつも颯爽《さっそう》としていて、まぶしいぐらい生気にあふれていた。なのに、いま、そんな暗い表情《かお》をしていると、失望を禁じえないいな」

ハインリッヒは笑った。従弟の衰弱した身心をかろうじてささえるエネルギーの源泉が悪意であることを、ヒルダは実感して、救われがたい気分になった。彼女は、血の気のない顔のなかで狂熱のきらめきを発している従弟の両眼を正視できず目をそらし、ひそかに息をのんだ。

黄玉《トパーズ》色の瞳と、足音をたてない独特の歩きかたのために〝猫〟とか〝豹《ひょう》〟とか呼ばれるキスリング准将が、さりげなくもとの位置から移動しつつあったのだ。

「静かに！」

はかったようなタイミングで発せられたハインリッヒの声は、大きくも強くもなかったが、激情の鉱脈が空中に露呈していたので、キスリングの瞬発を未然におさえこむに充分な迫力があった。

「静かに。あとほんの数分だ。ほんの数分だけ、ぼくの手に宇宙をにぎらせておいてくれ」

キスリングは救いをもとめるようにヒルダを見たが、彼女はそれに応《こた》えられなかった。

「この、ほんの数分のためにだけ、ぼくは生きてきた。いや、ちがう、死なずにきた。もうすこしだけ、死なせずにおいてくれ」

それを聞いたラインハルトの蒼氷色《アイス・ブルー》の瞳が、同情でも怒りでもない、ある感情にみたされてかがやいた。ほんの半瞬のことであった。

彼の指が、胸にかかった銀のペンダントをまさぐっていることに、ヒルダは気づいた。あのなかになにがはいっているのだろう、と、彼女はいささか状況にふさわしくないことを考えた。よほど貴重なものにちがいなかった。

Ⅳ

ウルリッヒ・ケスラー上級大将は憲兵総監と首都防衛司令官をかねているが、この両者はともに激職であって、王朝の創生期でもなければひとりの人間が兼職することはまずありえなかった。そのひとりというのがケスラーであることは、彼の心身の活力がそれにたえうると評価されていたことを証明するであろう。

七月六日の午前中に、司令部の執務室で彼は幾人かの客に会ったが、もっとも期待していなかったのにもっとも重大な用件をたずさえてきたのは、四人めの客だった。ヨブ・トリューニヒトという壮年の紳士は、つい先月まで自由惑星同盟《フリー・プラネッツ》の元首でありながら、帝国に降伏してその独立を売りわたし、一身の安泰をはかって帝国内へ居住地をうつした男である。彼のもたらした情報はおどろくべきものだった。彼はこう言ったのだ。

「皇帝《カイザー》ラインハルト陛下にたいしたてまつり、不逞な暗殺のくわだてがなされております」

憲兵総監は平然たる態度をたもとうとしたが、両眼が主人の意志を裏切ってするどい光彩をはなった。彼は宇宙空間で艦隊を指揮していた当時から、多少のことでは微動だにしなかった。しかし、これは〝多少〟の範囲内でおさまることではない。

「なぜそれが卿《けい》にわかったのか」

「地球教という宗教団体があることを、閣下はご存じでしょう。私は旧職にある当時から彼らと関係がありました。彼らのなかで陰謀がたくらまれ、私の知るところとなったのです。このことを人に告げれば生命はない、と脅迫されましたが、陛下にたいする私の忠誠心が……」

「わかっている」

ケスラーの返答は礼に厚いものとは言えなかった。同僚の提督たち同様、彼もこの降人が好きではなかったのだ。トリューニヒトという男の言動には、どこか人々の反感を刺激する劇薬の臭気がただよっていた。

「で、刺客の名は?」

憲兵総監は問い、先代の自由惑星同盟元首はおもおもしくそれに答えた。ただし、それにさきだって、自分は地球教の宗旨《しゅうし》に賛同していたことは一度もなく、彼らと一時、共同歩調をとったのは状況のなせる業《わざ》で、自分がのぞんでのことではない、と、かさねて強調することを忘れなかった。必要な情報を聞きだすと、ケスラーは部下を呼んで命じた。

「トリューニヒト氏を第二応接室におつれせよ。一件が落着するまでそこにいていただく。身辺に誰もちかづけるな」

保護を名目とした、それは一時的な軟禁と言ってよかった。

活動を開始すると、ケスラーはもはや密告者には一顧だにくれなかった。彼にとって必要であったのは料理であって、食べおえたあとの皿にはなんら用がなかったのである。

ケスラーは、まずキュンメル邸にTV電話《ヴィジホン》をいれ、シュトライト中将ないしキスリング准将を呼びだそうとこころみたが、電話は通じなかった。なぜ通じないか、理由は明白であった。

憲兵総監は歯ぎしりしながらも、時間を浪費はせず、キュンメル邸にもっともちかい場所にいる武装憲兵隊の責任者と連絡をとった。その責任者はパウマン准将といって、もともと装甲擲弾《てきだん》兵の士官であり、実戦の経験がゆたかな少壮の男だった。ケスラーは憲兵総監のくせに、はえぬきの憲兵より戦場の勇者を信頼した。彼自身がそうだったからだが、実際問題として、この場に必要なのは、捜査官や尋問者ではなく戦闘指揮官だった。

重大な命令をうけたまわったパウマンは、緊張はしたが動転はせず、即座に行動にうつり、麾下の武装憲兵のうち彼の声のとどく範囲にいあわせた二四〇〇名を指揮してキュンメル邸に駆けつけた。これは文字どおりの隠密行動であった。装甲車などをうごかし、その音で犯人にこちらの行動を気づかせてはならなかったのである。憲兵たちはキュンメル邸まで一キロ余の距離を、片手にレーザー・ライフル、片手に軍用ブーツをもって、靴下はだしで駆けた。後日、思いだして失笑する者もいたが、そのときは全員が真剣であった。包囲は音もなく完成された。

ケスラーがうった策《て》はそれだけにとどまらない。

ラフト准将の指揮下にカッセル街一九番地の地球教団支部を急襲した一六〇〇名の武装憲兵隊は、いあわせた信徒たちを一網打尽にした。信徒たちは絶対平和主義の信奉者ではなかった。武装して建物に突入する憲兵たちを歓迎したのは銃火のひらめきであった。

ラフト准将は応射を命じ、壁一枚をはさんで虹色の光条が乱れ飛んだ。銃撃戦は、激しいが長くはつづかなかった。憲兵たちは一〇分後、支部の建物に乱入し、抵抗する信徒たちを射殺しながら上の階へと進んでいった。正午すぎには六階建の支部全体が制圧された。射殺された信徒九六名、負傷しのちに死亡した信徒一四名、自殺した者二八名、逮捕された者五二名、その全員が負傷していた。逃亡者はなし。憲兵隊は死者一八名、負傷者四二名をだした。支部長たるゴドウィン大主教は毒を飲んで自殺しようとする寸前、部屋にとびこんだ憲兵によってレーザー・ライフルの銃床で殴打され、失神したまま電磁石の手錠をかけられて、殉教に失敗した。

流血で無秩序に塗装された支部のなかを、憲兵たちは殺気のヴェールをかぶって歩きまわり、叛徒どもの犯罪を立証するための証拠を集めてまわった。焼却炉の灰のなかから燃え残った書類の断片を引きだし、死者の服をぬがせて血でべとつくポケットをさかさにし、祭壇を蹴たおして床を調べた。彼らの瀆神《とくしん》行為をなじった負傷者のひとりは、激昂した憲兵に、傷ついた後頭部を蹴りつけられて死亡した……。

ラフト准将の部隊が首都の一角で流血の祭儀をもよおしていたとき、キュンメル男爵邸を包囲したパウマン准将の部隊は、軍用ブーツをはいて突入の命令を待っていた。命令を受けるほうはそれにしたがえばよいが、だすほうの責任は極度に重かった。彼らの皇帝の生命が、いわばパウマンの舌端《ぜったん》にのっているのだ。

周囲の異状に気づいたのは、生命をおびやかされているがわの人々だった。空気が音もなくはこんできたものは、皮膚をとおして彼らの神経回路を刺激し、彼らは視線のキャッチボールによってたがいの認識を共有した。それは一度も戦場に立ったことのないハインリッヒには理解も感知も不可能なものだった。

ハインリッヒの知覚は、ふたつの物体に集中していた。ひとつは、彼の掌につつまれたゼッフル粒子の起爆スイッチであり、いまひとつは、先刻から皇帝《カイザー》ラインハルトが護符のようにまさぐっている銀のペンダントだった。

ラインハルトの手は無意識にうごいていた。意識していれば、暗殺者のよけいな注意をひくような行動はつつしんだにちがいなかった。ハインリッヒの病的な眼光はそれを洞察し、それだけにいっそう、そのペンダントにたいして興味をいだかざるをえなかったのだ。

このきわめて危険な循環に、ヒルダも気づいていた。だが、どうしようもなかった。彼女が声をあげれば、ハインリッヒの病《や》んだ好奇心が行動となって具体化する、そのきっかけとなるにちがいなかったからである。

しかし、彼女と無関係に、破局は到来した。

ハインリッヒは、二、三度、かろうじて目に見えるていどに唇を開閉させたあと、ついに声を発したのである。

「陛下、皇帝陛下、そのペンダントはよほど貴重なもののようですね。どうか私にも見せて——できればさわらせていただけませんか」

ラインハルトの指が、ペンダントに触れたまま凍結した。彼はハインリッヒの顔に視線をすえた。ヒルダは戦慄した。従弟が、皇帝の不可侵の聖域に土足で踏みこんだのをさとったからである。

「ことわる」

「私は見たいのです」

「卿《けい》には関係ないものだ」

「……お見せなさい、陛下」

「陛下！」

この声はシュトライトとキスリングが同時に発したものである。彼らは皇帝に妥協をもとめた。至近の距離に味方がいるからには、たとえ秒単位でも時間が必要であり、それをかせぐ手段ほど貴重なものはないはずだった。子供っぽい抵抗をこころみて暗殺者を激発させるのは愚かというものだった。

だが、ラインハルトにはその認識がないようだった。近臣たちが知る、冷徹で鋭利で野心的な覇者の姿は消えて、余裕のない、思いつめた少年の表情が残っていた。極端にたとえれば、それは、成人《おとな》の目にはがらくたとしか映らない玩具《おもちゃ》の箱を、宝物と思いこんで、とりあげられまいと必死に抵抗する幼児のようにすらみえた。

ヒルダの目には、ハインリッヒはいまや暴君に映っていた。従弟は永遠に許されないだろう、と、ヒルダは思った。

「誰がこの場の支配者であるか、陛下はお忘れのようですね。おわたしなさい。最後の命令です」

「いやだ」

ラインハルトは信じられないほどかたくなになっていた。貴族とは名ばかりの貧家からでて、歴史上最大の帝国の主になりおおせた英雄と同一人であるとは信じがたいほどの頑迷さだった。ハインリッヒの非理性的な情念が、かたちと色をかえてラインハルトにのりうつったようにみえた。ついにハインリッヒは激発した。だが、均衡を失った彼の情念は、一同が予測していたのとまったくことなる方向にむかって噴火したのだ。ホルマリンづけの標本を思わせる生気のない手が、跳躍する蛇のうごきで伸び、皇帝の胸にかかったペンダントをわしづかみにした。それにたいする反応も常軌を逸していた。ラインハルトの、これは画家がモデルにとのぞむほどかたちのよい手が、半死の暴君の頬をしたたかになぐりつけたのだ。人々は肺と心臓の機能を急停止させたが、起爆スイッチが男爵の手から飛んで石畳にころがるのを見た瞬間、生きかえった。キスリングが、ほんものの猫もはじらうほどすばやくハインリッヒに躍りかかり、椅子ごとひきたおしてのしかかった。

「乱暴しないで……！」

ヒルダが叫んだとき、すでにキスリングはハインリッヒの細い手首を離していた。彼の力強い掌のなかで、男爵のひ弱な骨格に亀裂のはいる音がして、黄玉色《トパーズ》の瞳をもつ勇者をひるませたのだ。不当な暴力をふるったような後味の悪さをおぼえながら、キスリングは一歩しりぞいて、大逆の犯人を、短い金髪の美しい従姉と、急速にせまりくる死とにゆだねた。彼のでる幕ではなかった。

「ハインリッヒ、あなたはばかよ……」

従弟の弱々しい身体をささえながら、ヒルダはささやいた。あれほど明敏でゆたかな表現力をもつ彼女が、そのときようやくそれだけのことしか言えなかった。ハインリッヒは笑った。つい先刻の、悪意にみちた笑いではなく、死によって漂白されつつある、ほとんど無垢《むく》な笑いだった。

「ぼくはなにかして死にたかった。どんな悪いことでも、ばかなことでもいい。なにかして死にたかった……それだけなんだ」

一語一語、奇妙にはっきりとハインリッヒは美しい少年のような従姉に語りかけた。彼は赦しをこおうとはしなかったし、ヒルダもそれをもとめなかった。

「……キュンメル男爵家は、ぼくの代で終わる。ぼくの病身からではなく、ぼくの愚かさによってだ。ぼくの病気はすぐに忘れられても、愚かさは幾人かが記憶していてくれるだろう」

端然として胸中を語り終えたとき、ハインリッヒの生命の噴火孔は最後の熔岩のひとかけらをはきだした。微量のエネルギーで酷使されてきた心臓は永遠に解放され、血管は生命の河ではなく細長い池と化した。

死んだ従弟の頭を抱いたまま、ヒルダはラインハルトに視線を転じた。若い皇帝は、豪奢《ごうしゃ》な黄金の髪を夏の微風になぶらせながら、黙然とたたずんでいた。蒼氷色《アイス・ブルー》の瞳は、内心の波濤《はとう》をうかがわせなかった。片手は、あいかわらず銀のペンダントをまさぐっていた。

シュトライトは起爆スイッチを石畳の上からひろいあげ、口のなかでなにかつぶやいていた。キスリングは大声をあげて、邸宅をとりまく味方に皇帝の無事を告げていた。沈黙は騒然たる空気にとってかわられつつあった。

ひとりの男が、一同の眼前にとびだしてきた。突入を開始した憲兵隊に追われて、邸宅の奥へはいりこんできたようであった。片手にはブラスターがあり、ラインハルトの姿を見ると、敵意にみちた咆哮をあげて銃口をむけた。だが、すでにリュッケが狙点《そてん》をさだめていた。一閃《いっせん》の条光でブラスターをはねとばされると、男はにわかに生存本能をよみがえらせたように身体をひるがえしかけた。

リュッケが二度めの引金《トリガー》をしぼった。背中の中央部に条光を吸いこんだ男は、ゴールにとびこむ短距離走者のような姿勢で両腕をあげ、身体を半回転させると、金雀児《えにしだ》のしげみのなかへ頭からつっこんでいった。

三人ばかりの親衛隊を半歩あとにしたがえて、リュッケは金雀児のしげみに駆けつけ、用心しつつ屍体を引きずりだした。彼の視線が、屍体の右袖の内側にとまった。

彼が発見したのは地球教の信徒であることをしるす刺繡《ししゅう》だった。声をだすかたちに唇をうごかして、リュッケはいくつかの文字を読んだ。
「地球はわが故郷、地球をわが手に」
「あの地球教徒か」
彼の頭上でそのつぶやきを発したのは、シュトライト中将だった。近年、帝国と同盟とをとわず、人類社会にいちじるしく勢力を拡大させつつある宗教団体の名を、むろん彼も知っていた。地球教の名は知っていても、その地球とはなにかを知らない者は、かなり存在するであろう。

地球を知っているか、と、上席のシュトライトに問われて、リュッケ大尉は答えた――たしか人類発祥の地でしたね、歴史で習ったことがあります、なんにしても私たちの祖先も知らない大昔のことでしょう……。

かつて人類にとって生存圏のすべてであった惑星にたいする一般水準の関心とは、そのていどのものでしかなかった。それが宇宙に実在するものであるにせよ、その存在意義は遠い過去に失われてしまっていた。地球がいま宇宙から消失しても、人類のほとんどは困惑からも悲哀からも無縁でいられるであろう。それは忘れさられた――あるいは忘れさられつつある、ささやかな辺境の一惑星にすぎない。

だが、いまや、地球という固有名詞は、陰惨なまでに不吉な旋律をともなって、人々の耳にこだまする。それは皇帝暗殺という大それた陰謀の策源地としてであった。

V

居城たる新無憂宮《ノイエ・サンスーシー》にもどったとき、皇帝《カイザー》ラインハルトは完全に偉大な支配者たる自己を回復しているようにみえた。だが、誰ひとり予期しえぬ破局《カタストロフ》の原因となった銀のペンダントにかんしては一言も説明しなかったので、シュトライト中将もキスリング准将もいまひとつ落着しない気分だった。ヒルダはなにしろ大逆の罪人の親族であるので、そのまま自宅にもどって謹慎にはいっていた。

「皇帝陛下……」

広間を歩む彼に呼びかけたのは、首都防衛司令官と憲兵総監とを兼任するケスラー上級大将であった。

ラインハルトが立ちどまると、ケスラーはかたどおり皇帝の無事を祝い、不逞な陰謀を事前に察知しえなかった罪を謝した。

「いや、卿《けい》はよくやった。すでに陰謀の本拠地である地球教の支部とやらを制圧したというではないか。罪など謝さずともよい」

「おそれいります。ところで、陛下、すでに死亡したとはいえ、キュンメル男爵は大逆の罪人。

死後の処置をいかにとりましょうか」

ラインハルトはゆっくりと頭をふり、豪奢な黄金の髪をみごとに波うたせた。

「ケスラー、卿が生命をねらわれたとする。犯人をとらえたとして、犯人が所持している兇器を卿は処罰するか？」
二、三秒の時差で、憲兵総監は若い皇帝の言わんとするところを理解した。皇帝は、キュンメル男爵個人の罪をとわないと言明したのである。それは、むろん、その親族たるヒルダやマリーンドルフ伯も不問にふすということであった。糾弾され、制裁をうけるべきは、彼を背後からあやつった狂信者たちだった。
「ただちに地球教徒どもを尋問し、ことの真相をあきらかにし、処罰をあたえます」

憲兵総監の声に、無言のうなずきを返すと、若い皇帝は彼に背をむけ、強化ガラスの窓ごしに、放置されてひさしい庭園を見やった。にがにがしさが彼の胸に低い潮騒をかなでていた。権力をにぎるための戦いにはそれなりの充実感があったが、手にいれた権力をまもるための戦いには喜びがとぼしかった。彼はひとり、銀色のペンダントにむかって話しかける――お前とともに、強大な敵と戦うのは楽しかった。だが、自分がもっとも強大な存在になってしまったいま、おれはときどき自分自身を撃ちくだいてしまいたくなる。世の中は、もっと強大な敵にみちていてよいはずなのに。お前が生きていたら、もうすこし、おれは自分の心のおもむくさきを見つけやすかったはずなのだ、そうだろう、キルヒアイス……。

皇帝の意思は、ケスラーをとおして憲兵隊につたえられた。地球教徒の生存者五二名は、忠誠心と復讐心に煮えたぎる憲兵たちの前にひきすえられ、死者をうらやむほどの苛酷さをもってむくわれることになった。

化学的にも医学的にも、被尋問者の心身をまったくそこなわない自白剤というものはついに発明されずにいるが、憲兵隊はためらいなくもっとも強力な薬剤を使用した。ことが大逆罪であって、容疑者の健康にたいする配慮より自白をえる必要がはるかに優先したからであるが、いまひとつの理由として、あたかも殉教をのぞんでいるような地球教徒のかたくなな態度が、憲兵たちの反感を強烈に刺激したことがあげられる。特定宗教にたいする狂信ほど、それと無縁な人間の反発と嫌悪をそそるものはない。

薬物の使用をためらう医師は、憲兵たちの怒声に身をすくめた。

「発狂の心配だと？　いまさらなにを心配するか。こいつらは最初からくるっているのだ。薬を使ってまともにもどしてやれ」

憲兵隊本部地下五階の尋問室では、肉体的にも精神的にも多量の血が流された。そのあげく憲兵隊の手に残された情報は、一語を一グラムに換算しても、流された血と汗の量に比してはなはだすくなかった。要するに、惑星オーディンにおかれた地球教団の支部は、陰謀の実行機関であって指令および立案機関ではなかったのである。

最高責任者ゴドウィン大主教は、舌をかみきろうとして失敗したあと、大量の自白剤を注射されたが、それでも最初はなんら語ろうとせず、医師を驚歎させた。二度目の注射で精神の堤防に穴があき、すこしずつ情報をたれ流しはじめた。それでも主要なことといえば、この時機に皇帝暗殺を命令された理由の推測ていどであったが。

「……時間がたてば金髪の孺子《こぞう》の権力基盤は強化される。現在でこそ覇者として虚飾を排し、簡素をおもんじ、臣下や人民とのあいだに可能なかぎり垣をもうけないようにしているが、いずれ権威と栄光をふりかざし、護衛をきびしくするにちがいない。いまのうちでないと機会はめぐってこないかもしれぬ……そういうことだろう」

〝金髪の孺子〟とは皇帝《カイザー》ラインハルトの敵対者たちが彼をののしるときに使用する言葉で、これをつかっただけでもゴドウィン大主教は不敬罪に値した。だが彼は法廷で裁かれることはついになかった。自白剤を注射される回数が六回めに達したとき、彼は意味不明の大声で尋問室の天井と壁を乱打し、数秒後、口と鼻と耳から血を噴きだして死亡した。

〝尋問〟の苛酷さはともかく、むりやり引きずりだされた事実には疑問の余地がなかった。教団ぐるみ、地球教は大逆をもくろんだのである。それが明白であるからには、したたかに罪状を思い知らせてやる道があるだけだった。

「だが地球教徒《やつら》の目的は奈辺《なへん》にあるのか。なんのために陛下の弑逆《しいぎゃく》をねらうのか、それが判然とせぬ」

それはケスラーだけでなく、事件を知った重臣たちに共通の疑問だった。彼らは明敏ではあったが、それだけにかえって、かぎられた事実から、狂信者たちの幻夢境を発見することはできなかったのである。

これまでのところ皇帝ラインハルトは宗教にたいして寛容というよりも無関心であった。だが、特定の宗教団体が、最終目的であるにせよ手段であるにせよ、彼の存在を否定する挙にでたことにたいして、当然、無関心ではいられなかった。彼は敵意や侮蔑にたいして、相応の、あるいは相応以上の報復をもってむくいなかったことは一度もない。今回にかぎって寛大であるべき理由は、見わたすかぎりの地平のどこにも存在しなかった。

ラインハルトの部下たちをみると、地球教にたいする怒りと憎悪は、軍人たち以上に文官たちが激しいものをもっていたかもしれない。フェザーン自治領《ラント》の支配と自由惑星同盟《フリー・プラネッツ》の屈伏によって外征が一段落し、軍人にかわって文官の時代が到来しつつあるのに、このとき新皇帝がテロリズムによって打倒されれば、宇宙は分裂と混沌の渦中にしずみ、彼らは忠誠心の対象と、秩序の保護者とを、同時に失ってしまうではないか。

……こうして、七月一〇日の御前会議が開かれるのだが、それ以前に地球の、すくなくとも地球教の命運は、未来へと架けわたされるべき橋を失っていたのである。

第二章　ある年金生活者の肖像

Ⅰ

皇帝《カイザー》ラインハルトの身辺に、小規模ながら流血の間奏曲がひびきわたるころ、銀河帝国の保護領となりさがった自由惑星同盟の首都、惑星ハイネセンにおいては、〝奇蹟《ミラクル》のヤン〟ことヤン・ウェンリー氏があこがれの年金生活を送っている——はずであった。

後年、皇帝《カイザー》ラインハルトの軍事的好敵手として名声をうたわれることになる彼は、その人生の最初から最後まで、軍人でありたいとのぞんだことは一度もない。彼が士官学校にはいったのは、無料で歴史を学びたかったからであり、軍服を着てからも、やめる機会ばかりねらっていたのである。それが一一年前の〝エル・ファシル脱出行〟で思わぬ功績をたててからは、武勲と昇進が交互に彼をしばりつけ、当人に言わせれば、三二歳にしてようやく退役することができたのだった。

むろん、ヤンの地位と、それにたいしてあたえられる年金は、多数の味方と、それを凌駕する多数の敵との血によってあがなわれたものである。それを思えば、良心の支配する区域では精神の皮膚を針が刺してまわるのだが、一歩外へでれば、一二年来の念願がかなったとあって、不謹慎にも頬がゆるむのであった。

「仕事をせずに金銭《かね》をもらうと思えば忸怩《じくじ》たるものがある。しかし、もはや人殺しをせずに金銭がもらえると考えれば、むしろ人間としての正しいありかたを回復しえたと言うべきで、あるいはけっこうめでたいことかもしれぬ」

などと厚かましく記したメモを、この当時ヤンは残しているが、これはヤンを神聖視する一部の歴史家には、故意に無視されるたぐいのものである。

二八歳にして准将、二九歳にして大将、三二歳にして元帥——平和な時代であれば誇大妄想症患者の空想にとどまるしかないような栄達《えいたつ》をとげたヤンは、同盟軍随一の智将といわれ、史上最高という過分な形容詞をつけられることもある。最近の三年間における同盟の軍事的成功は、そのほとんどすべてが、この黒髪の魔術師の、黒ベレーのかたちをしたシルクハットのなかから飛びたったのである。もっとも、同盟それじたいが銀河帝国の前にひざを屈した今日、それがヤンにとって有利にはたらくとはかぎらなかったが、いま気に病んでもしかたないことだった。

退役直後に、ヤンは結婚して家庭をもった。この年六月一〇日である。花嫁はフレデリカ・グリーンヒルという二五歳の女性で、ヤンの現役当時その副官をつとめ、階級は少佐だった。

金褐色の髪とヘイゼルの瞳をもつ美人で、エル・ファシル脱出行のときまだ一四歳の少女だったが、たよりなげに見える黒髪の若い中尉をそのとき以来想いつづけ、その想いを実現させたのである。ヤンは彼女の想いを知っていたが、この年のなかばに、ようやくそれに応えることができたのだった。

結婚式はごくささやかなものだった。ヤンが、盛大な式などというしろものを大きらいだったことが第一の理由だが、いささか真剣な理由も存在した。つまり、結婚式だのパーティーだのを口実に、旧同盟軍の幹部たちが結集してよからぬ謀議にふけるのではないか——そういう疑惑を帝国軍に感じさせては、はなはだまずかったのだ。

また、盛大な式をとりおこなって内外の名士を集める、などということになれば、ヤンの好まない人物が長々とスピーチをたれたり、まかりまちがえばいまや同盟政府の上にある銀河帝国の弁務官なども招かねばならなくなる。わずらわしさは極力さけたかった。

その結果、ヤンの旧部下でも、現役の軍人を呼ぶのはひとり、先輩のアレックス・キャゼルヌ中将だけにとどめ、あとは退役した者ばかりであった。

式の当日、花嫁は異論なく美しかったが、花婿はというと、せっかくの正装にもかかわらず、あいかわらず、なかなか芽のでない若手の学者という印象で、

「姫君と従者だな」

とキャゼルヌが辛辣に評したくらいである。じつは式にさきだって、彼は、かたくるしい正

装はいやだと不平を鳴らす花婿をしかりつけているのだが。彼はこう言ったのだ。

「そいつはお前さんが悪い。現役のときに結婚しておけば、軍服姿ですんだのさ、おれみたいにな」

あげくに、いやいや正装したヤンを見て、つぎのように評した。

「お前さん、いまにしてみると、まだしも軍服のほうが似あっていたんだな」

ヤンは軍服を着ていてさえ、なんとなく軍人らしく見えない青年だった。

かつてヤンの下で亡命者部隊〝薔薇の騎士《ローゼンリッター》〟連隊長やイゼルローン要塞防御指揮官をつとめ、ヤンと前後して下野したワルター・フォン・シェーンコップ中将は、皮肉と慨歎《がいたん》をカクテルした口調で言った。

「せっかく軍隊という牢獄から脱出しながら、結婚というべつの牢獄に志願してはいるとは、あなたもものずきな人ですな」

するとキャゼルヌが応じて、

「独身生活一〇年でさとりえぬことが、一週間の結婚生活でさとれるものさ。よき哲学者の誕生を期待しよう」

ヤンの士官学校の後輩で、これも退役したダスティ・アッテンボローまで彼らに同調して毒舌をたたいた。

「ですが、私が思うに、ヤン先輩の生涯最大の戦果は、今度の花嫁ですよ。これこそ奇蹟の名にふさわしい。本来なら、先輩なんぞのところへ降嫁する女性《ひと》じゃありませんからな」

一同の批評を耳にして、ヤンの被保護者である一七歳のユリアン・ミンツ少年が亜麻色のやや長めの髪をふって言ったものである。

「提督、よくこんな人たちをひきいて勝ってこられましたね、裏切者ぞろいじゃありませんか」

「私の人格は、かくて陶冶《とうや》されたのさ」

いかにも人格者らしげなことを言うと、ヤンは、花嫁にキスするよう参列者たちに要求され、酔ってもいないのに、あぶなっかしい足どりで少年の傍から歩みさった。見送ったユリアンは、みずみずしい端整な顔に、ほんの一瞬、せつなげな表情をひらめかせた。理由はふたつある。ひとつは、彼が年上の女性《ひと》であるフレデリカにたいして漠然とながら憧憬《どうけい》の念をいだいていたこと。いまひとつはその夜のうちに惑星ハイネセンを離れて旅立たなくてはならなかったことである。後者はみずからえらんだことだったが、彼の好きな人々と別れて遠く一万光年の旅にでるとなれば、若い心の回廊を感傷が足早に歩きまわるのも無理からぬことであったろう。

結婚式が終わると、毒舌家の面々もひきあげ、ユリアンはヤンとフレデリカに別れのあいさつを残して姿を消し、いまや若夫婦となったふたりは市街から二〇〇キロほど北へ離れたコールダレーヌ山地の湖沼地帯へでかけた。そこに借りた山荘で一〇日間をすごして帰ってくると、フレモント街の貸家であらたな生活をはじめた。これまでのシルバーブリッジ街の家は官舎だったので、当然、退役とともにひきはらわねばならなかったのだ。

こうして理想的な人生の最初のページを、ヤンはひらいたかにみえたのだが、現実は夢にくらべてはなはだ糖分にとぼしかった。

元帥であったヤンと少佐であったフレデリカの年金をあわせると、王侯貴族とまではいかぬまでも、充分に行動の自由と物質的な余裕にめぐまれた生活が保障されるはずだった。ところが年金というものは、政府に財源があってはじめて無事に支給されるものなのである。彼の手のとどかないところで、状況は悪化していたのだ。

ジョアン・レベロを首班とする同盟新政権は、終結した戦争のために破綻し、和約によってかされた帝国への安全保障税のために再建困難な状態にある財政状態を改善せねばならなかった。なすべきことは山積していたが、さしあたり近距離に手を伸ばそうと考えた彼らは、権力機構および周辺に居住する者がまず姿勢をただし、財政再建の決意を市民にしめすべきだとの結論をえたのである。

公職にある者の給料カットがおこなわれた。平均一二・五パーセントの減給であり、レベロ自身は二五パーセントを返上した。ここまではヤンにとって窓の外の風雨でしかなかったが、軍人の年金にも削減のメスがふるわれるにおよんで、破れたガラス窓から吹きこむ湿った風の冷たさが身にしみてくることになったしだいである。

もと元帥の年金カット率二二・五パーセント、もと少佐のそれは一五パーセント。地位が高い者ほど削減率が高いのは、その逆であるより正しいことであったから、ヤンとしては不平を鳴らしようもなかった。だが、姿勢の正しさはべつとして、芸もなければ勤労精神もとぼしいヤン家の当主としては、もはや戦場に立つことなくお金銭《かね》がもらえる——という理想境を、半獣人に踏みあらされたような気分がしたのは事実である。彼は金銭の亡者などではなかったが、金銭がありすぎてこまったという経験もなく、その価値を充分に、またごくまっとうに理解していた。だからといって、せっせと働いて所得《かせぎ》をふやそう、などという意欲に燃えたりはしないのが、ヤン・ウェンリーという男であって、後世の歴史家が「ヤン元帥は金銭《かね》もうけにまったく興味がなかった」と記述するのは、たしかに一面の事実ではあるのだ。

それでも、ふたりの年金をあわせると、ささやかな預金に手をつけなくても、さして無理なく生活していけた。ヤンの退役生活が息苦しいものになっていったのは、金銭的な面においてではなかった。

最初の徴候は、コールダレーヌでの短い山荘生活において、すでにあらわれていた。鱒《ます》を釣るために湖に糸をたらしているとき、山地の夜の冷気に抗して暖炉に薪《まき》を放りこんでいるとき、牧場直営の売店でしぼりたてのミルクを買っているとき、ヤンは彼らを冷たく観察する視線の存在を感じて、うとましい思いにおそわれた。

ヤンは監視されていたのである。

II

この年、宇宙暦《SE》七九九年、旧帝国暦四九〇年、新帝国暦一年五月に締結された〝バーラトの和約〟は、第七条において同盟首都に帝国高等弁務官の駐在をさだめた。これは銀河帝国皇帝の代理人として同盟政府と折衝および交渉するのが任務だが、〝和約の履行《りこう》について監査をおこなう〟というのは内政干渉権をあたえたものであり、事実上は総督といってよい。

この要職にヘルムート・レンネンカンプが任命されたことは、後年、〝芸術家提督〟エルネスト・メックリンガーによって、つぎのように評されることになる。

「任命の時点では、この人事はけっして最悪のものではなかった。ただ、結果として最悪になっただけである。そしてこの人事によってなにびとも幸福をえることができなかった」

ヘルムート・レンネンカンプは外見こそさえない中年男で、これだけは堂々たる口ひげが、かえって容貌を不均衡なものにしていた。しかし、大小の戦闘で武勲をかさねた堅実な用兵家であり、軍隊組織を管理運営する能力においても欠けるところはないと思われていた。彼は一時期、少佐であったラインハルトの上官であり、〝生意気な金髪の孺子《こぞう》〟をとくに厚遇はしなかったものの、なにびとも後ろ指をさせないほど公正にあつかった。その結果、彼は、将来のローエングラム王朝の創始者が脳裏で作成していた人材登用のリストに、名を記されることになったのである。

忠誠心、責任感、勤勉、公正、規律性といったかずかずの美徳にレンネンカンプはめぐまれており、部下たちにも相応の尊敬と信頼の念をよせられていた。帝国将帥列伝に彼のための一章があたえられるとすれば、賞賛の記述が多くをしめることはあきらかだった。ただ、任務が純軍事面からほかの領域へはみだすとき、彼は、オスカー・フォン・ロイエンタールの柔軟さとウォルフガング・ミッターマイヤーの寛容さとを欠くこと、その美徳のゆえにかえって自己と他者とをともに追いつめてしまう傾向があること、優秀な軍人としての資質と人間としての偉大さとがかならずしも両立しないこと――それらの記述もなされなくてはならないだろう。

ハイネセンポリス市内の中心部に位置する高級ホテル『シャングリラ』を接収して弁務官事務局をひらいたレンネンカンプは、警備兵として四個連隊の装甲擲弾兵と一二個連隊の軽装陸戦兵をしたがえていた。ガンダルヴァ星系にはシュタインメッツ提督の巨大な艦隊がひかえているとはいえ、このていどの兵力で先日までの敵地に駐留するのは臆病者には不可能なことだった。

「同盟の奴らが私を害せると思うならやってみるがいい。私は不死身ではないが、私の死は同盟にとっても、滅亡を意味するのだ」

肩をそびやかして言いはなつ彼であった。

レンネンカンプの理想は、〝よき軍隊〟であった。不正や反抗がおこなわれず、上官は部下をいつくしみ、部下は上官を尊敬し、僚友は信頼しかつ助けあって共通の目的へと前進する。秩序と諧調《かいちょう》と規律とが、彼の価値観の最たるものだった。ある意味で、彼は極端な軍国主義者であり、ゴールデンバウム王朝の創始者ルドルフ大帝にとって、時間の下流に生まれおちた忠実な弟子と称することもできたであろう。むろん、彼は、ルドルフ・フォン・ゴールデンバウムほど肥大した自我をもちあわせてはおらず、その逆に、崇拝すべき主君をもちあわせていた。ただ、レンネンカンプは、主君を、自己を客観視するための鏡として使うことをしなかったのである。

このレンネンカンプの命令によって、ヤン・ウェンリーは潜在的危険人物として帝国軍の監視をうける身となったのだった。

さらにヤンをうんざりさせたのは、外出のつど、訪問先と帰宅予定時間を申告するよう要求されることだった。現役と退役とを問わず、高級士官は公人としてその所在をつねに政府に把握せしめる必要がある、というのがその理由であった。

しかも、この刑務官的な指示は帝国軍からだされたものではなく、同盟政府から帝国軍に提案されたのである。帝国軍に干渉の口実をあたえないよう細心の努力をはらわざるをえない同盟政府の苦心は理解できるが、〝いいかげんにしてくれんかな〟というのがヤンの本心だった。

「私みたいに平和で無害な人間にいやがらせをしてなにが楽しいんだか訊いてみたいものだよ、まったく」

ヤンは新妻にこぼしてみせたが、人類社会のすべてのできごとを知る者がいたとしたら、ヤンを〝罰《ばち》あたり〟な人間とみなしたかもしれない。ヤンは完全に青天白日の身というわけではなく、ユリアン・ミンツの地球行を援助したり、帝国から亡命したメルカッツ提督らの脱出を企図したり、大小いくつかにわたって反帝国的とは言えぬまでも充分に非帝国的な行動をおこなっているのだから、みずからを罪なき虜囚のごとく思いこむのは厚顔というものであった。

その点についてはフレデリカは言及せず、いずれにしても帝国軍の猜疑《さいぎ》をかい、同盟政府の立場を苦しくするのはヤン個人にとっても得策ではない、と意見を述べた。

「だから大いになまけていてくださいね」

妻に言われてヤンはうれしそうにうなずいた。まったく、平和に、安穏《あんのん》に、なまけてくらすのは彼の理想であった。かくしてヤンはりっぱな大義名分のもとに惰眠《だみん》をむさぼり、ぼんやりしていなければのらくらして毎日をすごすことになった。

一日、ヤンを監視する責任者であるラッツェル大佐は上司にこう報告した。

「ヤン元帥の日常は平穏そのもの、帝国にたいする叛意をうかがわせるようなものは感じられません」

「美しい新妻と、働かずに食える身分か。うらやましいことだ。理想の人生と言うべきだろうな」

レンネンカンプの声には反感と皮肉の薬味《スパイス》が充分にかかっていた。勤労精神と、国家にたいする義務感とを、彼はきわめて高く評価しており、軍部の要職にあった者が敗戦の責任を忘却の戸棚に放りこんで、のほほんと安楽な年金生活を送っていることに、好意的ではいられなかったのである。ヤン・ウェンリーという青年は、彼の常識と価値観からは理解しがたい存在だった。

かつてヤンは二度にわたって敗北の苦杯をレンネンカンプに飲みほさせたことがある。ヤンが軍国主義的な美徳の所有者であれば、レンネンカンプの敗北の記憶は、すぐれた敵将にたいする尊敬へと昇華されたかもしれなかったが、両者にとって不幸なことに、彼らはそれぞれことなる精神世界の住人だった。たがいに無縁に生きていければよかったのだが、あいにくと、しばしば対極とは背中あわせに存在するもので、任務上レンネンカンプは肩ごしにふりむかねばならなかったのだ。

あれは擬態だ、と、レンネンカンプはやがて確信した。ヤン・ウェンリーはこのまま老い朽ちるまで無為な年金生活に甘んじるような男ではありえない。かならず内心で同盟の復活と帝国の転覆をくわだて、長期的な計画をねっているにちがいない。それを糊塗《こと》するために平凡な日常をよそおっているのだ……。

ヤンにたいするレンネンカンプの見解は、典型的な忠君愛国型軍人の偏見と誤解にみちたものだった。そして、まことに逆説的ながら、レンネンカンプは偏見の沼地と誤解の密林を盲目的に強行突破して、真実の城門の前にたどりついていたのである。

だが、彼の部下は、彼ほどの信念を欠いていた。あるいは、偏執的になれなかった。ラインハルトが人選をあやまってレンネンカンプをえらんだとすれば、レンネンカンプは人選をあやまってラッツェルをえらんだ。大佐はヤンを監視するにあたって礼儀正しく、当人にこう告げたのである。

「元帥閣下にとってはさぞご不自由、ご不快のことと存じますが、これも上官からの命令でして、小官としては服従せざるをえません。どうかご容赦いただきたく存じます」

ヤンはかるく手をふってみせた。

「ああ、気にしないでください。大佐、誰しも給料にたいしては相応の忠誠心をしめさなくてはなりませんからね。私もそうでした。あれは紙でなくじつは鎖でできていて人をしばるのですよ」

ラッツェル大佐がわずかに頬をほころばせるまで三秒ほどの時間が必要だったが、これは、ヤンの冗談のできが悪かったのか、ラッツェルのユーモア感覚が充分に開発されていなかったのか、おそらくその双方であろう。

このような事情で、ヤンは、ラッツェルによる監視を許容した。民主的な軍隊などといわれた同盟軍でさえ、上官の命令はときとして不当に重かった。帝国軍ならなおさらであろう。ラッツェルの上官にたいしては、むろんヤンは不快感を禁じえず、妻にむかってその為人《ひととなり》を批判してもみた。

「レンネンカンプという人は規律の信徒であるらしい。規律に反するものは善でも認めないし、規律どおりであれば悪でも肯定するんだろう」

ヤンの本心を言えば、たとえそれが正しくとも、規律で強制されることじたいが気にいらないのである。その本心を露骨にだしたりせず、「王さまの耳はロバの耳」となる時と場所をあるていどはわきまえていたからこそ、なんとか無事に年金をもらえる身分になれたのだ。もっとも、権力者やその忠実な飼犬たちからみれば、とても従順な小羊には思えなかったようで、理由もない査問会とやらでつるしあげられた経験もヤンにはある。先輩のキャゼルヌなどは傍で見ていて危なっかしく思ったことも再三であった。ただ、銀河帝国という強大な敵が存在する以上、ヤンの軍事的才能は必要不可欠であり、〝態度のでかい青二才〟を抹殺するなど問題外であった。せいぜい査問会でいびるくらいだったのだが、ヤンとしてはその記憶につぐ不愉快さでレンネンカンプのやりようをうけとめたのである。

「つまりレンネンカンプという人をお嫌いなんですね」

あえて単純化した妻の質問にたいする夫の回答――。

「嫌いじゃない、気にくわないだけだ」

ヤンにとっては、それで充分すぎることだったのである。

彼は陰謀が好きではなかった。正確には、他人をおとしいれるために陰謀をめぐらす自分自身の姿を見るのが好きではなかった。だが、レンネンカンプが限度をこえてヤンの生活に干渉してきたら、陰謀という武器を使って彼をしりぞけねばならないかもしれなかった。ヤンの精神は絶対平和主義の境地に達していなかったから、一発なぐられれば、一・一発ぐらいはなぐりかえしてやりたくなるのである。

とはいえ、ヤンにとってのジレンマは、レンネンカンプというううるさ型を失脚させたからといって、後任に彼より寛容な人物が赴任してくるとはかぎらないということであった。犬を追いだして狼を呼びこむ愚行を演じてはならない。たとえば冷徹にして鋭利なオーベルシュタイン元帥などが、飛躍的に強化された権限をあたえられてのりこんできたりすれば、ヤンとしては精神的に窒息死させられてしまう。

「だからレンネンカンプの野郎を……」

と言いかけて、さすがに下品だと自覚したか、自分では紳士的なつもりでヤンは言いなおした。

「レンネンカンプ氏にご退場いただくのはいいが、問題は後任《あとがま》だ。無責任で物欲が強く、皇帝の目がとどかないのをいいことに小悪にふけるような佞臣《ねいしん》タイプの人物が、こちらにとっては、いちばん利用しやすい。だが、皇帝《カイザー》ラインハルトはいままでのところ、そんな人物をひとりも登用していない」

「皇帝ラインハルトが君主として堕落すれば、そんな人物を登用するでしょうね」

「ああ、きみは事態の本質をついたな。そのとおりだ」

ヤンはにがい表情で息をはきだした。

「吾々《われわれ》は敵の堕落を歓迎し、それどころか促進すらしなくてはならない。情ない話じゃないか。政治とか軍事とかが悪魔の管轄に属することだとよくわかるよ。で、それを見て神は楽しむんだろうな」

そのころ、弁務官事務局では、レンネンカンプ上級大将が、あらためてラッツェル大佐に命令をくだしていた。

「監視をゆるめるな。あの男はかならずなにかしでかす。帝国と皇帝陛下にとって害となるものは、それが現実のものとなるまえに排除せねばならぬ」

「…………」

「返事はどうしたか⁉」

「はっ、ご命令どおり、今後もきびしくヤン元帥を監視いたします」

才能のない俳優さながらの返答である。

その態度は上官にとって完全に満足できないものであったらしく、レンネンカンプはひげを微妙にふるわせて声を高くした。

「大佐、こころみに問うが、吾々に必要なのは、従属されることか、それとも歓迎されることか、どちらかね」

上官の期待する返答を、ラッツェルは知っていたが、一瞬、反抗の意思が心のなかで泡だつのを感じた。彼は視線をさげ、またしても熱のない口調で答えた。

「むろん従属されることであります、閣下」

「そのとおりだ」

主観的におもおもしくうなずいて、レンネンカンプは部下に説教した。

「吾々は勝利者であり支配者なのだ。あたらしい秩序を建設する責任があるのだ。一時は敗者にうとまれることがあっても、より大きな責任をはたすためには、不退転の決意と信念をもってせねばならん」

エルネスト・メックリンガーは、やはりのちにつぎのように記した。

「……この人選が失敗したことで、皇帝は責任をおわねばならないであろうか。私はそうは思わない。皇帝がレンネンカンプのこだわりに気づかなかったのは、皇帝自身がヤン・ウェンリーにたいしてこだわりをもっていなかったからである。自分を負かした人間にたいするこだわりとは、心理上、巨大な山脈のようにそびえたつ。強い翼をもつ鳥はその山脈を飛びこすことが可能だが、そうでない鳥にとってこの飛越は苦難にみちている。思うに、レンネンカンプはいますこしみずからの翼を強めるべきであった。皇帝が彼を弁務官に任命したのは、ヤン・ウェンリー個人にたいする看守の任をはたさせるためではなかったのだから。皇帝はたしかに全能ではなかった。だが、天体望遠鏡が顕微鏡の機能を併有していなかったとして非難するがごときは、私の採《と》らざるところである……」

Ⅲ

帝国軍の監視下にあるのはヤン・ウェンリー個人にかぎらない。ほかの高級士官たちも多かれすくなかれ似たような状況におかれていた。そもそも、自由惑星同盟《フリー・プラネッツ》じたいが、帝国軍による完全征服をかろうじてまぬがれている点で、執行停止状態の死刑囚のような存在であった。

レンネンカンプ弁務官には、同盟政府の諸会議すべてを傍聴する権利があたえられている。命令をくだしたり意見を述べたりはできないのだが、同盟政府関係者にしてみれば、彼の耳をはばかって、自由な討議などできようはずもない。

同盟の元首であり首席行政官である最高評議会議長ジョアン・レベロは、政権をなげうったヨブ・トリューニヒトのあとをうけてその座についた。権力の甘い果実はすでに食いちらされており、彼は苦難を承知で、荒れはてた果樹園をたがやしていたのだ。

「帝国に口実をあたえてはならない」

ジョアン・レベロはそう決意している。たとえ名目だけのものではあっても、二世紀半の歴史を有する自由惑星同盟の独立を維持し、いずれは完全な独立を回復しなくてはならない。野獣の論理をもちいれば、ローエングラム朝銀河帝国は、圧倒的な軍事力をもって自由惑星同盟を併呑することができる。現在それをなさないということは、将来にもわたってその意思をもたないことを意味するものではない。より有利な状況の完成を待っているだけのことなのだ。

〝バーラトの和約〟は、見えざる鉄鎖となって自由惑星同盟の四肢をおさえつけている。第四条によって同盟は帝国に年間一兆五〇〇〇億帝国マルクの安全保障税を支払わねばならず、軍事費の負担はかたちをかえただけで同盟の財政にたいする重圧となりつづけるであろう。第六条においては、帝国との友好を阻害する活動を禁止する国内法の制定が義務づけられ、レベロは〝反和平活動防止法〟の法案を議会に提出するとともに、言論および結社の自由を保障した同盟憲章第七条の期限つき停止を宣告しなくてはならなかった。

「言論および結社の自由を認めぬなど、民主政治の自己否定ではないか」

原理尊重派はそう叫んだ。そのていどのことはレベロも知っているが、世の中には緊急避難というものがあるのだ、と彼としては考えざるをえない。死をまぬがれるために壊死《えし》した腕を切断する場合もあるではないか、と。そう自己を説得しつつ、レベロがいだかざるをえない懸念は、同盟最大の軍事的英雄ヤン・ウェンリーの存在であった。彼が原理派にかつがれ、帝国と同盟の双方に叛旗をひるがえす可能性を思うと、戦慄を禁じえない。

ヤン・ウェンリーが武力によって権力を獲得しようとこころみるような人物でないであろう

ことは、レベロも承知している。この三年間に、それを実証する事例を何度も眼前にみてきた。だが、過去の実例が未来を全面的に保障するわけではない。ヤンの新妻フレデリカの父親は、軍部内の良識派と称された故ドワイト・グリーンヒル大将だが、政治・外交の昏迷《こんめい》ぶりを憂慮するあまりに軍部内強硬派にかつがれてクーデターをおこすことになったではないか。

そのときクーデターを鎮圧して民主政治を救済したのはヤン・ウェンリーである。あのときヤンはみずからが独裁者になろうと思えばなれたのだが、クーデターを鎮圧し、占拠されていた首都を解放すると、さっさと最前線にもどって辺境守備の司令官に甘んじてしまった。それは賞賛に値する行動だったとレベロは思うが、人間とは変化するものだ。まだ三〇歳をこしたばかりの青年が、単調な引退生活にたえられず、才能にふさわしい野心をよびさまされたとしたら……。

こうして、ヤン・ウェンリーは、彼が年金をうけとっている当の自国政府からも監視されるようになったのである。その事実は、わざわざ当人に告知されることはなかったが、ヤンが察知するのにさほどの時間は要さなかった。彼はマゾヒストではなかったから、私人としての生活を監視されたり窃視《せつし》されたりすることになんら喜びを感じなかった。とはいえ、大声で抗議の意思をわめきたてたりする気にもなれなかったのは、現政府の立場がいかに苦しいかを知って、多少なりとも同情を禁じえなかったからである。さらには、彼のもとにあらわれるわずらわしい訪問客の足をとどめる効果もないではなかった。

いずれにしてもヤンは他人の思惑がどうであれ、当分はのんびりと人生途上の有給休暇をすごすつもりだったのだ。後日になってみれば計算ちがいの極致だったのだが……。

新妻のフレデリカは、なまけ者の亭主のように、食べて寝て、発表するあてもない歴史論の原稿を書きちらす以外はひたすらぼんやりしている——という非生産的な日常を享受するわけにはいかなかった。彼女が夫に倣《なら》ったら、つくったばかりの家庭は、雑草のおいしげる廃園になってしまう。せめてオアシスとしての機能は維持したいところなのだ。

フレデリカ・G《グリーンヒル》・ヤンにとっては、新婚家庭はそのまま主婦としての修業の場でもあった。少女時代、病弱だった母親にかわって家庭を維持していたのだが、考えてみれば、父親は娘の負担をかるくするためにいろいろと配慮してくれたし、一六歳になると彼女は士官学校に入学して家庭を離れてしまった。士官学校では、非常時の食糧調達法だの野草の食べかたなどは学んだが、家庭料理など教えてくれなかった。それでも機会あるごとに独学したつもりなのだが、〝コンピューターのまた従妹〟などと呼ばれて士官学校以来、比肩するもののない記憶力を誇ったはずの彼女が、家庭生活にかんしてはさしたる優等生ぶりをしめすことができずにいるのだった。実践の不足が原因なのであろうか。

彼女の記憶回路には、人類五〇〇〇年の歴史の全年表やら、ヤンの戦歴と武勲のくわしい内容やらが正確にインプットされているが、さしあたりどれほど深遠な学識も、いかに高邁《こうまい》な哲学も、夫好みの紅茶をいれたり、夏ぎらいの夫の食欲を促進するメニューを考案したりするには役だたない。

ヤンはフレデリカのつくる食事に不平を鳴らしたことは一度もなかったが、それは本心から彼女の料理に感心しているのか、それほど美味とも思わないが彼女の心情を思いやってなにも言わずにいるのか、あるいは無関心なだけなのか、いささか不分明であった。

たいして長い月日も要さず、料理のレパートリーが一巡してしまうと、フレデリカはおそるおそる、彼女の料理や家庭経営ぶりに不満がないかと訊ねた。

「不満なんてあるわけない。とくにこの前の……ええと、なんとかいうのはおいしかった」

熱意はあっても説得力のない返事では、フレデリカはなぐさめられなかった。

「わたし、昔から料理がへたで……」

「そんなことはないさ、ほんとに。そうそう、エル・ファシルの脱出行のとき、きみがつくってくれたサンドイッチはおいしかったけどなあ」

この台詞は事実であるのかリップ・サービスであるのか、じつのところ言った当人にも不分明なのである。一一年も昔のことであり、彼の味蕾《みらい》はとうに記憶を失っている。いずれであるにせよ、新妻の傷心をなぐさめようという意思だけは感心すべきかもしれない。

「わたし、サンドイッチだけは得意なんです。いえ、それだけじゃないけど、ほかには、クレープとか、ハンバーガーとか……」

「はさむものばかりだね」

と、ヤンは感心してみせたが、フレデリカとしてはいくら夫が鷹揚、あるいは鈍感であっても、〝朝はエッグサンド、昼はハムサンド、夜はサーディンサンド〟などというメニューしか用意できないのでは、主婦として鼎《かなえ》の軽重をとわれる思いである。

士官学校における四年間の寄宿舎生活と、五年間の軍隊生活とは、家庭運営者としての彼女の成長にはほとんど寄与しなかった。

ユリアン・ミンツ少年は、旅立つに際して、おいしい紅茶のいれかたを伝授してくれた。湯の温度やらタイミングやらについて、名人芸の一端をしめしてくれたのだが、フレデリカの手つきを見て、

「筋《すじ》がいいですよ」

と言ってくれたのは、どうもおせじではなかったか、と、フレデリカは思う。ヤンとことなる意味で課題の多い彼女だった。

Ⅳ

同盟軍随一のデスク・ワークの達人といわれ、後輩のヤンを事務面で補佐してきたアレック

ス・キャゼルヌも、帝国軍の監視に不愉快な気分をしいられていた。どうせ盗聴されていると思うと、ヤンとTV電話《ヴイジホン》で語りあう気にもなれない。一日、編物をしている夫人の傍でコーヒーをすすっていた彼は、五人の監視兵を窓ごしににらんで舌打ちした。

「ふん、毎日毎日、ご苦労なことだ」

「でもおかげで盗難の心配はありませんわ。公費で家の見張をしてくれるんですもの。ありがたいことじゃありませんか。お茶でもだしてあげましょうか」

勝手にしろ、と、夫が半分さとったように応じたので、キャゼルヌ夫人は五人ぶんのコーヒーをいれ、長女のシャルロット・フィリスに〝一番いばっている人〟を呼んでくるよう言いつけた。ほどなく、顔にそばかすのあとを残した若い下士官が、不審の思いと腕をくんで九歳の少女に案内されてきた。食堂でコーヒーを飲んでいくようすすめられて、下士官はいそがしく表情を交替させたあと、残念そうに謝絶した。いまは勤務中なので饗応《きょうおう》をうけるわけにはいかない、という返事は当然のものであった。キャゼルヌは五杯のコーヒーを〝むだなく処分〟させられるはめになったが、これ以後、監視兵たちの視線は、すくなくともふたりの子供にたいしては甘くなった。

何日か経過して、キャゼルヌ夫人は大きなラズベリーのパイをつくり、ふたりの娘に、ヤン家の若夫婦のところへ持参するよう言いつけた。シャルロット・フィリスは片手にパイの箱をかかえ、片手で妹の手をひき、監視の帝国軍兵士の愛想笑いに笑顔で応じながら、むろんとがめられることもなくヤン夫妻の新居を訪問することができた。

「こんにちは、ヤンおじちゃま、フレデリカお姉ちゃま」

無邪気な差別発言に、ヤン家の当主はいたく傷ついたのだが、新妻のほうは機嫌よくふたりの小さな使者を迎えいれ、かつてユリアン・ミンツがそうしたように蜂蜜いりのミルクシェークで彼女たちの労をねぎらった。そして憮然たる夫をなだめるためにも、いそいでパイにナイフをいれ——おりたたんだ一枚の耐水紙を発見したのである。それには帝国軍への聞こえをはばかる連絡事項のいくつかが記されてあった。

こうしてヤン元帥とキャゼルヌ中将は、監視の兵士たちが想像もしないせこい方法で連絡をとりあうことに成功したのである。もっとも、あまりに回数がかさなれば、それに比例して、監視兵の精神図のなかで疑惑の曲線が急上昇するだろう。それにフレデリカにしてみれば、お返しのケーキなりパイなりをつくる手間もなかなかにたいへんなので、たちまちレパートリーがつきてしまった。そこで思案をめぐらしたフレデリカは、料理を習うと称してキャゼルヌ家にかようことにした。これはまるきり嘘いつわりではなく、彼女としてはたよりがいのある師匠がほしかったのである。料理だけにとどまらず、家庭生活全般にわたって。

こうして土台がきずかれたところで、ヤン家の若夫婦は手みやげをもってキャゼルヌ家を訪問することになった。

監視兵たちを無視して街路にでると、行きかう市民たちの視線が、好意的とはいえぬ色をたたえて一点にそそがれていた。

市民たちの息苦しさの原因が街角に立っている。完全武装の帝国軍兵士が二名、所在なげな表情を、通行する人々にむけていた。夏の陽光のシャワーに濡れながら汗ひとつかいていないのは、訓練と実戦できたえあげた成果であろうが、その剛毅さがむしろ無機的で人間ばなれした印象をあたえる。

彼らの視線がヤンとフレデリカの姿をとらえ、ひとたび通過したあと、急に揺れうごいた。彼らは立体TV《ソリビジョン》などで偉大な敵将の顔を知っているのだが、彼らにとって元帥などといえば、洗いざらしのコットンシャツを着て随員もつれず歩きまわるようなかるい存在ではない。本人か否か判断に迷うようすがあきらかで、はじめて人間らしい感情の断片がうかがえた。

新婚の男女が門前に立つのをモニターで見て、キャゼルヌは夫人を呼んだ。

「おい、ヤン夫人がお見えだぞ」

「あら、おひとりで？」

「いや、亭主をつれてる。しかしなんだな、夫婦ってものは司令官と副官というぐあいにはいかないものらしいな。おたがいたいへんだろう」

「いいんじゃありません」

泰然としてキャゼルヌ夫人は評価をくだした。

「あのご夫婦にはね、小市民的家庭なんて舞台は狭すぎるんですよ。だいたい地面に足をつけてるのが誤りなのね。まあ遠からず、いるべき場所へ飛びたっていくでしょう」

「おれは女予言者と結婚したつもりはないぞ」

「あら、わたしは予言しているんじゃありませんよ。わたしは知っているんですよ」

キッチンへと歩みさる夫人の後姿を見送って、キャゼルヌは口のなかでなにかつぶやき、客人を迎えるために玄関へでむいた。ふたりの娘がスキップしながら父親についてくる。

ドアがひらいたとき、ヤン夫妻はキャゼルヌ家監視の帝国軍兵士と問答していた。どのような目的でのご訪問ですか、荷物を見せてもらえますか、何時ごろご帰宅の予定ですか、などという権高《けんだか》な質問に、ヤンが感心にもしんぼう強く応答している。父親にかるく背を押されて、ふたりの娘がヤン夫妻に駆けよると、兵士たちはヤンに敬礼してひきさがった。ヤンがシャルロット・フィリスに手みやげをわたして、

「お母さんにあげて、ババロアだよ」

と言うのを聞きながら。

居間にはいったヤンを、今度はキャゼルヌが難詰した。

「おい、招かれざる客人よ」

「なんです、マダム・キャゼルヌのご亭主」

「たまにはコニャックの一本もさげてこい。なんだ、女房の好物ばかりもってきおって」

「だって、どうせ媚をうるなら、実力者にうったほうが効率的ですからね。料理をつくってく

ださるのは奥さんでしょう」

「視野の狭いやつだ。料理の材料費をだしているのはおれだぞ。表面どう見えても真の権力をにぎっているのは……」

「やはり奥さんでしょ」

現役の中将と退役元帥が低レベルの会話をかわしているあいだに、キャゼルヌ夫人はフレデリカとふたりの娘にてきぱきと指示をあたえつつ、質量そろった料理の地図をテーブルにならべていった。横目でそれを見ながら、ヤンは、キャゼルヌ夫人の目には、ふたりの娘とフレデリカが同レベルに映っているのではないか、とうたがった。

「わたし、もっともっと料理をおぼえようと思うんです。まず肉料理をひととおりおぼえて、つぎに魚料理、それから卵料理。ご迷惑でしょうけどよろしくお願いしますわね」

フレデリカの熱心な言葉にうなずきながらも、ややあいまいな表情でキャゼルヌ夫人は応じた。

「りっぱな心がけよ、フレデリカさん、でもね、そう系統だてて分野別に修得しようなんて肩ひじはらないほうがいいわ。それに、並行して亭主をしつけるのもたいせつなことよ。甘やかすとつけあがりますからね」

若夫婦が帰ったあと、キャゼルヌ夫人は口をきわめてフレデリカの健気《けなげ》さを——実力を、ではなく——賞賛した。

「そりゃむろん健気だとおれも思うがね」

あごを片手でなでながら、キャゼルヌはなかば真剣な表情で、

「……しかし、ユリアンの奴、早いところ帰ってこないと、なつかしのわが家で迎えるのは若夫婦の栄養失調死体ってことになりかねんぞ」

「なんですか、縁起でもない」

「冗談だよ」

「冗談もほどほどにしておきなさい。あなたにはあんまりユーモアのセンスがないんだから、気がつかないうちに、笑ってすませる線をこしてしまうんですよ。度がすぎると嫌われますよ」

四〇歳にならぬ若さで後方勤務本部長代理をつとめ、軍事官僚として敏腕をうたわれるアレックス・キャゼルヌは、完敗の態《てい》で、下の娘をひざの上にだきあげた。そしてなかば茶色の髪に隠れた小さな耳にむかってささやいたものである。

「父さんは負けたんじゃないぞ。ここでひきさがって女房の顔をたてるのが家庭の平和をたもつもとだ。お前たちにも、いまにわかるさ」

彼はふと先刻の妻の予言を思いだした。ヤンが宇宙に飛びたつとすれば、彼自身の去就《きょしゅう》も考えねばならない。急になごやかさを減少させた父親の顔を、娘は不思議そうに見あげた。

V

ヤン・ウェンリーにたいするヘルムート・レンネンカンプの偏見は、後世の多くの歴史家にも影響をあたえている。つまり彼らは、〝民主政治擁護の英雄〟とか〝不世出の智将〟とかいう幻影にまどわされ、研究者としてよりも崇拝者としてヤンの行動を解釈し、彼の行動すべてが計算されつくしたものであって、退役後の一見平凡な生活も、帝国打倒のための深慮遠謀をめぐらす時間かせぎだと断定するのである。ヤンにしてみれば、かいかぶられていい迷惑であろうが、若いくせに働きもせず年金でごろごろ生活していても、誰もほめてはくれないのである。

じつのところ、ヤンの〝深慮遠謀〟はたしかに実在した。当人にとってはたんなるひまつぶしであったかもしれないが、二、三の証人によって後世に伝えられた内容は、おおよそつぎのようなものだ。

一、この計画の目的は、民主共和政体の再建にある。銀河帝国の実質的支配より脱し、自由《フリー・》惑星同盟《プラネッツ》の完全独立を回復することが可能であれば最善であるが、それが不可能であれば、規模の大小をとわず民主共和政体の成立をはかるべきである。国家は市民の福祉と民主共和政の理念とを実現する手段の具象化であって、それじたいの存立はなんら目的たりえないことを銘記せよ。古来、国家を神聖視する者はかならず国民に寄生する者であった。彼らを救済するためにあらたな流血をなす必要はまったくない。
二、再建は四つの分野においてなされねばならない。A理念、B政治、C経済、D軍事、がそれである。
Aは計画全体の前提となるものであって、民主共和政治の再建、市民の政治的権利の回復にたいし、どれほどの精神的エネルギーを集中しうるかということである。市民が民主共和政の再建に意義を認めないのであれば、どのような計画も陰謀も無意味である。これを強く喚起するには、つぎのどちらかが必要であるかもしれない——a専制政府のいちじるしい圧政。b民主共和政治を象徴するカリスマ的人物の犠牲。これはいずれも、理念を感情面・生理面で補強する要素となるが、もし民主共和陣営の手でこれがおこなわれるとすれば、計画は陰謀に堕するだろう。時間と地味な努力が必要。（努力という言葉はヤンの好みではなかったが）
Bの成果はAしだいだが、同盟はいまだ内政自治権は保有している以上、行政の末端レベルにおいて反帝国グループを組織することは可能である。ことに収税と治安の両部門において、第一線の者を組織化する必要は、他に優先する。さらには、帝国内部、また帝国支配下にあるフェザーン自治領《ラント》の内部に協力者をつくること。これは意識的な協力者でなくともよい。敵権力の中枢ちかくに協力者がいるか、それをつくれれば最善。きわめて卑劣な手段ながら、買収、脅迫、またたがいの嫉視《しっし》反感をそそるための密告や中傷も考えるべきか。

Cについては、Bの場合以上に、フェザーンの、とくに独立商人の協力が不可欠である。同盟は年間一兆五〇〇〇億帝国マルクの安全保障税を帝国よりかせられ、財政状態は当分、好転をのぞみえない。フェザーン商人に高利で借金する策《て》もあるが、それより鉱山開発権や航路優先権をあたえ、その将来にわたる存続と拡大を保証することで協力をもとめることはできないか。重要なことは、帝国に協力するよりも民主共和派に協力することが彼らにとっても利益である、と理解させることである。Bに関連して、帝国に、産業国有化や物資専売化の政策をとらせることができれば、フェザーン独立商人たちの協力をもとめるのは容易になる。古代の大帝国がしばしば民衆叛乱に直面した理由のひとつは、人間の生存に必要な塩を専売にし、官憲が不当な利益をむさぼったことにある。いずれにしても、フェザーン商人には相応の利益をあたえねばならないが、民主共和政の再建とは、同盟とフェザーンとをそれぞれべつに再建することではないから、気に病まずともよい。

Dについては、AからCにわたる各項目が完成したあとのことになる。戦術レベルの構想は現段階では必要ない。軍事的再建とは、反帝国活動の実戦面を担当する組織の編成をいう。これには中核となる部隊が必要であり、それはすでに用意してあるが、さらに戦力を増強する必要がある。また、その指揮官の人選も重要である。自分の尊敬するメルカッツ提督は人格も能力も充分だが、帝国からの最近の亡命者という一点において、残念ながら民主共和政の軍隊の指揮官としての信頼をえられないかもしれない。するとビュコック提督か？　熟考を要す。

三、おそらく永遠の法則。敵をへらし、敵にとっての敵（あえて味方とはいわぬ）をふやすこと。すべては相対性の問題である。総合力において相手をうわまわること。とくに情報の質と量に留意せよ。

……これらはヤンの計画の基本部分だが、さらに膨大な計画のすべてを、ヤンは文書に記したりはしなかった。彼はレンネンカンプ高等弁務官の治安維持能力を軽視しておらず、新王朝にたいする叛逆者として処断される証拠品などを残すわけにいかなかったのだ。

序曲から最終楽章にいたるまで、〝叛乱交響曲〟の全音符は、彼の脳細胞の楽譜に整然とおさまっていた。その内容はごく一部の者しか知らなかったが、軍事的指導者の件でヤン自身の名がでないことについて質問されると、彼はこう答えたものである。

「これ以上、働いてたまるか。私は頭を使った。身体はべつの誰かに使ってほしいね」

ヤンの構想は、〝お家再興〟の執念というものではなかった。自由惑星同盟《フリー・プラネッツ》という権力機構それじたいに、流血を賭してまで復興すべき理由や価値はなかった。国家というものは道具にすぎない、と、彼は思っていた。そのことは彼はくりかえし人にも語り、文章にもしている——私的な範囲ではあるが。

また、彼は一貫して、敵手たるラインハルト・フォン・ローエングラム個人に憎悪をいだいたことはなかった。それどころか、ラインハルトを彼ほど高く評価する者はいないと言ってもよいぐらいだった。ヤンの見るところ、ラインハルトは軍人として比類ない天才であるし、専制君主としても見識が高く、私欲がすくなく、施政は公正かつ清潔で、いまのところ申しぶんない。だから彼の統治が長くつづくほうが人類多数にとってはむしろ幸福ではないのか、とすら思うことがある。

　だが、新皇帝ラインハルトがその強力な政治力によって宇宙に平和と繁栄を招来し、維持させたとき、人々が政治を他人まかせにすることに慣れ、市民ではなく臣民となってしまうのが、ヤンにとってはたえられない気分なのだ。

　専制君主の善政というものは、人間の政治意識にとってもっとも甘美な麻薬ではないだろうか、と、ヤンは思う。参加もせず、発言もせず、思考することすらなく、政治が正しく運営され、人々が平和と繁栄を楽しめるとすれば、誰がめんどうな政治に参加するだろう。しかし、なぜ人々はそこで想像力をはたらかせないのか。人々が政治をめんどうくさがるとすれば、専制君主もそうなのだ。彼が政治にあき、無制限の権力を、エゴイズムを満足させるために濫用しはじめたらどうなるか。権力は制限され、批判され、監視されるべきである。ゆえに専制政治より民主政治のほうが本質的に正しいのだ。

　とはいうものの、ヤン自身の心理がかならずしも確固不動ではありえない。よい方向への変革がおこなわれ、平和と繁栄の果実を人民が享受しうるなら、そして現実にそうなりつつあるのだから、政治体制のいかんにこだわることはないかもしれない——そう思うときもある。選挙投票日の前夜に酒を飲んで前後不覚に酔いつぶれ、めざめたときはすでに夕方で投票にまにあわずけっきょくは棄権した、という彼自身の不名誉な経験を想いおこして赤面するときがある。あまりえらそうなことを言えた義理ではないのだ。

だが、なにかをなそうとするときには、思考停止が必要なようだった。多くは、人が〝信念〟と呼ぶものである。自分は正しく、反対する者は悪だと思いこまねばならないとすれば、ヤンには大事業などできそうになかった。

後世の歴史家にも、信念はすべてを免罪すると考える人々がおり、彼らは、ヤン・ウェンリーがしばしば信念というものを侮辱する発言をしたことにたいし、批判ないし非難をあびせている。彼らが問題にするのは、つぎのようなヤンの文言である。

「信念とは、あやまちや愚行を正当化するための化粧であるにすぎない。化粧が厚いほど、その下の顔はみにくい」

「信念のために人を殺すのは、金銭のために人を殺すより下等なことである。なぜなら、金銭は万人に共通の価値を有するが、信念の価値は当人にしか通用しないからである」

なおもヤンに言わせれば、信念の人などという存在ほど有害なものはない、こころみにルドルフ大帝を見よ、彼の信念は民主共和政治を滅ぼし、数億人を殺したではないか、ということになる。〝信念〟などという言葉を他人が一回使うごとに、ヤンはその人物にたいする評価を一割ずつさげていくのだった。

じつは自分は、あたらしい秩序を破壊しようとしているだけの、歴史上の犯罪者なのかもしれない、ラインハルトこそ後世からみて歴史の嫡子《ちゃくし》であるかもしれない、と、ヤンは妻に語り、〝紅茶いりブランデー〟の一杯めを飲みほした。

「そもそも、堕落を期待するというのが、どうみても卑しいしな。けっきょく、他人の不幸につけこむってことだしな」

「でも、いまは待つしかないんでしょう？」

と、新妻のフレデリカが応じつつ、何気なさそうにブランデーの瓶に手を伸ばして引きよせようとしたが、半瞬の差でヤンにおよばなかった。

「タイミングがまだまだですな、少佐」

すまして言うと、ヤンはティーカップにブランデーをそそぎはじめたが、妻の表情を見て、予定の七割ほどの量でとどめ、瓶に蓋をしながら弁解がましく言った。

「ほしいと思うのは、身体がそれをもとめているからだ。だからほしいものをすなおに食べたり飲んだりするのが、いちばん健康にいいんだよ」

……ヤンの視野は他者の多くより広く、その視線の射程は長かったが、全宇宙の全事象を把握することなどとうてい不可能であった。彼が、制約の多いなかで、それでもどうにか平和な新婚生活をいとなみつつあるとき、彼の家庭から一万光年をへだてた銀河帝国の首都惑星オーディンでは、皇帝ラインハルト臨御の会議において、地球への討伐軍派遣が決定されていたのだ。

第三章　訪問者

I

　自分の手のとどかない場所で自分の生涯を左右するような状況の変化がおきると、人はみずからを納得させるために〝運命〟という古い語彙《ごい》を記憶の墓場から掘りおこす。ユリアン・ミンツはまだ一七回しか誕生日を迎えていなかったが、いちいち運命を墓場から掘りおこしていてはまにあわないので、いつもベッドの下に待機させていた。

　五年間にわたってユリアンの法的な保護者になっているヤン・ウェンリーによると、〝運命は年老いた魔女のように意地の悪い顔をしている〟ということだったが、望みもしない軍人になって一二年をすごしたヤンとしては、当然の表現だろう。

　五年前、いわゆる〝トラバース法〟によって戦没軍人の遺児がほかの軍人の家庭で養育されるようにさだめられたとき、ユリアンはヤン・ウェンリー〝大佐〟の家へ行くよう言われた。身体より大きなトランクを引きずって、まるで軍人らしくも英雄らしくも見えない黒い髪と黒い目の青年と対面したとき、ユリアンは運命の横顔をかいま見たように思うが、善良な血色のよい老婦人の顔だったような気がする。もっとも、今後はどう変わるか想像もつかないが。

今度の地球行にかんしてはどうだろう。生まれてはじめて見る人類発祥の地は、複雑な、しかも奇妙にぼやけた色彩のかたまりとなって、宇宙船〝親不孝《アンデューティネス》〟号の船橋のメイン・スクリーンに浮かびあがっている。ユリアンがこれまで見てきた惑星のうち、美しいほうの半分には属していなかった。先入観のせいか、無秩序で濁った色調の球体は、荒廃と不毛の気配をまつわりつかせているように思えた。

惑星ハイネセンを発してから一カ月余が経過している。いまユリアンは帝国領の奥深い辺境の星域にいるのだった。

出発に際して、とるべき航路はフェザーン、イゼルローン、両回廊のうち前者にさだめられた。後者は、つい先日まで帝国軍と同盟軍が流血の争奪戦をくりかえしていた宙域で、二年半ぶりに帝国軍の掌中にかえったイゼルローン要塞を中心とする軍事上の要衝である。当分は民間船に開放されることはないであろう。今回、選択の余地は最初からなかった。

イゼルローン要塞のことを思うと、ユリアンの感情の水面には、ささやかな波紋がひろがる。彼の保護者ヤン・ウェンリー提督が、難攻不落という形容詞の具象化とさえいわれたイゼルローン要塞を、味方の血を一滴も流すことなく陥落させたのは宇宙暦《SE》七九六年のことだ。アムリッツァ会戦における同盟軍の大敗をへて、ヤンはイゼルローン要塞司令官と要塞駐留艦隊司令官とをかね、国防の最前線に立ちつづけた。ユリアンも彼にくっついてイゼルローンにおもむき、直径六〇キロ、軍人と民間人とをあわせて五〇〇万の人口を擁する巨大な人工天体で二年ほどの歳月をすごし、その間、正式に軍人になった。最初の戦闘を経験した場所でもある。多くの人と知りあい、幾人かとは永久に別れることになった。

彼の人生の砂時計で、いまのところもっとも明るい光彩を放つ砂粒のかずかずが、イゼルローンからひろいあげられている。わずか一七年のこれまでの人生のうち、質的にもっともゆたかな記憶と経験をもたらした場所が、帝国軍の支配下におかれたのは、残念といってよいことだった。帝国軍の壮大な戦略構想によってイゼルローン要塞が無力化されたとき、ヤン・ウェンリーはためらいなくそれを放棄し、艦隊の行動の自由を確保する途《みち》をえらんだのだ。ヤンが戦略的に正しかったことは理解できるし、たとえ正しくなくともユリアンはヤンを支持したであろう。しかし、その大胆さにはおどろかされる。それが最初の例ではないのに、ヤンの行動はいつもユリアンにとっては新鮮だった。

〝親不孝〟号の船長ボリス・コーネフがユリアンの傍に立ち、片目をつぶってみせた。

「どうだい、不景気そうな惑星だろう」

コーネフはたんに宇宙船の船長としてユリアンをここまではこんできたのではない。彼は誇り高い旧フェザーンの独立商人であり、ヤン・ウェンリーの幼なじみであり、戦死した同盟軍の撃墜王《エース》イワン・コーネフの従兄であった。この宇宙船はヤンを介してキャゼルヌの手配で、彼の所有になったもので、本来、同盟軍の輸送船として建造されたものなのである。彼はこの船に、かつての彼の愛船〝ベリョースカ〟の名をつけたかったのだが、その名はさまざまな事情から帝国軍の注意をマイナス方向にひきつける危険があったのだ。それでなくてさえ非合法が船のかたちをとっているようなものだから、可能なかぎり表面をつくろわなくてはならなかった。

コーネフの反対側から肩をたたかれてユリアンがふりむくと、途中からのこの旅の同行者オリビエ・ポプラン中佐が立っていた。緑色の瞳でユリアンに笑いかけた若い撃墜王は、視線をスクリーンに投げかけた。

「あれが人類の母なる惑星か」

かたどおりに言ったものの、ポプランの声にふくまれた懐古のひびきは、さほど深いものではなかった。地球が人類社会を支配する中枢たりえなくなってから、すでに三〇ちかい世代を経過しており、若い撃墜王《エース》の祖先がこの惑星の地表を飛びたったのは、さらに一〇世代もさかのぼった時代である。感傷の泉はとうの昔に底まで涸《か》れてしまっていた。

そもそもポプランは地球に興味をいだいて途中からユリアンに同行したのではない。老衰した辺境の一惑星にたいしてはいたって冷淡だった。

「老いぼれた母親なんぞ見たくもないな」

と、無慈悲なことを言う。

航宙士のウィロックとなにか相談していたコーネフがふたたび歩みよってきた。

「ヒマラヤの北方に降りるとしよう。地球教の本山にもちかいし、いままでもだいたいそこに降りていたからな」

「ヒマラヤ？」

「地球で最大の造山地帯だ。宇宙船の目標にもなっているがね」

地球の最盛期にはエネルギー供給の中心だったそうだ、と、コーネフは解説した。高山の雪どけ水による水力発電、太陽光発電、地熱発電などの施設が自然美をそこなわないよう注意深く配置され、一〇〇億の民に光と熱を配給していたという。そしてなによりも、その地下深くには地球政府首脳部のためのシェルターがうがたれていた。

反地球連合軍の大艦隊が太陽系に乱入し、復讐心にたけりくるった苛烈な攻撃を〝傲《おご》れる惑星〟の地表にくわえたとき、軍事施設や大都市とともに、この山脈も攻撃の焦点となった。九〇〇年前の一日、巨大な山嶺《さんれい》は噴きあがる炎によってその高さをました。土と岩と氷河はうごく壁となって人工物のことごとくをおし流した。この山脈は地球人の誇りであり、ときには信仰の対象であったが、そのような地球人の精神作用それじたいが、虐待され冷遇されつづけた植民地の人々にとって憎悪の対象となっていたのだ。

地球政府の代表は連合軍総司令官に面会をもとめ、和平を申しこんだ。彼は慈悲をこおうとはしなかった。全人類の正統の盟主たる誇りをもって、地球の名誉をまもるべき義務が全人類の共有するところである、と説いた。地球人にとって最後の堂々たる姿だった。

それにたいして連合軍総司令官ジョリオ・フランクールは冷然として答えた。

「子供から労働の成果をとりあげて贅沢をし、抗議すればなぐりつけるような母親が、いまさらなんの権利を主張するか。お前たちに残された権利は、いまや二者択一の機会のみだ。滅亡するか、滅亡させられるか、好きなほうをえらべ」

まだ三〇代のその司令官は、かつて地球軍兵士に恋人を凌辱《りょうじょく》され、その恋人は自殺したという。燃えあがる眼光の熾烈《しれつ》さに、地球政府の代表は圧倒され、声を失った。過去数世紀にわたって、地球は、植民星の人々の心に憎悪の種をまき、みずからの行為によってその生長を促進してきたのである。妥協どころか、慈悲さえももとめえない惨状は、彼ら自身の胸で孵化《ふか》させたものだった。

悄然《しょうぜん》として帰還する途中、代表は自殺した。交渉失敗の責任をおったというより、これ以後に地球上で展開されるであろう殺戮と破壊の狂宴を正視するのにたえられなかったのである。

流血の宴は三日間つづいた。連合軍の政治指導部から厳命がとどき、とどろく雷鳴のなかで雨にうたれながら、司令官は命令をうけて殺戮をやめさせた。若い頬は滝となって、雨と激情の涙を流しおとしていた……。

この小さな惑星の上で流された血の量と、よせられた呪詛《じゅそ》の重さを思うと、ユリアンのしなやかな全身を緊張の電流がはしりぬけた。このとき彼は未来よりもむしろ過去に直面させられていたのだ。

II

ユリアン・ミンツが地球へいたるまでの旅程は一直線ではなかった。そもそも、惑星ハイネセンを離れて地球へおもむくことじたい、本来なら認められるはずのことではなかった。辞表を提出したとはいえ、先日まで同盟軍の士官であったし、ヤン・ウェンリーの被保護者であったという立場は、ヤンを猜疑し監視する帝国軍と同盟政府からみて透明ではありえない。ユリアンと護衛役のルイ・マシュンゴ少尉が無事に脱出しても、それを口実に、ヤンとフレデリカの夫妻が弾圧をうける可能性もあった。

ヤンはさまざまな策《て》をうってくれた。キャゼルヌやボリス・コーネフと協力して、船を調達し、ユリアンとマシュンゴをその搭乗員《クルー》として正式に登録し、すくなくとも表面的には帝国軍も同盟政府も異議をとなえようがないほど環境をととのえてくれた。

「家出息子にここまでしてやるなんて、じつの父親にもめずらしい」

などとつぶやきながら。

ひとたび惑星ハイネセンの重力圏を脱すれば、以後はヤンの力もおよばない。ユリアンの思慮とボリス・コーネフの才覚とに、地球行の成否がかかっていた。行くだけではない、地球教の暗部をさぐり、無事に還ってきて、はじめて成功と言えるのである。

最初のハードルは、第一日めの終わらぬうちに彼の航路にたちはだかった。

「停船せよ。しからざれば攻撃す」

その信号をうけたとき、神経繊維が微動だにしなかった者は、〃親不孝《アンデューティネス》〃号にはいなかったであろう。現在、帝国軍の所有する武力は圧倒的であり、圧倒的な武力とは、人間のもつ本能の最悪の部分と共鳴して、その濫用をうながす。無抵抗の民間船を破壊しておいて、正当防衛を主張することすら、帝国軍には可能なのだ。

逃走の意思をボリス・コーネフ船長に問われて、ユリアンは亜麻色の頭を横にふった。このさき、何度検問をうけるかわからないのに、いちいち過敏に反応していては、地球に着くまでの道程が思いやられる。

不安を両腕いっぱいにかかえて停船に応じたのだが、臨検のために移乗してきた若い中尉は、船内に妙齢の女性がいるか、と訊ね、否《ナイン》との返事をえると、宿題でもすませるような表情になった。

「武器、習慣性薬物、それに商品としての人間は積載《せきさい》していないだろうな」

「むろんです、私ども善良な商人でして、運命と法を畏《おそ》れることを知っております。どうぞ心ゆくまでお調べいただきたく存じます」

愛想はフェザーン人にとって第二の天性である、ということわざの実例を、ユリアンは見る思いがした。ボリス・コーネフでさえこうなのだ。

帝国軍駆逐艦の艦長は、さして深刻な疑惑や警戒心にもとづいて停船を命じたのではなかった。いまや自由惑星同盟《フリー・プラネッツ》の領域深くまで航行し、同盟船籍の宇宙船をほしいままに臨検しうる権力を、彼らは保有しているはずであり、その事実を確認したいというささやかな欲望を実行してみたのだった。彼らは、この年に締結された〝バーラトの和約〟によって帝国の直属領となったガンダルヴァ星系から進発しており、カール・ロベルト・シュタインメッツ上級大将の指揮下にあった。シュタインメッツは、この当時の帝国軍提督のなかでとくにめずらしくないことであったが、軍律にきびしく、同盟にたいする配慮もあって、部下が不必要に民間人にたいして苛酷であることを好まない。いくつかの事情から、この臨検は形式的なものにとどまった。でなければ、ユリアン・ミンツの旅は、スタート直後の転倒を余儀なくされたかもしれない。

なつかしい人々に再会しえたのは、ポリスーン星域においてである。なかば破壊されたまま放棄された浮遊補給基地ダヤン・ハーンに、メルカッツらの艦隊は潜伏していた。ここでの再会は予定されたことだったのだが、さらに用心深く暗号通信波の交換がおこなわれ、〝親不孝〟号はダヤン・ハーン基地への進入をはたした。船外へでて最初に会った人物は、ユリアンに思わず声をあげさせた。

「ポプラン中佐！」

「やあ、お若いの、どうだ、恋人の一ダースぐらいはできたか」

明るい褐色の髪と、陽光の踊るような緑色の瞳がなつかしかった。オリビエ・ポプラン。二八歳の撃墜王《エース》。戦死したイワン・コーネフとならぶ空戦技術の達人で、単座式戦闘艇スパルタニアンの操縦にかけては、ユリアンの師匠である。帝国に和をこうて属国になりさがった同盟を見離し、メルカッツ提督らと行動をともにしていた。

「いずれ何ダースでも。だけどいまのところ隣は空席です」

「甲斐性なしめ。で、どうだ、吾《われ》らが元帥どのはフレデリカ姫とやはり華燭《かしょく》の典をあげたのか」

「ええ、ささやかに」

ポプランは口笛で、三音節ほど祝福の曲をかなでた。

「吾らが元帥どのは数多くの奇蹟をおこしたが、最たるものはフレデリカ姫の心を射とめたことだな。もっとも、物好きな姫のほうが的の前に飛びだしたんだろうが」

「イゼルローンのほかの色男たちは、いったいなにをやっていたんでしょうね」

そう言いたいところだったが、メルカッツ提督とシュナイダー副官の姿が見えたので、ユリアンはポプランに一礼して、亡命の客将の前へ歩みでた。

敬礼をかわすと、メルカッツは、やや重い、しかしあたたかい微笑を少年にむけた。六〇歳をすぎた、重厚な風格の武人である。イゼルローン要塞ではヤンの顧問をつとめたが、貫禄からいえば、誰が見ても、彼がヤンの上官であるように思えた。

「よく来てくれた、ミンツ中尉。ヤン元帥はお元気かな」

ユリアンは私服であり、ポプランは黒ベレーをかぶった同盟軍の軍服、メルカッツらは黒地に銀色を配した帝国軍の軍服である。無秩序というより共存の印象が強いのは、ユリアンの身びいきであろうか。

殺風景だが清潔な士官食堂でコーヒーがだされた。ひととおりあいさつがすむと、シュナイダーが姿勢をあらためた。

「現在、吾々は六〇隻の艦艇を所有している。六〇隻という数字は、集団としてはそれなりのものだが、戦力としてはほとんど意味がない」

シュナイダーの表情がきびしい。

「ヤン提督は、あの状態では帝国軍の目をごまかしうる最大限の数をそろえてくださった。まことに感謝しているが、数は力だ。現状では一〇〇隻単位の巡航艦隊とどうにか戦いうるていどの力しかない。ヤン提督がきみをよこされたについては、なんらかのお考えがあってのことと思うが」

メルカッツとユリアンを等分にながめながら、シュナイダーは口をとじた。

「それについて、ヤン提督より伝言がありました。口頭でお伝えいたします」

ユリアンは形式的にせきばらいすると、背すじをのばし、気をつけの姿勢をとった。

「バーラトの和約、第五条によって、同盟軍は保有するところの戦艦および宇宙母艦のすべてを破棄しなくてはならなくなりました。処分の一環として、七月一六日に、レサヴィク星系の空間で一八二〇隻の艦が爆破されることになっています」

日時と場所をユリアンはくりかえした。

「……ゆえに、メルカッツ独立艦隊の善処を期待する、とのことです。以上、ご報告を終わります」

「なるほど、善処か。よくわかった」

メルカッツは口もとをほころばせた。シュナイダーが興味深げに彼を見やったのは、敬愛する上官が、亡命後、ユーモアにたいして以前よりやや敏感に反応するようになったと思えるからである。

「それで、どうかな。ヤン提督は今後の事態の変化について、どのようなみとおしをもっておいでだろうか?」

「ヤン提督はお心のうちをすべては語ってくださいませんが、あのまま隠者として一生を終わられるとは思えません」

終わりたいと考えてはいるだろうな、と、内心思いながらユリアンは答えた。

「現在は待つ時期だ、と、ヤン提督は考えておられるようです。一度おっしゃいました。野に火を放つのに、わざわざ雨季をえらんでする必要はない、いずれかならず乾季がくるのだから、とです」

帝国高等弁務官レンネンカンプ上級大将がこの事情を知っていれば、さてこそ自分の疑惑は正鵠《せいこく》を射ていた、やはりヤンは危険人物であった、と、みずからの先見を誇ったにちがいない。

うなずくメルカッツの傍で、シュナイダーがなにかを思いだすようなしぐさをした。

「ユリアン、たしか帝国から派遣された弁務官はレンネンカンプだったたな」

「そうです。シュナイダー中佐は、為人《ひととなり》をご存じですか」

「私よりメルカッツ閣下のほうがおくわしいさ。いかがです、閣下」

メルカッツはあごに片手をあて、慎重に表現をえらんだ。

「優秀な、そう、優秀といってよい軍人だ。上には忠実だし、部下には公平だ。だが、軍隊から一歩でも外にある風景が見えないかもしれない」

視野が狭いということか。ユリアンは了解したが、するとヤン夫妻の身にたいして不安の影がやや濃度をますのを感じた。軍隊至上主義の人物には、ヤンはきっと好かれないだろう。

「ユリアンくん、待つ時間はどのくらいだとヤン提督はおっしゃっていた?」

「はい、五、六年はかかるだろう、と」

「五、六年か。そうだな、それくらいの時間は必要だろう。それくらいたてば、ローエングラム王朝にも隙ができるかもしれんな」

メルカッツは大きくうなずいた。

「その間、なにも異変はおきないでしょうか」

ユリアンの質問は、当人の意図以上にメルカッツを考えこませた。かつての銀河帝国の宿将は、いくつかの経験からユリアンの戦略と戦術のセンスを高く評価している。

「これは予測というより願望になるが、なにもおきてほしくないものだ。現在までことが多すぎたからな。それに、吾々としても準備すべきことが残っている。いたずらに帝国に反旗をひるがえしても、一日のあせりが二日の退歩につながることを思えば……」

メルカッツは能弁ではなかったが、それだけに一語一語がユリアンの記憶巣に深い印象をきざみこんだ。

「メモなんてとる必要はないんだ」

と、ヤンはユリアンに語ったことがある。

「忘れるということは、当人にとって重要でない、ということだ。世の中には、いやでも憶えていることと、忘れてかまわないことしかない。だからメモなんていらない」

もっとも、ヤン本人は、メモ帳じたいを忘れるなどめずらしくもない人物だった。

客人を迎える施設などないので、一〇時間後の出発までのあいだに、ユリアンはポプランの部屋でひと眠りさせてもらうことにしていた。ところがポプランの部屋は、つい先刻盗賊に侵入されたようなありさまで、部屋の主は口笛を吹きながら荷づくりに多忙をきわめている。

なにをしているのか、と、ユリアンが問うと、若い撃墜王《エース》は片目を閉じてみせた。

「おれも地球へ行くのさ」

「中佐が!?」

「心配するな。メルカッツ提督の許可はいただいてある」

緑色の目が陽気に光っていた。

「ところで地球には女がいるかな」

「それはいるに決まっています」

「おっと、おれが言っているのは生物学上の女のことじゃない、成熟した、男の価値がわかる、いい女のことだ」

「さあ、それはぼくには保証しかねます」

当然の慎重さでユリアンは言った。

「ふん、まあいいか。じつのところ、生物学上の女であれば文句は言わない、という心境でな。なんせここは女っ気がすくなすぎる。参加したときはそこまで考えなかったのが不覚のきわみだ」

「ご心労、お察しします」

「あ、お前、かわいくないね。言うことがだんだん憎らしくなってくる。イゼルローン要塞にはじめてやってきたころは、陶器人形みたいにかわいかったがな」

「それにしても、中佐が地球へいらしたりしたら、残されたパイロットたちはどうなります」

さりげなく強引に、ユリアンは話題の角度を変えた。

「コールドウェル大尉にまかせるさ。奴もそろそろ指揮官としてひとりだちしていいころだ。いつまでもおれにたよっていたのでは、成長がないからな」

正論ではあるが、意見そのものより発言者にたいする信頼が問題となるところだな、と、ユリアンは思う。だが、同時にユリアンは、笑い話にまぎらせつつ彼の身を案じているポプランの好意を理解できないほど、感性のにぶい少年ではなかった。

「地球に美女がいなくても、ぼくをうらまないでくださいよ」

「男に飢えた美女が群をなしているよう、お前さんも祈ってくれ」

そう応じてから、ポプランはなにか考えるような表情をつくってユリアンの肩をだき、スパルタニアンの搭載ゾーンへつれていった。

「クロイツェル伍長！」

ポプランの声に、完全装備のパイロットが駆けつけてきた。小柄であった。逆光でヘルメットのなかの顔は見えない。

「こいつは、第二のオリビエ・ポプランは無理でも、第二のイワン・コーネフにはなれるかもしれん。おい、ヘルメットをとってあいさつしろ。いつも話しているミンツ中尉だ」

ヘルメットがはずされると、ユリアンの視界に、ゆたかな髪、〝薄くいれた紅茶の色〟の髪がひろがった。青紫色の、生気にとんだ瞳が正面からユリアンを見た。

「カーテローゼ・フォン・クロイツェル伍長です。ミンツ中尉のお噂は、ポプラン中佐からよくうかがっております」

「……よろしく」

ユリアンが答えたのは、ポプランに肘でこづかれてからだった。一瞬以上のあいだ、呆然としていたらしい。ポプランの賞賛に値するほどのパイロットが一〇代なかばの少女とは、充分に意表をついていた。意表をつかれたままのユリアンを青紫色の視線でひとなですると、カーテローゼは撃墜王のほうをむいた。

「整備兵《メカニック》と話がありますので、失礼させていただいてよろしいでしょうか」

ポプランがうなずくと、少女パイロットは勢いよく敬礼して身をひるがえした。小気味いいほど律動性にとんだ動作だった。

「なかなか美形だろう。言っておくが、おれは手をだしていないぞ。一五歳ではまだおれの守備範囲外だ」

「そんなこと尋《き》いていませんよ」

「酒と女はな、うまくなるには醸成期間が必要なんだ。カリンももう二年もすればな」

「カリン？」

「カーテローゼの愛称さ。どうだ、生意気ざかりの年齢どうし、話があうと思うんだが」

ユリアンは亜麻色の髪をふって苦笑した。

「先方はこちらを問題にしていないようですよ。それにだいいち、そんなことしている時間がありません」

「問題にさせるんだ。時間もつくるんだよ。お前さん、せっかくいい顔に生まれついたのに、資源を死蔵することはない。ヤン提督みたく、ぼけっとすわっていたら美女がむこうからちかづいてくるなんて例は、一〇〇万にひとつもありはせんのだからな」

「心がけておきます。ところで名前からみると、帝国からの亡命者らしいですね、あの娘《こ》」

「だろうと思うが、家族のことはほとんど話さんのさ。事情があるのはまちがいないが、知りたければ自分で尋くんだな。レッスン・ワンだ、不肖の弟子よ」

ポプランはユリアンの肩をたたいて笑った。ユリアンは内心で小首をかしげた。記憶の回廊に何百枚か何千枚かの肖像画がかかっている。それを再確認したい思いがした。あの初対面の少女の顔には、なぜか既視感《デジャブー》があったのだ。

出港する〝親不孝《アンデューティネス》〟号を、メルカッツ提督とシュナイダー副官、それに名だたる〝薔薇《ローゼン》の騎士《リッター》〟連隊長であったリンツ大佐らが指令室から見送っている。ささやかな、だが再会の保障はない別離だった。

「七月になるまでに、戦艦奪取の計画をたてておかねばならんな」

「はい、心えております」

　メルカッツは胸中のなにかを凝視しているようだった。

「シュナイダー、私の役割は、これらの戦力を維持し、温存して後日にそなえることだ。後日の太陽は、私ではなく、もっと若くて過去の陰翳《いんえい》をひきずっていない人物のために昇るだろう」

「つまり、ヤン・ウェンリー提督ですか」

　シュナイダーは問うたが、メルカッツは答えず、シュナイダー自身、回答を期待してはいなかった。未来をかるがるしく語るものではない、という共通の認識が、暗黙のうちに彼らをつないだ。

　彼らはあらためてスクリーンを見やった。独立商船〝親不孝〟号は、無言のうちにおしよせる星々の満潮のなかにまぎれこみ、すでに識別は不可能であった。それでもなお、彼らはスクリーンの前にたたずんでいた。

Ⅲ

〝親不孝〟号の船長ボリス・コーネフは、今年三〇歳になる。法律の認める身分は、フェザーン自治領《ラント》が自由惑星同盟《フリー・プラネッツ》に駐在させていた弁務官事務所の書記官ということになるが、フェザーンそれじたいの自治権が武力によって強奪されてしまい、彼の身分は空中浮揚をしいられていた。組織や制度の一員としか生きられない男なら、不安でいたたまれないところだろう。

だが、コーネフはいささかも落胆も困惑もしていなかった。まず彼の存在があって、法律などはそれに影をつけるだけのことだった。

「一時間後に大気圏に突入する」

片手の指であまるほどのささやかな人数のお客に、彼はそう告げた。

「着陸すれば、おれの仕事は半分は終わりだ。まあ地球にいるあいだ、あまり危険や不運とは仲よくならないでくれ。死体をはこぶ仕事は陰気になっていけない」

人の悪い笑い声を、コーネフは発した。

「お前さんたちは巡礼の地球教徒ということになる。不本意だろうが、そうでもない者が地球へ行くなんて不自然きわまるからな」

わかりました、と、ユリアンは応じ、わかっている、と、ポプランは鼻先で答えた。航行のあいだ、彼と船長はたがいを斜にかまえて見やり、食前食後に辛辣な皮肉を応酬していた。コーネフという姓とは相性が悪いのだ、と、若い撃墜王は憎まれ口をたたくのである。

「いま地球の人口はどれくらいなのですか」

「フェザーンの通商局の資料だと、一〇〇〇万を多少こすていどではなかったかな。最盛期の

○・一パーセントにもならない」
「全員が地球教徒でしょうか」

「さあ、そこまではおれたちの知るところではないな。もっとも……」

規模の大小をとわず、一宗派が政治権力を掌握して政教一致体制をとれば、信教の自由など認められるはずがない。地球教徒でなくては生きていくのに困難な社会体制ができあがっているとみるべきだろう。それがコーネフの見解だった。

「そもそも宗教というのは、権力者にとっては便利なものさ。人民のあじわうすべての不幸が、政治制度や権力悪のためではなくて、彼ら自身の不信心のせいだと思いこませれば、彼らは革命をおこそうなどと考えないだろうからな」

悪意むきだしでボリス・コーネフは吐きすてた。彼は地球教徒を聖地にはこんで、その収入で愛船の売却をまぬがれたこともあるのだが、好意をもちえない顧客というものは、たしかに存在するのである。末端の信徒に素朴さを感じることはあっても、宗教を支配と蓄財の手段にしているとおぼしき教団の幹部たちを賞賛する気は、いささかもなかった。

「地球教の教主は、総大主教《グランド・ビショップ》という老人だそうですが、会ったことはありますか」

「そんな奥の院をのぞけるほど、おれは大物じゃないよ。機会があったとしても会いたいとは思わんね。これは自慢で言うんだが、老人のお説教を聞いて愉快になったことなど一度もない」

ポプランが口をはさんだ。

「その総大主教《グランド・ビショップ》とやらいう老人には、きっと美人の娘か孫娘がいるぜ」

「そうでしょうか」

「そうに決まっている。そして敵方の若い勇者と恋に落ちるのさ」

今度はボリス・コーネフが鼻先で笑った。

「ポプラン中佐は、子供むけ立体TV《ソリビジョン》ドラマの脚本家になれそうだ。もっとも、最近の子供はすれているから、そんなパターンでは感激せんだろうな」

「パターンこそ永遠の真理なんだ。知らんのか」

「でも、厳格な宗教の教主が結婚して娘なんかがいたりしたら、教団組織が存立しますかな」

ユリアンの護衛役、黒い巨人ルイ・マシュンゴ少尉が笑いながら意見を述べると、ポプランは眉をしかめ、コーネフはうれしそうにうなずいた。

「それにしても……」

しかめた眉のままポプランが腕をくむ。

「おれが思うに、地球教とやら称する連中が愛しているのは、地球という惑星それじたいではないな」

地球が過去に独占していた権力と軍事力、それによってほかの惑星に住む人々を支配し、彼らの労働の成果を独占していた過去の歴史。地球教徒はそれを愛しているのだ。

「奴らは地球をだしにして、自分たちの先祖がもっていた特権を回復したいだけだ。ほんとうに地球そのものを愛していたなら、戦争や権力闘争にまきこまれるようなことをするものか」

ポプランの言うことはおそらく正しい、と、ユリアンは思う。宗教そのものを否定しようとは思わないが、宗教組織が権力を欲するのは絶対に否定されねばならない。それは人間の外面のみならず内面をも支配する、最悪の全体主義となるだろう。価値観の多様さとか、好みの個人差とかは排され、唯一絶対の存在をうけいれることだけが、人間に許される知的活動になるだろう。そして事実は、神の代理人と自称する人物が、無制限の権力をふるって、〝神を信じぬ者〟たちを殺してまわるだろう。そんな時代が到来するのを、座して待つことはできなかった。

七月一〇日、ユリアン・ミンツは地球の土を踏んだ。誰がはかったわけでもなかったが、それは銀河帝国政府の御前会議において地球への武力制裁が決定されたとおなじ日であった。

第四章　過去、現在、未来

Ⅰ

帝国首都オーディンにおいて皇帝《カイザー》ラインハルトの暗殺未遂事件が発生したとき、〝帝国軍の双璧〟とうたわれるオスカー・フォン・ロイエンタールとウォルフガング・ミッターマイヤーの両元帥は首都にいなかった。統帥本部総長たる前者は、国内に配置された要塞のうち八カ所を視察中であり、宇宙艦隊司令長官たる後者は、ヨーツンヘイム星系で新造艦と新兵による演習を査閲《さえつ》していたのである。

急報によって、両者はただちに帝都に帰還した。おどろきもさることながら、皇帝の生命が姑息《こそく》な陰謀の犠牲になりかけたことに、彼らは怒りをおぼえた――なかばは共通し、なかばは共通しない心情からではあるが。そして彼らの帰還を待って御前会議が開かれたのは、絶対者たる皇帝が、彼らの存在に敬意をはらっていることを意味していた。

当時、軍務省は帝国全土の軍管区を再編する作業をすすめていた。それによれば、地球をふくむ太陽系は、第九軍管区に属する予定になっていた。ただ、現在のところ、第九軍管区は紙上だけの存在で、司令部も司令官も実在していなかった。銀河帝国の軍事力が中央偏在であるのは伝統的なことであって、外征や叛乱鎮圧に出動する艦隊は、堂々と隊列をくんで帝都オーディンから旅立っていったものなのである。この過剰な権威主義からの脱却を目的として、ラインハルトは再編作業を命じたのだった。

ひとたび軍管区再編が完成すれば、それを指揮運用するのは統帥本部総長の任となる。総長は同時に国内軍総司令官の職もおびることとなるからだ。ロイエンタールの任は大きいが、現在のところその事態は予定表のなかの存在であった。

軍務尚書と統帥本部総長との仲が蜜のように甘い、という伝統は帝国にはなかった。礼儀正しく相手の顔を見ずに必要なことだけを言い、必要なことだけを聞く。ときには感情が理性の支配を拒否して、皮肉や非難の応酬が腕力の比較に発展することすらあった。いちおう席次としては軍務尚書が上とさだめられてはいるのだが。

軍務尚書オーベルシュタイン元帥と、統帥本部総長ロイエンタール元帥とは、とくに不仲ではなかった。ロイエンタールは智勇兼備の名将として令名高く、公式の場においてはつねに理性を感情に優先させていた。〝ドライアイスの剣〟と言われるほど冷徹鋭利なオーベルシュタインのほうは、そもそも感情の存在さえうたがわれていた。あきらかに偏見なのだが、偏見をとく努力を当人がまったくしていないのは事実だった。好悪の念という点では、両者がたがいを嫌っていることは確実であったが、たがいの力量を否定してはいなかった。

いまひとり、〝疾風《ウォルフ・デア・シュトルム》ウォルフ〟こと宇宙艦隊司令長官はといえば、ロイエンタールとは戦場での生死や人生の選択をともにしてきた仲であり、たがいに生命の恩人となっている。地位の向上によっても、彼らの紐帯《ちゅうたい》は失われることがなかった。オーベルシュタインにたいしては、ミッターマイヤーは、〝オーベルシュタインの冷血野郎〟とか〝酷薄無残なオーベルシュタイン〟とかいうたぐいの下品な罵声をあびせたことはない。彼は、彼の神速果敢な用兵とおなじく、余人にはとうていまねのできない口調で言うだけである——「あのオーベルシュタイン」と。


七月一〇日の御前会議に出席したのは、この三名のほか、内務尚書オスマイヤー、内務省内国安全保障局長ラング、憲兵総監ケスラー上級大将、内閣書記官長マインホフ、それにミュラー、メックリンガー、ワーレン、ファーレンハイト、ビッテンフェルト、アイゼナッハの各上級大将、皇帝高級副官のシュトライトおよびリュッケであり、皇帝自身をふくめてすべてで一六名であった。国務尚書マリーンドルフ伯爵、皇帝首席秘書官ヒルダの父娘はなお謹慎をつづけており、内閣書記官長の出席は国務尚書の代理として文官を代表するものであった。

信頼するふたりの姿を御前会議に欠くことは、ラインハルトにとって愉快ならざる経験だった。絶対者といえども、不快を忍ばねばならぬときがあるのだ。ことに、ヒルダの不在は、彼をいらだたせた。彼女のほかに秘書官は幾人もいたが、ある者は忠誠心こそあれ処理能力に欠け、ある者は出世のためにへつらう態度が皮膚の下からすけて見え、ラインハルトの波長はずれた受信器を失って空転しがちだった。

地球への派兵は、出席者全員の賛同するところだった。ただ、積極と消極とに多少の個人差があり、内国安全保障局長ラングは、いますこし自分の部局に時間をもらいたい、とのべた。地球教の正体になお不明の点があるので、精密な調査と内偵をおこない、派兵の成功に万全を期したい、というのであったが、皇帝は一笑にふした。

「迂遠《うえん》なことを言うな。地球教とやらの逆意はすでにあきらかであるのに、いまさらなにを調査し内偵する必要があるか」

「は、御意ではございますが……」

「地球教徒《やつら》にかんする卿《けい》のこれまでの調査に、誤りはないのだろう？」

「はい、御意でございます」

いささか芸のない返答を、ラングはくりかえした。

「ということは、奴らの信仰する神以外にはなんの権威も認めぬし、それどころか奴らにとっての権威を、暴力をもって他者におしつけることをためらわぬ、という結論になる。あらたな秩序と共存することもかなわぬというのであれば、奴らの信仰に殉じさせてやるのが、最大の慈悲というものだろう」

ラングは赤面の態《てい》で一礼した。皇帝の決断は、彼の官僚的判断をこえていた。

皇帝《カイザー》ラインハルトが身じろぎするつど、獅子《しし》のたてがみを思わせる黄金の髪が華麗に波うった。そのひとゆれごとに黄金の粉が散るようにみえた、と書いた記録者もいるが、皇帝の背後にひかえて壁ぎわの椅子にかしこまっている侍者のエミール・フォン・ゼッレ少年などにはあきらかにそう見えるようである。一四歳のこの少年は、宮廷に居住して、若い皇帝の身辺の世話をしながら軍医としての勉強をする境遇をあたえられていた。特権というには、ささやかでほほえましいほどのものだったので、問題視されてはいなかった。エミールもよく心得ていて、彼の熱烈に崇拝する主君の評判がおちるようなまねはしなかったのである。

「陛下のお言葉どおり、地球教徒との共存はのぞめません」

オレンジ色の髪をしたビッテンフェルト上級大将が皇帝に賛同した。

「この際、叛徒には相応のむくいをくれて、新王朝の威光と意思を内外にしめすべきでありましょう」

「威をしめすべし、か」

「はい、どうかその任は臣《わたくし》におまかせいただきたく存じます」

だが、皇帝は、豪奢な黄金の髪をふってかるく笑った。

「辺境の一惑星を威圧するのに、黒色槍騎兵《シュワルツ・ランツェンレイター》をうごかしたとあっては、帝国軍が鼎の軽重をとわれそうだな。今回はひかえよ、ビッテンフェルト」

不本意そうな猛将を沈黙させておいて、ラインハルトはべつの提督に視線を投げた。

「ワーレン！」

「はっ」

「卿《けい》に命じる。麾下の艦隊をひきいて太陽系におもむき、地球教団の本拠を制圧せよ」

「御意！」

「教祖ないし教団組織の長は捕えて帝都に護送せよ。幹部どもは逮捕が不可能であれば殺してかまわぬ。教徒以外には害禍のおよばぬよう心せよ。もっとも、教徒でない者が地球にいるとも思えぬが」

ボリス・コーネフが御前会議の末席にでもつらなっていれば、拍手して皇帝の見解に賛意を表したであろう。

ワーレンは起立し、うやうやしく皇帝に一礼した。

「大任をおあたえいただき、恐懼《きょうく》のきわみでございます。かならず地球教の暴徒どもを滅ぼし、首領をとらえ、陛下の尊厳と法秩序のなんたるかを思い知らせます」

金髪の皇帝はうなずくと、かるく片手をあげて散会を命じた。地球への派兵は、これをもって実務者レベルの問題となったのである。

矛盾も内部対立もない組織など存在しないが、誕生したばかりのローエングラム王朝にも、ささいなほころびがあった。〝キュンメル事件〟に関連する、国内治安の主導権について、いささか問題があったのだ。

憲兵隊と内国安全保障局とのあいだには、競争意識というより険悪な対立意識が瘴気《しょうき》を吹きあげるようになっていた。憲兵総監ケスラー上級大将と内国安全保障局長ラングとでは格がちがいすぎる。前者は軍部の重鎮であり、後者は誇るべき功績をもたない新参者であった。ただしラングは前王朝以来の秘密政治警察の専門家であり、軍務尚書オーベルシュタイン元帥の腹心の一員とされている。しかも内国安全保障局という機構それじたいは内務省の一部局なのである。事態はいささか複雑であった。国内治安の責任者である内務尚書オスマイヤーとしては、自分の職権をおかされることも、確立さるべき官界の秩序を乱されることも、ともに認めるわけにはいかなかった。

かくて、内務尚書オスマイヤーと憲兵総監ケスラーとが暗黙の連係をたもって、軍務尚書オーベルシュタインおよび内国安全保障局長ラングとのあいだに非公然の対立を深めつつあったのである。


エミール少年がコーヒーをはこんできて退出すると、間をおかず軍務尚書オーベルシュタインが皇帝に謁見をもとめてきた。それじたいはめずらしいことでもなかったが、進言の内容がラインハルトをおどろかせた。オーベルシュタインはこう言ったのだ――いますぐとは申しませんが、ご結婚について真剣にお考えください、と。虚をつかれたラインハルトは一瞬、少年の表情になり、秀麗な顔に苦笑めいた影をよぎらせた。

「マリーンドルフ伯とおなじことを言う。予に配偶者のおらぬことは、それほど奇異か。卿《けい》はたしか予より一五ほども年長だが、いまだ家庭をもたぬではないか」

「オーベルシュタイン家が断絶したところで、世人は歎《なげ》きますまい。ですが、ローエングラム王家はさにあらず。王朝が公正と安定をもたらすかぎりにおいては、人民はその存続する保障を血統にもとめ、陛下のご成婚と皇嗣《よつぎ》のご誕生を祝福いたしましょう」

皇帝にむかって条件をつけてみせるところが、オーベルシュタインの真価であったろう。

「ですが、皇妃の父兄、すなわち外戚《がいせき》がいたずらに栄誉を誇り、権力をふるうがごときは、国家に多大なる害をもたらします。古代史においては、皇妃をめとるに際し、その一族をことごとく殺して将来の禍根《かこん》をたった帝王の例もありますれば、ご留意ください」

ラインハルトの両眼に蒼氷色《アイス・ブルー》の光彩がみなぎった。軍務尚書以外の臣下であれば、落雷に打たれる思いがしたにちがいない。

「卿は誰か特定の人物が皇妃の宝冠をいただくことに反対しているように思えるな。皇妃の候補すらさだまってはおらぬのに、時期のうえでも、臣下としての分《ぶん》から言っても、不適当だとは思わぬか」

「さしでたまねと承知はしております」

「皇妃が政治上、皇帝につぐナンバー2となっては、はなはだまずいか。卿《けい》ならばそう思うだろうな」

その場にロイエンタールやミッターマイヤーがいれば、緊張せずにいられなかったであろう。ラインハルトの痛烈な皮肉の起因するところを、彼らは知っていた。

オーベルシュタインは動じなかった。

「ご明察おそれいります」

「だが結婚すれば子が生まれる。皇太子とは忌むべきナンバー2とは言えないかな」

「それはよろしいのです。王朝の存続を制度的にも保障するものですから」

ラインハルトはするどい舌打ちの音をたて、若々しい顔を掌でひとなでした。連想が翼をひろげ、話題が急転する。

「……マリーンドルフ伯爵父娘はいまだ謹慎しているのだな」

「大逆犯の係累《けいるい》であれば、いたしかたございません。本来ですと、一族ことごとく死刑、または流刑というのがゴールデンバウム王朝においては慣行でございました」

ラインハルトは胸のペンダントに片手の指をもつれさせた。

「つまり地球教は予の生命をねらったにとどまらず、予のたいせつな国務尚書と首席秘書官を予から奪おうとしているわけだな」

私人としては感情を、公人としては権威を、ラインハルトは充分に傷つけられていた。

「これ以上、謹慎の必要を認めぬ！　マリーンドルフ父娘に明日より出仕するよう伝えよ」

「……御意」

「いまひとつ、マリーンドルフ父娘にたいして、このくだらぬ事件の責任を問うことを禁じる。その禁をあえておかす者は、予の命令に従順ならざる者として相応の処断をこうむるものと覚悟せよ」

専制君主の意思は、万人の感情と国家の法のうえに屹立する。オーベルシュタインは深々と頭をさげて、若い皇帝の絶対的な意思をうけいれた。ラインハルトは蒼氷色《アイス・ブルー》の瞳で臣下を見すえ、声と表情を消したまま優美な長身をひるがえした。


軍務省の執務室にもどったオーベルシュタインに報告書がとどいていた。同盟に駐在する高等弁務官府からのもので、弁務官レンネンカンプを介さず直接、軍務省に連絡する立場の者がいるのである。

「……弁務官はヤン・ウェンリー元帥への監視を強化。同盟内反政府派の動向と強いかかわりあいあり、と、みなしているようす。詳細はおって……」

軍務省調査局長アントン・フェルナー准将からその報告をうけた軍務尚書オーベルシュタイン元帥は、光コンピューターをくみこんだ両眼をわずかに細めた。

「烏合の衆は、結束のために英雄を必要とする。同盟の過激派、原理派がヤン・ウェンリーを偶像視するのは無理からぬことだ」

そう言いつつ、彼は年齢に似あわぬ半白の頭髪に指をあてた。

「レンネンカンプがな、ふむ……」

「放置しておいてよろしいのですか？　現在、ヤン元帥に造反の意思がないとしても、周囲に原色の絵具がおいてあれば、いつか染まりもしましょう」

フェルナーは、とかく冷厳と思われがちなオーベルシュタインの前にでても萎縮をしめさない点で貴重な人材とされていた。軍務尚書はひややかな一瞥を部下にむけたが、彼の場合、とくに悪意をしめすものではない。

「いまのところ、どう手をだしようもあるまい。レンネンカンプは職権を侵されるのをとくに嫌う男だ」

「ははあ、ですが尚書閣下、同盟の国民的英雄たるヤン元帥を、レンネンカンプ弁務官がやたらに処断すれば、同盟市民の帝国にたいする反感が方向性と集束性をともなって激発するかもしれませんぞ。大きくなった火は消しにくくなる道理ですが」

フェルナー准将の声には、ごく微量ながら、演劇を鑑賞する者のようなひびきがあった。彼を見るオーベルシュタインの眼光に、今度はたんなるひややかさ以上のものがくわわった。

「失言でした。お忘れいただければさいわいです」

フェルナーが誤りを認めると、オーベルシュタインは無言で肉の薄い手をふり、でていくよう合図した。

一礼してフェルナーは退出したが、軍務尚書の胸中を推測せずにはいられなかった。

あるいは軍務尚書はヤン元帥の存在を利用する気なのかもしれない。磁石を砂中に埋めて砂鉄を集めるように、ヤンの周囲に同盟の反帝国強硬派・民主主義原理派を集める。集めてどうする？　それを口実としてヤンを処断し、帝国にとって後日の憂患を絶つか。それとも、むしろヤンをかこむ強硬派の勢力を伸長させ、同盟内における対帝国協調派とのあいだに抗争を生じさせる。さらにそれを内乱にまで拡大させて両者を共倒れさせれば、帝国はみずからの手を汚さずして、同盟全土を掌握《しょうあく》することになろう。

「しかし、はたして軍務尚書の思うように、事態《こと》がすすむかな」

戦場におけるヤン・ウェンリーは、戦争の天才たる皇帝《カイザー》ラインハルトすらも死地に追いつめたほどの智将ぶりをしめした。艦隊なく兵士なきヤン・ウェンリーは、はたしてオーベルシュタイン元帥の料理の材料たることに甘んじるか。古来、窮鼠《きゅうそ》は猫にむかって飛びかかるものではないか。となれば、まっさきに鼠にかじられる立場のレンネンカンプが、いささか気の毒なことになろう。

「いずれにしても、こいつは観物《みもの》だ。軍務尚書の思惑がとおるかどうか。それによって現在の平和が一時代をきずくか、動乱のささやかな休息時間にすぎないか、歴史の分かれ道ができそうだな」

フェルナーは唇の端に皮肉っぽい微笑をひらめかせた。彼はかつて旧帝国門閥貴族軍の幕僚としてラインハルトの暗殺を計画した男である。ラインハルト個人にたいする憎悪からではなく、みずからの立場に忠実たらんとした結果ではあったが。その後、ラインハルトに赦されて部下となり、主としてオーベルシュタインのもとで作戦立案や元帥府の運営に功績があった。彼は不逞な野心家ではなかったが、観客としてはあきらかに治より乱を好んだ。ひとつには、自己の才幹と行動力によって、どのような状況でも生き残ることができる、という奇妙な自信をもっていたからでもある。

オーベルシュタインは無人の執務室に無機的な眼光をむけていた。

主君の欠けるところは、臣下がそれをおぎなわねばならない。ましてローエングラム王朝と皇帝《カイザー》ラインハルトとは、オーベルシュタインにとって終生を賭した作品であった。この作品は展開の急速さと主題の華麗さにおいて比類ないが、彼にとっては堅牢《けんろう》さにいささか難があるのだった。

マリーンドルフ家のサロンでは、伯爵とその娘がソファーにすわって、緩慢に流れさる時のけだるいダンスを見つめていた。

「ハインリッヒをあわれもうとは思わないわ」

ヒルダは父にそう語った。

「彼はあの数分間、主演俳優として舞台に立っていたのよ。わざわざ森のなかの石畳の中庭をえらんで、そこで生命力のすべてをそそぐ名演技をやってのけたのだという気がする……」

「演技だって？」

父の声には知性はあっても生気がない。

「ハインリッヒが本気で陛下を弑逆しようとしていたとは思えないの。彼をそうしむけた地球教の意思はともかく、彼は人生の最後に、ただあの数分間をえるために、刺客などという不名誉な役を、表面上はひきうけたのよ」

最初、そう考えたのは、父の傷心をすこしでもやわらげるためだった。男児をもちえなかった父が、ハインリッヒを、病弱な甥をどれほど気づかっていたか、彼女は熟知していたのだ。だが、いまではヒルダは、自分自身の考えが真実の片袖をとらえているのではないか、と思っているのだった。ハインリッヒ・フォン・キュンメル男爵は、徐々に死んでいくのを拒否し、わずかな生命の預金残高をかき集めて、短時間のかがやきとともに燃えつきる途《みち》をえらんだのだ。それが偉大な行為であると断言することは、ヒルダにはできない。だが、ハインリッヒがラインハルトにむけていた羨望と嫉妬の激情を浄化するのに、ほかのどんな方法が存在したというのだろう。

ヒルダは手を伸ばして卓上のベルをとった。父と彼女自身のため、コーヒーを持参するよう家令のハンスに命じようと思ったのだ。だが、ハンスの血色のよい顔と幅の広い身体は、ベルの音よりも早く彼女の視界にあらわれていた。お嬢さま、と、家令は声高く告げた。皇宮から直接、TV電話《ヴイジホン》がはいっております。画面にあらわれた方はシュトライトと名のられ、吉報であると伝えてくれ、とおっしゃいました。どうかTV電話室《ヴイジホン・ルーム》へいらしてください……。

ヒルダは鳴らさなかったベルを卓上にもどすと、少年のように軽快な動作で立ちあがった。吉報は予測していた。若い金髪の皇帝が、マリーンドルフ伯爵父娘を宮廷から永久追放するのは、ありえないことだった。ただし、復帰したあとの宮廷が、ときに茨の城の一面をみせるであろうことも予測せざるをえない。

軍務尚書オーベルシュタイン元帥、その走狗《そうく》たる軍官僚たち。彼らに口実をあたえないよう、ヒルダは父と自分をまもらねばならない。

「負けるものですか」

廊下を歩きながらつぶやいた声が、さきに立つハンスの大きな背中にとどき、家令は肩ごしに不審げな視線をむけた。

「お嬢さま、なにか」

「え、ちょっとね、ひとりごと」

答えてから、ヒルダはふと考えてしまった。いわゆる〝可愛い女〟というたぐいの同性は、このようなとき、もっと愛敬のあるひとりごとを言うものなのであろうか。

彼女は、少年というより男児のような動作で、短いくすんだ金髪の頭をかるく拳でたたいた。彼女は〝可愛い女〟として宮廷でもとめられているのではなかったし、そのようなことを考えるのは、彼女自身が思っても彼女らしくなかった。

Ⅱ

マリーンドルフ伯フランツとヒルダの父娘が謹慎をとかれたことを、もっとも喜んだひとりは、ウォルフガング・ミッターマイヤー元帥である。

「あのオーベルシュタインがとやかく言う筋合がどこにある。一族すべて罪に服すなど、前王朝の時代で終わったのだ」

彼はヒルダを皇妃の候補にと考えていたくらいで、妻のエヴァンゼリンにもそう語った。

「もし、おふたりのあいだに御子が生まれれば、さぞ聡明な皇子となるだろう。楽しみなことだと思わないか」

「そうでしょうけど、けっきょくはおふたりのお気持ちですわ」

エヴァンゼリンは、夫の先走りをさりげなく制した。二六歳の彼女は、子供がいないこともあって、新婚当時のういういしさに、ほとんど錆がついていない。あいかわらず、身をひるがえすさまが燕《つばめ》を思わせ、家事をこなすようすが音楽的なまでに軽快で、ミッターマイヤーを喜ばせる。

「わたくしが求婚をうけたのは、相手が将来性のある有能な士官だったからではありませんわ。あなただったからですよ」

「それがわかっていれば、おれはもうすこし恰好よく結婚を申しこめただろうな。あのときほどこわかったことはない……」

来客を告げるホーム・コンピューターの音楽が鳴り、エヴァンゼリンは夫が自慢してやまない軽快な足どりでサロンをでていったが、すぐドアごしに告げた。

「ロイエンタール提督がお見えですわ」

オスカー・フォン・ロイエンタールがミッターマイヤー家を訪問するのは、その逆の例にくらべればすくなかったが、絶無というわけではなかった。彼は世の家庭とか人妻とかいう存在をはなはだしい偏見のサングラスごしにながめていたが、親友の家に足を踏みいれるときには相応の礼儀を順守した。もっとも、礼儀以上のものではないことを公言するかのように、夫人への贈り物は花束と決まっていた。

エヴァンゼリン・ミッターマイヤーが、その夜の贈り物である黄水仙を花瓶にいけ、夫の友人のために、まず手づくりソーセージとコテージ・チーズの皿をサロンへもっていくと、すでに〝帝国軍の双璧〟は、ワインを前に話の花を咲かせていた。

男どうしの話にたちいる気のない夫人は、皿をおいてすぐにひきさがったが、〝トリューニヒト〟という名が耳に残った。

ロイエンタールがさげすむように言う。

「ヨブ・トリューニヒトという男は、稀代《きたい》の商人として名を残すだろうよ」

「商人?」

「ああ、奴は先だって自由惑星同盟《フリー・プラネッツ》と民主主義を帝国に売りわたした。そして今度は地球教だ。奴が市場に商品をだすつど、歴史がうごく。なかなかどうして、フェザーン人とはりあえるほどの商売人だと思わざるをえん」

「そうだな、売る点にかけては奴は優秀な商人だ。だが買うほうはだめだな。奴が買うのは軽蔑と警戒心だ。誰が奴を尊敬する? 奴は自分自身の人格を切り売りしているだけだ」

統帥本部総長はにがにがしく笑った。

「卿《けい》の言うことは正論だがな、ミッターマイヤー、奴は生きるに際して他人の尊敬や愛情など必要とせぬよ。そして、そういう輩《やから》ほど、根の張りようは深く、茎は太い。寄生木《やどりぎ》とはそういうものだろう」

「なるほどな、寄生木か……」

ふたりの名将はなんとはない沈黙の底にしずんだ。

かつて自由惑星同盟軍のイゼルローン要塞司令官であったヤン・ウェンリー提督は、トリューニヒトの両生類的な政治生命力を直感して、理性の枠をこえた恐怖と嫌悪にとらわれたことがある。それほど深刻ではないにせよ、ロイエンタールとミッターマイヤーが感得したものは、根底において共通していた。

「たんなる卑劣漢と言ってすまされぬものがある。悪い意味で凡人ではない。監視するにしかず」

両元帥の、それが結論であった。この時期、ローエングラム王朝の発展にすくなからぬ貢献をなしながら、相応の尊敬と好意を獲得しえなかった点において、トリューニヒトのごとき例はほかにない。オーベルシュタイン元帥でさえ、好かれているとは言えないにせよ、畏敬の対象にはなっているのだ。だが、トリューニヒトの人望の欠如は徹底していた。かつて自由惑星《フリー・プラ》同盟《ネッツ》では過大をきわめたものが、いまや雲散霧消しているのだった。

同盟首都ハイネセンを制圧して、トリューニヒトと最初に対面したとき、オスカー・フォン・ロイエンタールの態度は冷淡をきわめ、ウォルフガング・ミッターマイヤーの両眼には露骨な反感が踊っていた。しぜん、ふたりの提督にかわってヒルダがトリューニヒトの応対をひきうけざるをえなかったが、みずからの安泰と引きかえに祖国と市民を売りわたして恬然《てんぜん》たる政治家を、好意の目で見ることはとうてい不可能であった。

エヴァンゼリンが手づくりの鳥肉ゼリーをはこんできて、ミッターマイヤーの部下カール・エドワルド・バイエルラインの来訪を告げた。若い勇将はいつものように勢いよく戸口にあらわれた。

「閣下、ちかくに用がありましたもので、お邪魔させていただきました。それと、いささか奇妙な噂を耳にしましたので」

部屋に踏みいれかけたバイエルラインの片足が、床の五センチほど上空で停止した。ロイエンタールの来訪を予想していなかったのだ。あわてて形式ばった敬礼をほどこす。

「どんな噂だ」

「それがたんなる噂でして、証拠があるわけでもなし、真偽のほどはさだかではないのです」

ロイエンタールの存在が、若いバイエルラインの心には重い。ミッターマイヤーが、苦笑ぎみにうながした。

「いいから言ってみろ」

「はい、同盟軍の捕虜から流れてきた話なのだということですが……」

「うむ？」

「メルカッツ提督が生きているという噂があるのです」

バイエルラインが口を閉ざすと、沈黙がステップを踏んで室内を一周した。ミッターマイヤーとロイエンタールは、バイエルラインにむけて固定した視線をひきはがしてたがいの目にむけ、おなじ表情、おなじ感慨を見いだした。ミッターマイヤーが部下に確認した。

「あのメルカッツか。ウィリバルト・ヨアヒム・フォン・メルカッツが生きていると、卿《けい》はそう言うのか」

〝あの〟という指示語は、オーベルシュタインにつけるときと、ことなるひびきをおびていたのはむろんである。バイエルラインはかたちにこそださなかったが、首をすくめる語調で、

「噂です」

「メルカッツはバーミリオン星域会戦で戦没したはずだ。どこの誰が無責任にも故人の墓をあばくような噂を流すのか」

「ですから小官は噂をお伝えしているだけで……」

若い勇将が困惑の声を低めた。彼の周囲を後悔の波動がとびはねている。

「ありうることだな」

ロイエンタールが固定観念から自分を解放するようにつぶやいた。

「たしかに、遺体を確認したわけではない。吾々《われわれ》の目をくらましてどこかで生きているとしても不思議はないが……」

ミッターマイヤーもうめいた。

バーミリオン星域会戦の終結後にメルカッツが生きていれば、銀河帝国としては彼の死を要求せざるをえない。メルカッツはかつて門閥貴族連合軍の総司令官としてラインハルトに敵対し、その後は亡命して、若い金髪の覇者に与《くみ》することを拒否しつづけた男である。現世でならび立つのは困難であった。

「しかし、たんなる噂だ」

いっぽうの言葉に、いっぽうがうなずく。

「そうだな。たんなる噂だ。そんなもので軽挙妄動《けいきよもうどう》して罪人をでっちあげるような愚行は、内国安全保障局にまかせておこう」

「では私はこれで……」

バイエルラインとしては、噂を口実に、敬愛する上司とささやかな酒宴を楽しみたかったにちがいない。ロイエンタールがいては煙《けむ》たいのだろう。それを察して、ミッターマイヤーはひきとめなかった。ふたつのグラスにワインを満たして話題を変える。

「ところで、またまた女を変えたそうだな」

グラスをとりつつ統帥本部総長はかるく唇を曲げてみせた。

「たんなる噂だ、と言いたいところだが、事実だ」

「どうせ女から言いよられたのだろう」

そういう例があまりに多いのも、ミッターマイヤーが友人の漁色を強く非難する気になれない理由のひとつであった。

「はずれた。力ずくだ」

金銀妖瞳《ヘテロクロミア》に毒をまじえた光が揺れた。

「権力と暴力でものにした。おれもいよいよ悪どくなった。悔いあらためないと、オーベルシユタインかラングあたりを喜ばせることになるかもしれんな」

「そういう言いかたはよせ。卿《けい》らしくない」

ミッターマイヤーの声に、にがさがある。

「うむ……」

つねに大道を歩む友人を、ロイエンタールはややまぶしそうに見やり、忠告をうけいれるようにうなずくと、自分の手でグラスにあらたなワインをそそいだ。

「で、真実のところはどうなのだ」

「じつは、その女に殺されかけた」

「なに……！」

「帰宅して門をくぐるところへナイフを突きだされた。根気よく何時間も待っていたらしい。ふつうなら美人に待たれるのは歓迎なのだが」

ワインの波が色のことなる両眼にゆらめいていた。

「その娘は名のった。自分はエルフリーデ・フォン・コールラウシュという者だ、と。そしてつけくわえた。自分の母親は故リヒテンラーデ公爵の姪だった、と」

豪胆さで余人にゆずることのない〝疾風ウォルフ《ウォルフ・デア・シュトルム》〟が一瞬、呼吸器の機能を乱したようだった。

「リヒテンラーデ公の一族か！」

金銀妖瞳《ヘテロクロミア》の青年提督はうなずいてみせた。

「それを聞いて、おれも得心した。憎まれるのも道理だ。おれはその娘にとって大伯父の仇《かたき》ということになる」

二年前、宇宙暦七九七年、旧帝国暦四八八年、銀河帝国は〝リップシュタット戦役〟と称される動乱を経験し、政治・軍事の指導層はふたつの陣営に分裂した。ブラウンシュヴァイク公を盟主、リッテンハイム侯を副盟主とする門閥貴族連合が打倒の目標としたのは、帝国宰相リヒテンラーデ公と帝国軍最高司令官ラインハルト・フォン・ローエングラム侯との枢軸体制であった。この枢軸は、老いた権力主義者と若い野心家とが、友愛ではなく打算を基盤として成立させたものであったが、門閥貴族たちを排除して政戦両権を独占するかにみえたので、彼らを激昂させることになったのだ。

勝利はラインハルトらの手中に帰した。貴族連合軍の実戦総指揮官はメルカッツ提督であったが、敵の才能よりむしろ味方の無理解によって敗北をしいられたのである。ラインハルトにとって、悲劇は勝利後に彼の客となった。彼をねらった暗殺者の銃口は、赤毛の友ジークフリード・キルヒアイスによってさえぎられ、友というより自己の半身を失った金髪の若者は一時的に廃人同様となった。それを知れば、リヒテンラーデ公はいっきょに若い同盟者を粛清して全権力を独占しようとするであろう。ラインハルトの部下たちは機先を制してリヒテンラーデ公とその一党を葬り、主君の権力を確保したのである。

ミッターマイヤーは首をふった。

「仇という点では、おれも卿《けい》とことなるところはないはずだが……」

「いや、ことなる。あのとき、卿は宰相府に急行して国璽《こくじ》を奪った。おれはなにをした？　リヒテンラーデ公の私邸を襲って、あの老人を拘束した。より直接的に、おれのほうが仇と言えるだろうな」

二年前の夜を、ロイエンタールは想いおこす。完全武装の兵士をひきいて彼がドアを蹴破ったとき、老いた権力者は豪華な寝台で読書をしていた。床に本をおとし、敗北をさとった老人が兵士につれさられたあと、ロイエンタールは軍靴の先に本をひっかけてひっくりかえし、表紙の文字を読んだ。失笑するところだった。本の題名は、『理想の政治』というのだった……。

「ついでに言えば、あの老人と一族の処刑を指揮したのはおれだ。いよいよこれは怨《うら》まれて当然というところだな」

「そこまで、その娘は事情を知っていたのか」

「昔は知らなかった。いまは知っている」

「……まさか」

「そうだ。おれが教えた」

ミッターマイヤーは上半身全体を使って吐息し、蜂蜜色の髪を片手でかきまわした。

「無益なことではないか。なぜそんなことまで言って、誰よりも卿自身をおとしめる？」

「おれもそう思う。無益なこととわかるまでは、おれも正常《まとも》だ。そのあとがどうもゆがんでいる」

ワインの小さな滝を咽喉に流しこんで、ロイエンタールはつぶやいた。

「ゆがんでいる。わかっているのだ……」

Ⅲ

ソファーの上で、エルフリーデは身じろぎした。樫《かし》の扉があいて、帰宅したロイエンタール邸の主人が、長身の影を床に投げかけていた。彼女の処女を奪った男は、色のことなる両眼で、クリーム色の髪をした娘のみずみずしい肢体を、布地ごしに観賞していた。

「感心に、逃げなかったようだな」

「悪いことはなにもしていないわ。なぜ逃げる必要があるの？」

「お前は帝国軍統帥本部総長を殺そうとした罪人だ。その場で逆に殺されても当然だ。それを鎖につなぎもせずにいてやるとは、おれも寛大な男だとつくづく思う」

「わたしは、お前たちのような殺人の常習犯じゃないわ」

そのていどの皮肉で歴戦の勇者を傷つけることはできなかった。金銀妖瞳《ヘテロクロミア》の青年提督は短く冷笑すると、後ろ手に扉を閉め、ゆっくりと彼女の前に歩みよった。力強さとしなやかさの完璧な均衡。たけだけしさと典雅さのすぐれた調和。所有者の意思を無視して、娘の瞳はその姿に吸いつけられた。気づいたとき、彼女の右手首は男の強靭な掌の内側にあった。

「美しい手だ」

アルコールに濡れた声が言った。

「おれの母親の手も、それは美しかったそうだ。最高級の象牙《ぞうげ》を彫りあげたようにな。他人のために一度だってうごかしたことのない手だった。はじめてわが子を抱きあげたのは、片目をナイフで突き刺そうとしたときで、むろんそれが最後だった」

ロイエンタールの金銀妖瞳を、エルフリーデは一瞬、呼吸をとめてのぞきこんだ。

「残念だわ。お前の母親が失敗したことがね！　母親はわが子が大逆の罪をおかすことを予知していたのよ。だから社会のために私情を捨てて害をのぞこうとしたのだわ。りっぱな母親に不似あいの息子だこと！」

「……もうすこし推敲《すいこう》すれば墓碑銘に使えるな」

ロイエンタールは娘の白い手を離し、額に落ちかかるダークブラウンの髪をかきあげた。男の手の感触が、熱い環になって娘の手首に残った。ロイエンタールはクロスばりの壁に長身をもたれかけさせ、なにやら考えこんだ。

「おれには理解できんな。父親の代までもっていた特権を失ったのが、それほどくやしいか。

お前の父親や祖父は、自分の労働の成果でもないのに、毎日遊んでくらしていたわけだろう？」

あげかけた声を、エルフリーデはのみこんだ。

「そんな生活のどこに正義がある？　貴族とは制度化された盗賊のことだ、と、まだ気づかないのか。暴力で奪うのは悪だが、権力で奪うのはそうではないとでも思うのか」

ロイエンタールは壁から身をおこした。興ざめしたような表情になっていた。

「もうすこしましな女かと思ったがな。興味が失せた。さっさとでていって、お前にふさわしい男をさがせ。権力と法律が、甘い生活を保障してくれた時代をなつかしむだけの能なしをな。だが、その前にひとこと言っておく」

拳で壁をひとつたたくと、金銀妖瞳《ヘテロクロミア》の青年提督は一語一語を確認しながら言った。

「この世でもっとも醜悪で卑劣なことはな、実力も才能もないくせに相続によって政治権力を手にすることだ。それにくらべれば、簒奪は一万倍もましな行為だ。すくなくとも、権力を手にいれるための努力はしているし、本来、それが自分のものでないことも知っているのだからな」

エルフリーデは、ソファーから立ちあがりこそしなかったが、生きた嵐と化していた。

「よくわかったわ」

熱雷をはらんだ声がロイエンタールに吹きつけてきた。

「お前は骨の髄からの叛逆者だということがよ！　自分にそれほど実力や才能があると思うなら、なんだってやってみるといい。そのうち、思いあがったあげくに、いまの主君にだって背きたくなるでしょうよ」

エルフリーデが息をきらして黙りこむと、ロイエンタールは表情を変えた。興味の泡を両眼にはじけさせながら、自分を殺そうとした娘を凝視する。数秒の沈黙が、声にさきだった。

「皇帝《カイザー》はおれより九歳も若いのに、みずからの力で全宇宙を手にいれた。おれはゴールデンバウムの皇室や大貴族どもに反感をいだきながら、王朝それじたいをくつがえそうというまでの気概をもつことはできなかった。あの方におれがおよばぬゆえんだ」

反駁の言葉を失った娘に背をむけると、ロイエンタールは大股にサロンをでていった。エルフリーデは、幅の広い背中が遠ざかるのを黙然と見送っていたが、ふいに顔をそむけた。一瞬、憎悪すべき男が肩ごしにふりむくのを、自分が待っているような気がしたからである。彼女の視線は見たくもない壁面の油彩画に吸いつき、一〇秒間ほどそこに静止した。彼女が視線をもどしたとき、館の主人は彼女の視界の住人ではなくなっていた。そのときロイエンタールが彼女をかえりみたか否か、知る機会をエルフリーデは当分あたえられなかった。

IV

軍部の要人たちが地球への艦隊派遣をめぐって活発にうごきまわっているあいだ、帝国政府のほかの部門も眠っていたわけではない。

学芸省においては、尚書ゼーフェルト博士の直接指揮のもとに、『ゴールデンバウム王朝全史』の編纂《へんさん》が開始されている。ゴールデンバウム家が崩壊したからこそ可能になったことだが、国家機密の美名のもとに死蔵されていた膨大な資料を使って、これまで非公式情報や噂としてしか知られていなかった事実のかずかずが白日《はくじつ》にさらされるはずであった。

同盟軍の退役元帥ヤン・ウェンリーは、歴史家をこころざしながら、一五歳のとき父の死去で経済的につまずき、以後は現実という地面にころがりっぱなしの人生を送ってきた。その彼が、未公開資料の山のなかで毎日をすごす帝国学芸省の研究者たちを見たら、羨望のあまり全身の水分をよだれにしてたれ流したことであろう。

皇帝《カイザー》ラインハルトは学芸省にたいして、とくにゴールデンバウム王朝の悪業をさがしだすように、との指示はあたえなかった。必要もないことだった。どのような王朝であれ権力体制であれ、善行は公開し宣伝し、悪業は隠匿するものであるから、未公開の資料などというものはたいはんが悪業や非行の証拠なのである。黙っていても、研究家たちはゆたかな鉱脈のそこかしこから、ゴールデンバウム王朝の悪業や醜聞を掘りだすにちがいなかった。よぶんな指示をあたえては、君主の雅量に傷をつけるだけのことである。

ゴールデンバウム王朝の始祖ルドルフ・フォン・ゴールデンバウムは、五世紀の昔、ラインハルトのようには考えなかった。彼は主観的正義の巨大な塊《かたまり》であり、信念という目に見えない兄弟と双生児でこの世に誕生してきたのである。彼は最初に軍人として、ついで政治家として成功をおさめた。精神的肉体的なエネルギーは巨大だったが、その鋳型《いがた》は、初級の方程式に固執する中学校の数学教師とおなじものだった。自分とおなじ思想、おなじ価値観をもたぬ者にたいして、最初、彼は鉄拳を、のちには死をあたえた。どれほど多くの歴史家が、彼の正義によって殺されたことか。

ラインハルトはそんなことをしたくなかった。

……始祖ルドルフ大帝は文字どおりの巨人であり、比類ない威圧感によって全人類の頭上に君臨した。第二代のジギスムント一世は開明的とは言えないにしろ有能な専制君主であって、共和主義者の叛乱に仮借《かしやく》なく弾圧をくわえるいっぽう、〝良民〟にたいしては比較的公正な施政をほどこし、飴《あめ》と鞭《むち》を巧妙に使いわけて、祖父のきずいた帝国の礎石をかためた。第三代のリヒャルト一世は政治より美女と狩猟と音楽を愛したが、それでも最高権力者としての枠を踏みこえることはなく、気の強い皇妃と、六〇人ほどの愛妾とのあいだに張りわたしたロープの上を、ややよろめきつつも最後まで転落することなく往来して、ごく無難に一生を終えた。

第四代のオトフリート一世は父よりまじめだったが、健康で禁欲的で散文的で、当時と未来の人々を退屈させる点において比類ない人物だった。無表情に、かつ精密に連日のスケジュールを消化することが彼の生きる目標であるかにみえた。音楽、美術、文芸のいずれにも興味がなく、自発的に読んだ本は、始祖ルドルフ大帝の回想録と、家庭医学書だけであると言われる。〝灰色の人〟と呼ばれる彼は陰気な保守主義者で、あらゆる変化や改革を病原菌のごとく忌みきらい、崇拝するルドルフ大帝の前例にしがみついていた。彼にかんする、数すくないエピソードのひとつに、つぎのようなものがある。

ある日、医師と栄養士の指示どおり、野菜と乳製品と海草の昼食を終えた皇帝は、スケジュールにしたがって一五分間の散歩のために庭園へでようとした。そこへ急報がはいって、軍隊の基地で大規模な爆発事故が生じ、一万人以上の将兵が死亡したと知らせてきた。

皇帝陛下は無感動に発言あそばした。

「そんな事故の報告を聞くことは、今日の予定にはない」

彼にとって、スケジュールは神聖不可侵のものだったが、自身でスケジュールをくみたてるような独創力や構想力とは無縁であったので、その任にあたる皇帝政務秘書官エックハルト子爵の責任と権限は、砂時計の砂がつもるように増大していった。いつしか彼は枢密《すうみつ》顧問官と皇宮事務総長をかねるようになり、御前会議の書記をもつとめるようになった。ことさら炯眼《けいがん》をもちあわせぬ者がみても、〝灰色の〟皇帝はエックハルト子爵の吹きならす笛にあわせて踊る安物の機械人形でしかなくなっていた。皇帝が死去したとき、生前の彼に敬意を表してか、みな無感動だった。

銀河帝国第五代皇帝となるべきカスパー皇子は、幼年時には水準以上の知性をしめしたものの、長じるにしたがってその色彩は薄れていった。おそらくは、エックハルトの専横にたいする反発のため、才気を隠すようになったのであろう。〝先帝は灰色の散文だったが、今上陛下は灰色の韻文だ〟などと一部の重臣にささやかれたのは、彼が父より祖父に似て、芸術や美を愛好したからである。ただ、綱わたりは祖父より拙劣《へた》だった。

母后や重臣たちの眉をひそめさせたのは、皇太子が異性にたいしてまるで関心をしめさなかったことである。皇太子は皇室専属の合唱隊のカストラートを寵愛《ちょうあい》した。カストラートとは去勢された少年歌手のことで、ボーイ・ソプラノを永く保存するために、古代から宮廷や宗教組織の合唱隊にみられる存在である。

カスパーは二六歳で至尊《しそん》の冠をいただいたが、そのとき一四歳のフロリアンという美貌の少年歌手を愛しており、母后がすすめる縁談に耳を貸そうともしなかった。

同性愛者を、世に害毒を流すものとして大量殺戮したルドルフ大帝の子孫に、同性愛者が誕生したわけである。

国政の実権は、ひきつづきエックハルトの手中にあったが、彼はいまや伯爵となり、勢威はならぶ者なく、追従《ついしょう》する者から冗談まじりに〝準皇帝陛下〟などと呼ばれるありさまだった。国庫を私物化し、若き日の精悍《せいかん》さを塵《ちり》ほどもとどめぬ肥満した身体をゆるがせて酒池肉林の庭をおもおもしく移動してまわった。国政をつかさどる者としての責任感も手腕も磨滅《まめつ》しきっていたが、権力病患者としての感覚はおとろえていなかった。彼は自分の娘を新帝の皇妃にすえようとしたが、その娘は、父親の青年時代にではなく、現在の姿に似ていた。

エックハルトは皇帝にせまってフロリアン少年と別れさせようとしたが、ほかの点では言いなりになる皇帝が、説得も脅迫もうけいれようとしなかった。娘を皇妃にしたて、生まれた子を次期皇帝の座につけようとするエックハルトは、ついに邪魔者のフロリアン少年の殺害をはかり、兵士をつれて皇宮にのりこんだ。そして〝野イバラの間〟へ歩みいった瞬間、リスナー男爵の指揮する一隊によって射殺されたのである。以前からエックハルトの専横を憎んでいたリスナーは、皇帝の意をうけて、〝奸臣誅殺《かんしんちゆうさつ》〟の挙にでたのだった。そこまではよかったが、混乱がおさまってみると、皇帝は玉座に退位宣言書を残し、いくらかの宝石をたずさえ、フロリアン少年をつれて行方不明になっていた。即位後、ちょうど一年であった。

空位一四〇日ののち、先々帝オトフリートの弟であるユリウス大公が帝冠をえた。重臣たちは、即位する本人より、その息子フランツ・オットーの実力と人望に期待したのである。

即位したときユリウス皇帝はすでに七六歳であったが、肉体的にはきわめて健康であった。

即位の五日後には、後宮に二〇人の美女をおさめさせ、一カ月後にはさらに二〇人を追加したほどである。

国政は中年の皇太子フランツ・オットー大公の指導するところとなり、エックハルト時代の弊害は多くあらためられ、綱紀は粛正され、平民たちにも多少の減税がおこなわれて、重臣たちは選択の正しさを喜びあった。ところが、早晩なくなるであろうと思われたユリウス一世は、八〇歳をすぎても、九〇歳に達しても健在で、玉座にいすわりつづけたのだ。

その結果、どういう事態が生じたかというと、皇帝ユリウス一世が九五歳に達したとき、〝人類の歴史上、最年長の皇太子〟フランツ・オットー大公殿下は七四歳で病没してしまい、大公の子息は早逝していたため、その孫カールが二四歳にして〝皇太曾孫〟となった。

カールとしては数年を待てば青年の年齢のうちに帝冠をいただけるはずであったが、彼にしてみれば、老齢の皇帝が理解を絶した存在にみえる。カールがようやく物心ついた当時、ユリウスはすでに老人だった。現在も老人である。そして未来にわたってもそうなのであろうか。あの〝永遠の老人〟は、あとにつづく世代の生命力をつぎつぎと吸いとって、玉座というかがやける柩のなかで、老いても朽ちることなく生きつづけるのではないだろうか。

カールは本来、さほど迷信深い青年ではなかったが、皇帝を見る彼の瞳には、迷信で薄く彩色された恐怖と嫌悪のレンズがはめこまれていた。したがって、老帝にたいするカールの害意は、野心というより、すくなくとも主観的には防御意識の肥料によって育成されたものであった。こうして銀河帝国史上、最初の皇帝弑逆が実行された。

旧帝国暦一四四年四月六日、九六歳の皇帝ユリウス一世は、五人の後宮の美姫とともに夕食をとっていた。五人の年齢を合計しても、皇帝ひとりの人生の歳月にとどかなかった。皇帝は成長期の少年もおそれいるような食欲で鹿肉の料理をたいらげたあと、ひえた白ワインを咽喉に流しこみ、急激に呼吸の困難をうったえ、料理を吐きだして七転八倒したあげく、白絹のテーブルクロスをつかんだまま絶息した。

老帝の急死は重臣たちをおどろかせたが、彼らのおどろきは疑惑ではなく安堵へとつながった。正直なところ、ほとんど例外なく、重臣たちはうんざりしていたのである。盛大で心のこもらぬ葬儀はカール大公によって指揮された。喪が明けしだい、若い新帝による清新な政治が開始されることを重臣たちは期待した。人民はなにも期待していなかった。彼らにはなんらの政治的権利もあたえられておらず、多くの労働とささやかな娯楽のうちに日を送るので精一杯だったのである。それでも、五月一日の戴冠式の日、彼らは多くの重臣たちと同様、仰天した。おごそかに帝冠をいただいたのはカール大公ではなく、故オットー大公の次男の子、カールの従兄にあたるジギスムント・フォン・ブローネ侯爵だったからである。

新帝ジギスムント二世即位の裏面は、むろん公表されずに終わった。三〇〇年以上を経過して、未公開資料がようやく研究者たちに事実を語ったのだ。老帝が頓死《とんし》したとき同席していた五人の宮女は、カール大公によって殉死をしいられた。彼女らは老帝に奉仕する身でありながら、危急に際して狼狽《ろうばい》するばかりで適切な看護をおこたった、その罪を殉死によってつぐなうべし、とされたのである。

五人は後宮の一室に監禁され、服毒を強制されたが、なかのひとりがその寸前に腕輪の内側に真相を口紅で書き記し、近衛旅団の士官である兄にそれをとどけさせていた。口紅で書かれた文字を読んだ兄は、カール大公がワイングラスに毒物――胃壁から吸収されて急激に赤血球の酸素摂取能力を減殺する化合物を塗って皇帝に献上したことを知った。彼の妹は、カールに買収されて共犯者となったのである。兄は妹の復讐をとげるために最善の選択をした。カールにつぐ帝位継承者ジギスムントのもとに証拠品をもちこんだのだ。ジギスムントはカールを追いおとす大義名分をえて驚喜し、宮廷内工作の結果、カールに帝位継承権を返上させることに成功したのだった。皇帝が皇太曾孫によって毒殺されたなどと公表はできず、かくして秘密裏に政変が進行したのである。

カールは宮廷の一室に監禁されたあと、帝都郊外の精神病院にうつされ、厚い壁のなかでいちおうの礼節をもって遇された。長寿をたもち、曾祖父をしのぐ九七歳まで生きた。彼が死去したとき、世はジギスムント二世、オトフリート二世らをへてオットー・ハインツ一世の時代であり、七〇年以上も昔に帝位につきそこねた老人の名を記憶する者は、宮廷内にもはや存在しなかった。カールの死去した帝国暦二一七年から、自由惑星同盟《フリー・プラネッツ》とのあいだに〝ダゴン星域会戦〟がおこなわれる帝国暦三三一年までのあいだに、ゴールデンバウム王家はさらに八人の皇帝と、それにともなう善悪美醜さまざまの物語を生む……。

学芸省から提出された非公式の途中報告書に目をとおしながら、ラインハルトはときに冷笑し、ときに考えこんだ。彼はヤン・ウェンリーほど歴史に関心をもたなかったが、未来に思いをはせる者は過去を知らずにすませることはできない。

とはいえ、すべての指標が過去に実在するわけでもなかった。誰かについていくということは彼にはできなかった。

誰もが彼についてくるのだから。

第五章　混乱、錯乱、惑乱

I

　宇宙暦《SE》七九九年、新帝国暦一年の後半期における状況の激変を、正確に予測しえた者がはたして存在したであろうか。この年五月の〝バーラトの和約〟の成立と、六月のラインハルト・フォン・ローエングラムの戴冠によって、二世紀半にわたる戦乱はいちおう終熄し、あらたな秩序が宇宙を支配するようになったはずであった。それを永久不変のものと考えるのは度のすぎた楽天というものであったが、〝新王朝は体制の整備に専念する。同盟は急速に復讐する実力をもたぬ。ここ数年は表面的なものにせよ平和がもたらされるのではないか〟という見解は、俗論をこえた常識であった。皇帝《カイザー》ラインハルトやヤン・ウェンリーでさえ、常識の大地から離れて自分ひとりの構想、ないし夢想の宇宙を浮遊することはできなかったのだ。

　状況を演出したひとりと目される帝国軍務尚書オーベルシュタイン元帥は、フェルナー准将の疑問にこたえて言った――自分は状況の急展開を読んで、それを利用しただけだ、と。

「ただし、私の言ったことを信じるか否かは、卿《けい》の自由だ」

宇宙暦《SE》七九九年後半に生じた混乱の特筆すべき点は、これがあきらかに人為的なものでありながら、関係者のすべてが、「自分は主導者ではない」と主張する点にあるかもしれない。最大限の積極性をもって行動した者たちでさえ、自分が舞台上の俳優であることは認めても、演出家や脚本家であることは否定した。

神や運命を無批判に信じる者は、「神のおぼしめしだ」とか「運命のいたずらだ」とか言って、思考停止の温室へ逃げこんでしまえばすむ。しかし、たとえばヤン・ウェンリーのように、「明日から突然、年金の額が一〇倍になったら、神さまを信《し》じてもいい」などと罰あたりなことを公言している不信心者は、なんとか人間の理性と思惟《しい》の範囲内に解答を見いだそうとして、いらぬ苦労をしいられるのだった。彼が神について発言したとき、新妻のフレデリカは思わず彼の顔を見なおし、彼女の夫が神とインフレーションとを同一視していることに、多少の不安を禁じえなかったものである。

「けっきょくのところ、死んだ脚本家と生きている俳優の共同制作劇だったんだ」

とヤンは結論づけたが、具体的に脚本家とは誰か、と問われれば、返答に窮したかもしれない。それでも、〝自分を脚本家と信じていた俳優〟の名は、明確にあげることができた。ヘルムート・レンネンカンプ。帝国の高等弁務官、上級大将がその人である。レンネンカンプをその職につけたのは皇帝《カイザー》ラインハルトだが、彼とても劇の全容を見わたして配役を決定したわけではなく、意外な結末に怒りと悔いを残すことになった。

レンネンカンプは三六歳で、ヤンより四歳の年長でしかないのだが、外見からいえば二〇歳ほども差があるようにみえた。ヤンは戦場の労苦がいっこうに外見に反映しないタイプで、風雪にたえた剛毅さとか、きたえぬかれた精悍さとか、従軍記者が喜びそうな形容とは終生、無縁だった。かつて彼のために一敗地にまみれたシュタインメッツ提督が、線の細い青年学徒としかみえないヤンの姿を見て、

「おれはあいつに負けたのか」

と憮然としてつぶやいたものである。もっとも、シュタインメッツは、人を外見ではかる愚かさを充分に承知していたから、自分のそのような考えこそが、敗因と共通の基盤のうえにあるかもしれない、と思った。

レンネンカンプはこだわりを捨てることができなかった。それは〝芸術家提督〟メックリンガーによって指摘されたことであるが、レンネンカンプだけが責任のすべてをおうと言えば、ワルター・フォン・シェーンコップあたりがつぶやくであろう。

「奴がそれほどの大物か」と。

ささやかで無責任な噂が、ことの発端であった。

「メルカッツ提督は生きている」

というのがそれである。下には〝そうだ〟という語がつくし、噂の発信源や根拠となると、酒乱の人間の記憶よりあいまいだった。ロイエンタールやミッターマイヤーが一笑にふしたのも、そのたぐいの流れであった。

「その噂が事実であったことは、ほどなく判明した。ところが、第二の事実は現在のところいまだ判明していない。つまり、誰がいかなる目的をもってその噂を流布したのか、ということである」

エルネスト・メックリンガーはそう記録した。群集心理の永遠なる一形態、〝英雄不死願望〟のあらわれであろう、と断じながら、〝運命的〟と表現したくなる誘惑を、彼は感じたようで、

「噂が事実をつくったのだ。あるいは、不特定多数の無意識の集合体が、時の流れに干渉したと言うべきであろうか」

メックリンガーは、自制心を発揮して、そのように文章化している。

いずれにせよ、この年の六月ごろから希薄な星間物質群のように人々のあいだにたゆたっていた噂が一時に深刻化したのは、七月一六日以降のことであった。この日、レサヴィク星域において破壊・解体の道をたどるはずであった同盟軍の艦船五〇〇〇隻以上が、何者かによって強奪されたのである。

計画実施の責任者であるマスカーニ少将としては、艦船が強奪されただけなら口をぬぐってすませたいところであったろうが、同時に四〇〇〇人を数える兵士が強奪犯とともに姿を消したとあっては、夢や幻想に責任を転嫁することはできなかった。

統合作戦本部の査問会で、彼は汗と弁解を全身から噴きだした。

「自分たちは、バーラトの和約の条件にしたがい、所有権を放棄した戦艦および宇宙母艦を爆破しようと作業中だったのです。ところが、にわかに五〇〇隻ほどの所属不明の艦艇があらわれ……」

この数字はむろん誇大なのだが、兵士たちのなかには「五〇〇〇隻はいた」などと主張する者もいたので、相対的にはもっとも客観的な証言だと査問会では認められたのであった。その〝客観的証言〟によれば、それらの艦艇は、作業の応援にきた、と通信を送ったうえで堂々と出現してきた。戦争は終わって敵軍にだまされる懸念ももはやなし、艦形も同盟軍のものにちがいなく、安心して迎えたところ、〝卑怯にもいきなり〟砲口をつきつけて、破壊さるべき戦艦群を強奪したのである。作業艦隊の旗艦を人質にとられ（つまりマスカーニ提督が人質になり）、ほかの艦は手も足もだせなかった。しかも〝強盗ども〟は、自分たちが帝国の専制に抵抗する義勇兵集団だと称し、自分たちと共通のこころざしをもち、後顧の憂なき者は参加せよ、と呼びかけ、四〇〇〇人もの〝お調子者〟が彼らと行動をともにすることになったのだ、ということなのであった。

いったい何者がその〝強盗集団〟を指揮しているのか、と、当然人々は興味をいだいた。〝メルカッツ提督ではないか〟ということになったのは、根拠なき多数論と言うべきものであったろう。

となれば、メルカッツがヤン・ウェンリーの幕僚格で〝バーミリオン星域会戦〟に参加している以上、その失踪はヤンの了解のもとになされたにちがいない……。

噂のこの部分だけは、事実としても理論形成のうえでも正しいものだった。むろんヤンはそれを聞いたときなんらの評価もくださなかった。

Ⅱ

ヤン・ウェンリーは、このような、彼にとって危険な噂が流布する事態を予想していなかったのであろうか。

彼に言わせれば、〝たとえ予想しえたとしても、そうせざるをえなかった〟ということになろう。メルカッツを犠牲の羊として帝国軍にひきわたすなど論外であったし、ひとたび彼を逃がしたあと、無関係を決めこむこともできなかった。証拠もなく噂だけで事態がうごくとは思わなかったところが、あるいは甘かったのかもしれない。いずれにしても、彼は全能でも万能でもなかった。

キャゼルヌ夫人が、ヤン夫人のフレデリカに言ったことがある。

「ヤンさんは若くてたいそう高い地位についたけど、それは戦争があったからでね、平和な時代だったら閑職にまわされたでしょう。まあそのほうがヤンさんとしては満足だったでしょうけどねえ」

フレデリカもそう思う。ヤンは自分を権力者集団の一員とみなしたことは一度もないはずであり、権力者集団のがわでもヤンを仲間だと思ったことはないだろう。ヤンは政治力や権力志向によらず、戦争の指揮運営にかんする芸術的な手腕と、それによる実績のつみかさねとで高い地位をえたのである。

権力集団とは、独善的な指導者意識と、特権の分配にたいする執念とを共有する排他的な選民グループであって、そのドアがひらかれているとしても、ヤンはそこからはいりこむことを好まなかったのだ。

そう、ヤンはつねに異端者だった。士官学校においても、軍隊においても、国家の権力機構においても、隅の席にすわって、中央にふんぞりかえる正統派の大義名分を聞きながしながら、自分の好きな本を読んでいるような青年だった。その異端者が、正統派のなにびとも追随しえないような巨大な功績をあげたとき、正統派は舌打ちしつつも彼を賞賛し、厚く遇せねばならなかった。

それがどれほど正統的権力者集団の怒りと憎悪をかきたてたことであろう。ヤンはそれを多少は承知していたが、配慮などするのはあほらしいので無視しつづけてきた。

正統派は、ヤンが絶対に彼らの仲間にならないことを、知性よりも本能によって悟っていた。軍人であるくせに戦争の意義を否定し、国家の尊厳を否定し、軍隊の存在理由が市民をまもることでなく国家に寄生する権力集団の特権をまもる点にあることを否定するような男が、彼らの仲間になれるはずがなかった。しかも、彼らは彼ら自身の安全を、異端者の才腕にゆだねるしかなかった。一度はヤンを超法規的存在の査問会にかけて政治的私刑《リンチ》をくわえようとしたが、イゼルローン回廊へ帝国軍が大挙侵入するにおよんで、狼狽の極、査問会場から直接ヤンを戦場へと発《た》たせざるをえなかった。彼らのもっとも忌みきらう男だけが、彼らをまもることができたのである。

彼らはヤンを同盟軍史上最年少の元帥に叙《じょ》し、量《はか》ればキロ単位の数字がでそうな数の勲章をあたえた。しかし、不遜な青二才は感謝も感激もしなかった。もみ手をし、頭をさげ、はいつくばって、彼らの仲間にいれてくれるよう懇願すべきであるのに、神聖なる勲章を木箱におしこんで地下室に放りこみ、彼らが特権の分配について話しあう重要なパーティーには欠席して、湖に釣にでかけていた。この世でもっとも貴重なものは、他人を支配し服従させ、他人の労働の成果である税金を公然と私物化し、自己の利益を確保するための法律をつくる権力であるのに、ヤンはそれを路傍の小石のように蹴とばして平然としていた。許すべからざる異端者だった。
いくらでもその機会があったにもかかわらず、ヤンが武力によって権力を強奪しようとしなかったのは、けっきょくのところ、ヤンにとって権力がなんら貴重なものではなかったからであった。それは権力を欲する者にたいする侮辱であり、彼らの価値観、彼らの生きかた、彼らの存在を冷笑することだった。

権力者たちはヤン・ウェンリーを憎悪した。憎悪せざるをえなかった。ヤンの生きかたを肯定することは、彼ら自身を否定することだったからである。

彼らはヤンを国民的英雄の座からひきずりおとし、底なし沼にたたきこむ機会をねらっていた。銀河帝国の脅威が存在するあいだは、それをなしえなかった。現在も銀河帝国は存在する。しかし存在の意味が変わった。かつては敵国であったが、現在は彼らの頭上にあって支配者と化しつつある。彼らの仲間、かがやける星であるヨブ・トリューニヒトは、帝国に身をうつして安楽に生活しているではないか。彼の煽動演説によって何百万人の兵士が戦死することになったかわからぬが、国民の生命という安い商品を浪費するのが、権力の楽しみというものであるから、そんなことはいっこうにかまわない。トリューニヒトごときの甘言にのせられて死地におもむく奴が低能なのだ。彼は同盟の独立と民主主義を帝国に売りわたして、身の安全をえた。自分たちも、幾度となく帝国軍に煮え湯を飲ませたヤン・ウェンリーを売りわたし、身の安全をえるべきだろう。どうせ、同盟ももう終わりだ。国家は不滅なり、などというたわごとは愚かな国民だけが信じていればいいことで、真実を知っている自分たちは、財産をかかえてべつの船に乗りうつる機会をのがすべきではない。

こうして、羞恥心にとぼしい幾人かの〝商人〟がヤン・ウェンリーという商品を帝国に売りわたすための行動を開始した。何通かの密告状が、帝国の高等弁務官ヘルムート・レンネンカンプ上級大将のもとにとどけられた。内容はいずれも似たようなものであった。

「ヤン・ウェンリーはメルカッツ提督を戦死したといつわって逃亡させた。後日、帝国にたいし叛乱をおこさせるためである。むろん、そのときはヤン自身も呼応して起兵するであろう」

「ヤンは同盟国内の反帝国強硬派・過激派を結集して帝国に叛旗をひるがえそうとしている」

「ヤンは帝国の敵であり、平和と秩序の破壊者である。彼は同盟を支配して独裁者となり、さらに帝国を侵略し、宇宙全体を軍靴の下に踏みつけようとしている……」

ヤン・ウェンリーを監視する責任者とされていたラッツェル大佐は、かつて高級ホテルであった弁務官府ビルで、レンネンカンプからこれらの密告状を提示された。読みすすむうち、ラッツェルの表情がおどろきから怒りへと変化するのを、弁務官はひややかに見まもった。

「これらの手紙が正しいとすれば、大佐、卿《けい》の監視ははなはだ網目が粗かったと言わざるをえんな」

「ですが、閣下」

体内の勇気を総動員して、ラッツェル大佐は、かつての敵将のために抗弁した。

「これらの密告はいずれも信頼に値しません。ヤン提督が独裁者たらんと欲するなら、現在のような困難な時機をえらばずとも、これまでに何度も好機がありました」

「……………」

「そもそも、この密告者どもは、いままでに幾度もヤン提督に危急を救われたはず。今日《こんにち》、政治的状況がいかに変わったからといって、掌をかえして恩人を売るとは、醜態もきわまります。もし彼ら自身の言うがごとく、ヤン提督が権力を独占して独裁者となったときは、たちどころに旗の色を変えてヤン提督の足もとにひれ伏すでしょう。そのような恥知らずどもの中傷を、閣下はお信じになりますか」

不愉快さを無表情の波間にときとして浮かびあがらせつつ、レンネンカンプは無言でうなずくと、大佐を退出させた。

だが、ついにラッツェルは上官の心理を理解することができなかったのだ。

レンネンカンプは、これらの密告状を信じたのではない。信じたかったのである。彼はラッツェルの諫言《かんげん》をしりぞけ、ヤン・ウェンリー退役元帥を反和平活動防止法の違反容疑で逮捕するよう、同盟政府に〝勧告〟した。七月二〇日のことで、同時に弁務官府に所属する装甲擲弾師団に武装待機の命令がくだされた。こうして混乱の第二段階がはじまる。

ヤンの首には見えざる輪がかけられた。同盟の権力者集団とレンネンカンプの心理のうごきは、ヤンの予測や用心のおよぶところではなかった。けっきょくのところ、ヤンが呼吸しているかぎり、彼らの忌避をかわずにいられなかったのである。それをさけるには、はいつくばって権力者たちの機嫌をとり、戦場でレンネンカンプに敗れるしかなかったのだ。前者はヤンの性格上、なしうることではなかったし、後者はいまさら過去へと時の河をさかのぼって訂正するわけにもいかぬことだった。

帝国高等弁務官の首席補佐官は、名をウド・デイター・フンメルといった。フンメルの精神には独創的なものはいたってとぼしかったが、法律にくわしく、行政上の課題を効率よく、しかも秩序整然と処理する能力に恵まれており、勤勉でもあったから、レンネンカンプにとっては満足すべき補佐役であると言えた。なまじ独創性だの芸術的感性だのがゆたかな人物など、軍事占領行政に必要どころか有害なだけである。

とはいえ、世の中には形式というものがあり、その形式のうえにおいては自由惑星同盟《フリー・プラネッツ》は歴然たる独立国であって、レンネンカンプは植民地の総督ではない。彼の権限は、〝バーラトの和約〟に明記された範囲のうちにかぎられており、それ以上のものではないのだった。その範囲内で最大限の権力をふるうためには、フンメルの補佐は不可欠だった。

もっとも、レンネンカンプに見えぬところで、フンメルはより重要な任務を後ろ手にはたしていた。それは軍務尚書オーベルシュタインに、レンネンカンプの言動や勤務ぶりを直接、報告することであった。

二〇日の夜にも、レンネンカンプはフンメルを執務室に呼んで語りあっている。

「ヤン元帥は帝国の臣民ではありませんから、処罰は同盟の国内法によりますな」

「わかっとる、反和平活動防止法だ」

「いや、それはむりです。彼がメルカッツ提督を逃亡せしめたのは、バーラトの和約、および反和平活動防止法の成立以前で、遡及《そきゅう》して法を適用することはできません。小官が申しあげているのは、同盟の国防軍基本法のことです」

フンメルは着任早々、同盟の数多い法律や政令を調査しつくし、合法的に帝国の公敵を傷つけ、排除する手段を講じていたのである。その知能犯罪者めいたやりくちの一端を、彼は上官に披露してみせた。

「ヤン元帥がメルカッツ提督を逃亡せしめるに際して、軍用艦艇を供与したのは、国家資産の処分にかんして職権を濫用したものとみなされます。一般刑法にてらしても、背任横領罪の適用が可能でしょう。こいつは、反和平活動防止法違反より、はるかに不名誉な罪名です」

「なるほど……」

笑いかけて、レンネンカンプは、みごとすぎるひげの下で口もとをひきしめた。彼が口実をもうけてヤン・ウェンリーを処断しようとするのは、あくまで彼を新王朝と新皇帝にとって最大の公敵とみなすからであって、敗北の私怨をはらすためではないのだ。〝誤解〟をうけるのは彼の本意ではなかった。

ヤン・ウェンリーの名声は、不敗であること、若いこと、そして身辺が清潔なことによる。背任横領などという不名誉な罪名を着せて第三の条件を踏みつけることがかなえば、ヤンの名声も地にもぐろうというものであった。

レンネンカンプが口もとをひきしめたところへ秘書官があらわれて一礼した。

「弁務官閣下、軍務尚書閣下より直接に超光速通信《FTL》がはいっております」

「軍務尚書？　ああ、オーベルシュタインか」

ややわざとらしくレンネンカンプは言い、いささかの喜びもない歩調で特別通信室へ足をむけた。

中継をかさねて一万光年余を転送されてきた画像は、輪郭がやや不鮮明であったが、レンネンカンプにとってはいささかも残念ではなかった。彼は、オーベルシュタインの血の気の薄い顔や、異様な光を放つ義眼などに、もともとぼしい美的感興をそそられたりしなかったのである。

軍務尚書は、儀礼的なあいさつで時をついやそうとせず、単刀直入に話しかけた。

「聞くところによると、卿《けい》はヤン・ウェンリーを処断せよと同盟政府に申しでたそうだが、それは戦場で彼に敗れた報復か？」

レンネンカンプは怒りと屈辱に青ざめた。最初の一撃が深く心臓にとどいたので、なにびとがそのような情報をとどけたのか、と反問する余裕を、彼は失ってしまった。

「そんな私事は関係ない。本職がヤン・ウェンリーなる者を処断するよう同盟政府に勧告したのは、ひとえに帝国と皇帝陛下のために将来の害を除こうとしてのことだ。本職がヤンに敗れた私怨をはらそうとしているなど、下衆《げす》の思いこみというものである」

「では私とおなじだ。むきになる必要はあるまい」

オーベルシュタインの声に冷笑のひびきはなく、いたって事務的なものであったが、レンネンカンプがうけた負《マイナス》方向の感銘はいっこうに薄くならなかった。画面のなかで軍務尚書の口がゆっくりと開閉している。

「ヤン・ウェンリーとメルカッツの両者を同時に処断する方法を卿《けい》に教えよう。卿の手腕で、帝国にとっての将来の禍根をのぞくことがかなったら、卿の功績は、ロイエンタール、ミッターマイヤーの両元帥をも凌駕するものとなろう」

レンネンカンプは不愉快になった。オーベルシュタインが彼の競争意識をあおってみせるのが不愉快であり、その効果を認めざるをえないのがさらに不愉快であった。

「ぜひご教示いただきたい」

短いが深刻な心理的内戦のすえに、レンネンカンプはひざを屈した。軍務尚書は勝ち誇ったようすもなく、

「べつに複雑な手段は要しない。そんな権限などないのを承知のうえで、ヤン提督の身柄をひきわたすよう同盟政府に要求するのだ。そしてヤン提督を帝国本土へつれさるよう公表する。

そうすれば、メルカッツの一党は、恩人たるヤン・ウェンリーを救うために、かならず隠れ家からでてくるだろう。そこを撃てばよい」

「……そう思いどおりにことがはこぶか」

「やってみることだ。もしメルカッツらがでてこなければ、ヤン提督の身は帝国本土に送りこまれるだけのこと。あとの生殺与奪《せいさつよだつ》はこちらの思うままだ」

「…………」

「同盟内の反帝国強硬派を激発させるためには、まずヤン・ウェンリーが無実で逮捕されることが必要なのだ。それでこそ反帝国派を怒らせ、暴走させることができる。多少の強引さも、ときにはよかろう」

レンネンカンプは陰気な表情になって考えこんだ。軍務尚書に「よかろう」と言われたところで狂喜乱舞する気にはなれない。

「軍務尚書にうかがうが、その一件について皇帝《カイザー》ラインハルト陛下はご存じか？」

オーベルシュタインの、血の気の薄い顔にひらめいた表情は、映像化されるには微妙にすぎた。

「さて、どうかな。気になるなら卿から直接、陛下にうかがってみればよい。ヤン・ウェンリーを抹殺したいと思うのですが、陛下のお考えはいかがでしょうか、と」

レンネンカンプはまたしても不快感の来訪をうけた。皇帝《カイザー》ラインハルトに、そのようなことを話しえるはずがなかった。レンネンカンプにとって理解に苦しむことであるが、若い皇帝はヤン・ウェンリーに好意的な印象をいだいているようであった。あるいはレンネンカンプのほうこそ皇帝の不興《ご》をこうむるかもしれない。

だが、この期におよんでレンネンカンプは、レースを放棄するわけにいかなかった。泳ぐのをやめれば水底に沈んでしまうのである。彼はまるで下町の道徳家のように、ものごとの明るい側面だけを見ることにした。いずれ同盟は完全に征服されねばならないし、どうせなら早く全宇宙にわたる統一と秩序を完成させたほうがよい。ヤンは危険人物であるからのぞくにしかず、レンネンカンプ自身も、巨大な功績をたてれば相応の地位をえてなんら不思議はない。帝国元帥、さらに帝国軍三長官の一席。なにもロイエンタールやミッターマイヤーが終身その地位をしめるとはかぎるまい……。

通信を切ったオーベルシュタインは、白濁した画面を無感動に見やってつぶやいた。

「犬には犬の餌、猫には猫の餌が必要なものだ」

かたわらにひかえていたフェルナー准将がせきばらいした。

「ですが、レンネンカンプ弁務官が成功するとはかぎりませんぞ。失敗すれば、同盟政府全体がヤン提督の味方となり、帝国にたいして団結して抵抗の姿勢をしめすかもしれませんが、それでもよろしいのでしょうか」

多少の危惧をおして言ったのだが、オーベルシュタインは怒らなかった。

「レンネンカンプが失敗したなら、それはそれでよい。他の者が彼にかわって任務を遂行するだけのことだ。道を切りひらく者とそれを舗装する者とが同一人であらねばならぬこともなかろう」

なるほど、皇帝の代理人に害がくわえられたとなれば、あきらかな和約への違反行為。ふたたび軍をうごかし、完全な征服をおこなう口実となる。フェルナーは、軍務尚書の発言を、そう翻訳した。ヤン提督のみならず、味方のレンネンカンプまでを犠牲の羊として、軍務尚書は同盟の完全征服をもくろむのか。

「ですが、軍務尚書閣下は、同盟を完全征服するのは時機尚早《しょうそう》であるとお考えではなかったのですか」

「現在でも、その考えは変わらぬ。だが、手をつかねて傍観していれば、目的のうえからは退歩するとあれば、次善として積極策をとらざるをえんではないか」

「たしかに……」

「レンネンカンプは生きていても元帥にはなれん男だ。だが殉職すれば元帥に特進できよう。なにも生きてあることだけが国家にむくいる途《みち》ではない」

フェルナーは、軍務尚書の発言を聞いて、いまさらおどろきはしなかった。おそらく、レンネンカンプにたいするオーベルシュタインの評価は完全に正しいのであろう。今回の件にかぎらず、オーベルシュタインの言うことは理屈として正しい例が圧倒的に多い、と、フェルナーは思う。ただ、人間は、方程式や公式を具象化する要素としてのみ存在するのではないから、反発や嫌悪をおぼえずにいられない。だいいち、いつ自分がレンネンカンプの境遇に立たされるやら、知れたものではないのだ。軍務尚書はその点に思いをいたすべきではないか、とフェルナーは思ったが、忠告する義理は彼にはなかった。

Ⅲ

レンネンカンプの〝勧告〟をうけた同盟最高評議会議長ジョアン・レベロは、窮地に立たされていた。彼としては、帝国がわの言いがかりもさることながら、その原因となったヤンにたいしても心安らかでいられない。

「ヤンはみずからが国民的英雄であることに思いあがり、注意をおこたり、国家の存立をないがしろにしているのではないか」

レベロは疑惑にかられた。ヤンが聞けば、うんざりして反駁する意欲も失ったにちがいない。だが、事象の外周だけをたどってみれば、レベロのような疑惑が生じるのは不自然ではなかった。社会一般の感覚からいえば、若くして栄光の座を捨て、その気になれば懐にねじこむこともかなった最高権力を蹴とばして年金生活に甘んじている男など、変質者の眷属《けんぞく》としかみえないであろう。社会の隅にかくれてなにやらたくらんでいる、という思いこみのほうが説得力を有していた。

ヤンは自分自身の虚像を過小評価していたのかもしれない。彼が昼寝をしていてさえ、英雄崇拝菌に侵された人々は、〝一代の智将が国家と人類のために一〇〇〇年の計をねっている〟などと好意過剰の誤解をするのである。またヤン自身が気分によっては、

「世の中には達眼《たつがん》の士がいるものだ。ちゃんとわかっている。そのとおり、私はなまけ心で寝ているのじゃなくて、人類の未来に思いをはせているのだ」

などと吹いたりするものだから、冗談のわからぬ人々は感動してヤンの虚像をいっそうみがきあげることになる。ユリアン・ミンツなどは、そんなヤンの言葉を聞くと、

「では提督の未来をぼくが予知してさしあげます。今夜の七時には、豚肉のスープ煮《ミール・イン・イッツセルフ》でワインを飲んでらっしゃるでしょう」

などとうけながしたものだが。

レベロが迫られた選択は、ヤンひとりをまもることによって帝国の怒りをかい、同盟の存立を危機におとしいれるか、逆にヤンひとりを犠牲にして同盟全体を救うか、というものであった。すくなくともレベロはそううけとめた。もっと厚顔な男であれば、皇帝なり帝国政府なりにレンネンカンプの横暴をうったえ、時間だけでも稼ごうとしたであろう。レベロは、弁務官の意思がそのまま皇帝の意思であると思いこんでしまったのだ。彼は苦悩のすえ、ついに結論

をだしたが、誰かと苦悩を共有したく、野にくだった友人ホワン・ルイを招いて決心をつげた。

「ヤン提督を逮捕する？　本気かね」

正気か、と、ホワン・ルイは問いたかったかもしれない。

「わかってくれ。いや、わかっているはずだ。吾々《われわれ》は帝国軍に口実をあたえてはならない。たとえ国民的英雄であっても、国家の安全に害をあたえるとあれば処断はやむをえぬ」

「しかし、それは筋がちがうだろう。ヤン元帥がメルカッツ提督を逃亡させた、それが事実としても、その時点ではいまだバーラトの和約も反和平活動防止法も成立していない。法の遡及適用は同盟憲章のかたくいましめるところだぞ」

「いや、メルカッツに戦艦を強奪するようヤンがすすめたとすれば、それは当然、和約成立後のことになる。けっして法を遡及適用するわけではない」

「しかし、だいいち、証拠があるまい。ヤン自身でなくとも、ヤン元帥の部下たちが納得するとは思えん。実力をもってヤン元帥の身を奪還する挙にでるかもしれんぞ。いや、きっとそうなる。二年前のように同盟軍どうしが相撃つことになったらどうする？」

「そのときは彼らも処罰せねばならぬ。彼らはヤン元帥個人の部下ではない。彼らはヤン個人をまもるのではなく、国家の命運をこそまもらねばならぬ立場だ」

「彼らが納得するかな」

ホワン・ルイはくりかえすことによって、彼自身が納得していないことを表明してみせた。

「それに、レベロ、私としては帝国軍が本心でなにをたくらんでいるか不安だね。ヤン提督の部下が激発し、内乱状態が生じるのを、奴らは待っているかもしれない。介入に、絶好の口実をあたえるからな。いずれにしても奴らの言いなりになることはなかろう」

レベロはうなずいたが、ほかに国家の危機を救う良策があるとは思えなかった。

運命とやらいう微妙な存在を擬人化すれば、その手足だけが無秩序にうごきまわって、中枢神経が事態の収拾をつけるのに困惑しきっているようにレベロには思える。いずれにしても、事態は急速にエスカレートしつつあった。

翌二一日、この二〇年間、同盟政府の重要ブレーンとしての座を確保してきた官僚養成校〝国立中央自治大学〟の学長エンリケ・マルチノ・ボルジェス・デ・アランテス・エ・オリベイラが、議長のもとを訪れ、三時間にわたって密談した。彼らがつれだって議長の執務室をでたとき、幾人かの警備兵がその表情を目撃した。レベロは敗者の表情でかたく口をむすび、オリベイラは薄い不実な笑いを顔の下半分にたたえていた。室内では、レベロの最初の決断よりさらに過激な提案がなされたのだった。

さらに翌二二日、ヤン・ウェンリー家の朝は平和に明けた。フレデリカの奮闘と努力は正しくむくわれて、チーズ・オムレツは夫妻ともに満足すべき味だったし、紅茶のいれかたにもかなりの進歩が認められたのである。夏とはいえハイネセンポリスは季節風地帯のように非人道的な多湿の暑熱にあえぐことはない。木々のあいだをわたる風は、葉緑素と日光の香気をブレンドして皮膚を洗う。ヤンはテラスにテーブルと椅子をはこびだし、夏が作曲した光と風のワルツに全身をひたして、彼の知的活動の一部を文章化しようとこころみた。名文が書けそうな予感、あるいは錯覚にとらわれたのだ。

「戦争の九〇パーセントまでは、後世の人々があきれるような愚かな理由でおこった。残る一〇パーセントは、当時の人々でさえあきれるような、より愚かな理由でおこった……」

そこまで書いたとき、玄関の方角で粗野な音響がひびき、心地よい夏のワルツは、音符を吹きとばされて消えさってしまった。眉をしかめてヤンは玄関のほうを見たが、黒い瞳に映ったのは、フレデリカの緊張した姿と、彼女につづく半ダースほどのダークスーツの男たちだった。皮膚の上に法秩序の鎧《よろい》を着こんだ彼らは、心のこもらぬあいさつをした。代表者らしい男がするどい眼光をヤンにむけて宣告した。

「ヤン元帥閣下、中央検察庁の名において、あなたを反和平活動防止法違反の容疑で拘留させていただきます。この場よりご同行ねがいますが、その前に弁護士に連絡なさいますか」

「あいにくと、弁護士に知己がないのでね」

ヤンは憮然たる口調で言い、あらためて身分証の提示をもとめた。夫にかわってフレデリカがそれを注意深く調べ、ほんものであることを確認し、さらにその場で中央検察庁にTV電話《ヴィジホン》をいれて、使者たちの口上にいつわりがないことをたしかめた。その結果、フレデリカの不安は質量ともに拡大した。国家や政府がつねに正しいとはかぎらないことを、彼女は多くの経験から知っていたのである。ヤンのほうは同行を拒否することの無益さを知っていたので、妻をなだめた。

「心配しなくてもいいよ。なんの罪やら見当もつかないが、まさか裁判なしで死刑にもしないだろう。ここは民主主義国家だ。すくなくとも政治家たちはそう言っている」

むろん半分は、招かれざる使者たちにむけて言ったのである。ヤンはフレデリカに接吻したが、結婚以来、その技術にかんしていっこうに進歩のみられない彼だった。こうして同盟軍史上最年少の元帥は、白っぽいサファリスーツにTシャツという姿で、美しい新妻との別離を余儀なくされたのだった。

夫を見送ったフレデリカは身をひるがえして家のなかへ駆けこむと、エプロンを居間のソファーへ放り投げ、ホームコンピューターをのせた机の抽斗《ひきだし》をあけてブラスターをとりだした。半ダースほどのエネルギー・カプセルを掌いっぱいにつかみ、寝室へと階段を駆けあがる。

一〇分後、階段をおりるとき、彼女は現役当時の軍服に均整のとれた肢体をつつんでいた。本来、同盟軍の制服は、実戦参加の場合、男女の別はない。ベレーとジャンパーとハーフブーツは黒く、スカーフとスラックスはアイボリーホワイトである。女性は後方勤務の場合、スカートをはくこともあるが、フレデリカの精神も肉体も服装も、いま完全武装の状態にあった。

彼女は階段をおりたところにある等身大の鏡の前で、金褐色の頭髪にのったベレーの角度をあらためた。腰にさげたホルスターの位置を確認する。士官学校を卒業するとき、夫とちがって彼女は全科目にわたる優等生であり、射撃も例外ではなかった。ヤンの副官として、司令部のデスクワークに専念しているときでも、彼女はブラスターを手放したりスカートをはいたりはしなかった。どれほど可能性が低くとも、敵兵が司令部に乱入してくれば、武器を手に応戦するつもりだったのだ。

完全に準備をととのえると、フレデリカは鏡のむこうにたたずむ何者かに声をかけた。

「そういつも、いつまでも、おとなしく言いなりになっていると思ったら、大まちがいよ。一方的になぐりつづけていても、いつか手が痛くなるわ。見ていてごらんなさい」

それはフレデリカの宣戦布告だった。

Ⅳ

手錠こそかけられなかったが、ヤン・ウェンリーが連行されたのは、中央検察庁を構成するいくつかの低層ビルのひとつで、〝忘却の場《ウーブリエット》〟と呼ばれる一角だった。社会的地位の高い犯罪容疑者を、長期間にわたって拘留し尋問するための場所で、拘留室は、宇宙戦艦の高級士官用個室にそれほど遜色《そんしょく》ない広さと設備を有している。二年前の査問会のとき放りこまれた部屋よりはるかにましだな、と思ったが、その比較でさして心なぐさめられるわけでもなかった。

検察官は、端整な容貌をした初老の男だったが、紳士と称するには目もとに険《けん》がありすぎた。彼にとって人間にはふたつの種類しかないのだ。罪をおかした者と、罪をおかそうとする者と。検察官はヤンに形式どおりのあいさつをしたあと、料理人が材料を見る目で若い黒髪の元帥を見まわした。

「じつは、提督、このごろ私どもは奇妙な噂を耳にしておりまして」

「そうですか」

ヤンの反応は、検察官にとって心外なものであったようだ。むろん彼は、どんな噂かと問われることを期待していたのである。

「どんな噂かご存じですか」

「いいえ」

検察官は細めた両眼から悪意の針を投げつけたが、ヤンは平然とそれを無視した。彼はかつてもっと高い地位を有する連中から包囲され一方的に検断されたときでさえ、おそれいったりしなかったのだ。検察官としては、ヤンの名声や地位をはばかって、ようやく怒声をおさえたのであろう。

「バーミリオン星域会戦で戦死したはずのメルカッツ提督が、じつは生きているという噂です」

「初耳ですね」

「ほう、初耳!? どうやら世界はヤン閣下にとって、つねに新鮮なおどろきでみちているようですな」

「おかげさまで、毎日を楽しくすごしていますよ」

検察官の頬肉が小さく波だった。からかわれることに彼は慣れていなかった。彼が相手にしてきたのは、彼よりはるかに弱い立場の者たちだった。

「では、このことも初耳でいらっしゃるでしょうな。そのメルカッツ提督が戦死したといつわって逃亡させたのは、ヤン提督、あなたである、との風聞があることを」

「ほう、もしかして私はなんらの証拠もなく、風聞によって逮捕されたのですか」

ヤンは糾弾するように声を高めたが、半分は本気である。逮捕状を提示されたから甘んじて連行されてきたのに、逮捕状じたいが物証にもとづかない不法なものであるとすれば、それを政府に決意させた何者かが不気味であった。そして、その不気味さを強調するように検察官は無言だった。


ヤンの逮捕と前後して、ひとつの通達が発せられた。

「ヤン退役元帥の逮捕により、彼の旧部下たちが法秩序をおかして実力行使にうったえ、元帥の救出をはかる可能性がある。現役と退役とをとわず、ヤン艦隊の旧幹部を監視し、危機の発生を未然に防止せよ」

その通達は両刃《もろは》の剣であった。退役して民間人となったワルター・フォン・シェーンコップ中将やダスティ・アッテンボロー中将は、本来えられぬはずの情報を、監視者たちの出現によってあるていど洞察しえたといってもよい。もっともシェーンコップの場合、その触角は、政府が思っているよりはるかに長く、鋭敏だった。そして、彼のほうこそヤンにもまして用意周到な陰謀家としての地下活動をおこなってきていたのだ。

その日、夜八時、アッテンボローはシェーンコップに呼びだされて、レストラン『三月兎《マーチ・ラビ》亭《ット》』におもむいた。途中、幾度も背後をふりむいたのは、尾行してくる監視員へのいやがらせである。店につくと、みごとなひげをたくわえたウェイターが、隅の一席へ案内してくれた。すでに酒と料理の用意がととのえられており、一見紳士ふうのシェーンコップが笑いを投げかけてきた。

「アッテンボロー中将、貴官もずいぶんと随員が多いようだな」

「退役してからのほうが重要人物《VIP》あつかいでね、名誉なことだ」

彼らのテーブルから一〇メートルほど離れた壁ぎわに、双方の監視員が合流して群をつくっているのが見えた。

退役した軍幹部全員を監視するような余裕は同盟政府にはないし、帝国軍にとっても同様であるにちがいない。偏見と警戒のレンズは、ヤン艦隊の幕僚たちに焦点をあわせているとみるべきであろう、と、アッテンボローは思う。

「ヤン提督が逮捕されたとはほんとうか、シェーンコップ中将？」

「グリーンヒル少佐、いや、ヤン夫人からの連絡だ。まちがいはない」

「だが、名分がたつまい、いったいどんな口実で……」

言いさして、アッテンボローは舌打ちした。そんなものは権力者の意向によってどうにでもなる。彼らは〝正義〟という言葉の解釈権を独占していると信じており、気にいらねばいくらでも辞書を改訂するだろう。

「それにしても、現時点でヤン提督を処断しては、漫然としてくすぶっていた反帝国気運がシンボルをえて激発することになりかねないぞ。まあ奴らとしては承知のうえだろうが……」

「おれが思うに、帝国軍はそれをこそ待っているのではないかな」

シェーンコップの答えに、アッテンボローが息を吸いこむとき、未発に終わった口笛のような音がたった。

「つまり、それを理由に反帝国派を一網打尽にするのがねらいか」

「ヤン提督は囮《おとり》というわけだ」

「あざといことを」

音高く、アッテンボローは舌打ちした。帝国が同盟を完全支配するまで満足するはずはない、とは思っていても、そこまで陰湿な手段で彼らの司令官をおとしいれられると思うと、皮膚に蟻走感《ぎそう》がはしる。

「同盟政府はみすみすその策《て》にのったのだろうか」

「さて……狡猾な罠ではあるが、それをまったく見ぬけぬほど同盟政府に人材がいないとも思えん。この罠の悪辣さは、罠と知りつつしたがうよりほかに対応のしようがないという点にあるとみるべきだろう」

シェーンコップの言わんとするところを、アッテンボローは了解した。

「なるほど、同盟政府がヤン提督の処断を拒否すれば、それはただちにバーラトの和約に背反《はいはん》することになる、か……」

そしてそれは、帝国が同盟にたいしてふたたび戦端を開く、絶好の口実となるだろう。同盟政府としては絶対にそれを回避せねばならぬ。彼らの論理からすれば、〝一億人の不当な死よりは一〇〇人の不当な死のほうがましだ〟ということになるはずだ。アッテンボローは急に両の眉をよせて小さく叫んだ。

「そうか、わかった。同盟政府になしうる唯一の選択は、帝国軍に介入や干渉の隙をあたえず、ヤン提督を処分してしまうことだ、自分たちの手で……」

よくできた、と、シェーンコップは五歳年少の同僚を賞賛した。彼は、フレデリカ・G《グリーンヒル》・ヤンからの連絡をえて――どうせ盗聴されているだろうが――から、同盟政府が急造したであろう事態処理のシナリオを読解しようとこころみてきた。彼の脳裏で完成されたクロスワードはつぎのようなものだった。

「ここに、反帝国過激派という集団が存在する。帝国の完全征服からまぬがれようと努力する同盟政府の苦悩も知らず、民主政治の原理ばかりを大声で主張するはねあがりどもだ。その連中が、国民的英雄であるヤン提督をかつぎあげて、現在の同盟政府を転覆させ、帝国に身のほど知らずの挑戦をおこなおうとしている」

低い声でシェーンコップは説明した。

「ところが、民主主義の使徒であるヤン提督は、暴力による政府転覆を拒否した。逆上した過激派はヤン提督を背信者よばわりして、とうとう殺害してしまう。かけつけた政府軍は、ヤン提督の救出には成功しなかったものの、過激派は撃滅した。ヤン提督は祖国の民主主義をまもる貴重な人柱となった……どうだ、なかなか苦労をしのばせるシナリオじゃないか」

アッテンボローに説明し終えて、シェーンコップは辛辣に笑った。アッテンボローは額を指先でかるくなでた。冷たい汗の玉が指先に移動している。

「しかし、そこまでやってのける度胸が、同盟政府にあるだろうか」

シェーンコップは、眼前にいない何者かにむけて、侮蔑の視線を放った。

「専制政治だの民主政治だの、着ている服はちがっても、権力者の本質は変わらない。戦争をはじめた責任には口をぬぐって、戦争を終わらせた功績ばかりふりかざす輩《やから》だ。自分たち以外の人間を犠牲にしておいて、そら涙を流してみせるのが、奴らのもっとも得意な演技なんだからな」

アッテンボローはうなずき、ウイスキーのグラスを口もとにはこんだが、その手を宙にとどめ、さらに声を低めた。

「……で、過激派の軍事指導者たる名誉をになう吾々は、どう行動すべきだろう」

年少の僚友の明敏さが、シェーンコップの気にいったようである。

「ほう、貴官もそう思うか。吾々が奴らのシナリオのなかでその役をになうと」

「そのていどは読める。ヤン提督をすら消耗品のように利用する奴らだ。部下であるおれたちも、せいぜい有効に利用したいだろうさ」

うなずいてシェーンコップは笑い、離れた場所から彼らを熱心に観察している私服の一団を冷笑の視線でひとなでした。

「あの連中は、吾々が政府にたいする造反の相談をしているのではないか、と、うたがっている。というより、期待している。だとしたら、期待に応えてやるのが俳優の義務だろうよ」

アッテンボローはシェーンコップの地上車《ランド・カー》に同乗して、夜のハイウェイを、郊外にある彼の家の方角へむかった。ふたりともアルコールがはいっているので、当然ながら自動運転にしてある。車内で、心にかかることはないか、と問われてアッテンボローは即答した。

「おれは独身だし、後顧の憂いはない。身軽なものさ。貴官もそうだろう?」

「おれには娘がいるがね」

さりげない声から、アッテンボローがうけたおどろきは、この夜、最大のものであったかもしれない。

「貴官に娘がいたのか⁉」

「一五歳になる……らしい」

しかし貴官は結婚していないではないか、と言おうとして、アッテンボローはばかばかしさに気づき、動転した自分にいまいましさをおぼえた。シェーンコップはオリビエ・ポプランのように「惑星ごとに情婦《おんな》あり」などとほざいたりはしないが、女性関係の多彩さは画家の絵具箱を空にしてしまうほどなのだ。

「名はわかっているのか」

「母親の姓を名のっている。カーテローゼ・フォン・クロイツェル。通称カリンというそうだ」

「名前からして、母親は貴官とおなじ、帝国からの亡命者だな」

「たぶんな」

記憶にないのか、と、ややとがめる口調でアッテンボローがたずねると、シェーンコップは、いちいち憶えていられるか、と無情なことを言った。

「その当時、つまり一九、二〇歳のころの乱行ぶりを思いだすと……」

「冷汗がでる?」

「いやいや、その当時に帰りたくなる。あのころは女という存在がじつに新鮮に見えた」

「……娘がいることは、どうしてわかった?」

抗戦不可能と悟って、アッテンボローは話題を転じた。

「バーミリオン星域会戦の直前だが、手紙で母親が死んだと告げてきた。先方の住所は記してなかった。無責任な父親だが、そのくらいは知らせておこうと思ったらしい」

「会わないのか」

「会ってどうする? お前の母さんは美人だった、とでも言うのか」

はじめてシェーンコップは苦笑した。その苦笑を、横なぎの光の一閃が照らしだした。

「警察です、その地上車《ランド・カー》、とまりなさい」

光が去ったあとに、声がおとずれた。ふたりは計器に視線をはしらせ、なんらの違反もおかしていないことを確認し、後方モニターの暗い画面に複数のライトを見いだした。不快げに口笛の音をたててから、アッテンボローが年長者の意見を尋いた。

「停まれとのおおせだが、どうする?」

「おれは命令するのは好きだが、命令されるのはきらいでね」

「いい性格をしておいでだ」

ふたりの地上車《ランド・カー》に停止命令を無視された警察車は、いたけだかなサイレンの咆哮をあげて肉迫してきた。その背後からは、警察に所属しない数台の車がせまる。武装した兵士の姿が有機強化ガラスの窓に浮かびあがっていた。

V

面会人の来訪が告げられたのは、味気ない夕食をほとんど手つかずでさげさせた直後である。フレデリカだろうか、と一瞬は思ったが、ヤンはその期待をすぐ放棄した。フレデリカがたとえ面会を申しこんでも、当局が拒否することは自明であるように思えた。おそらくあの男だろう、と、ヤンは予測し、その予測が的中しても、さして喜びをおぼえなかった。

同盟評議会議長ジョアン・レベロは沈痛な表情の仮面をかぶって、とらわれの若い黒髪の元帥の前にあらわれた。ドアが開いたとき、彼の背後にはダース単位の警護兵がしたがっていた。

「こんな場所できみに会うとは、まことに残念だ、ヤン元帥」

表情にふさわしい声は、だが、ヤンにとって感動の対象にはなりえなかった。

「恐縮ですが、私がお招きしたわけではありません」

「たしかにそうだ。すわっていいかね？」

「どうぞ……」

ヤンよりはるかに姿勢正しく、むかいあったソファーに腰をおろすと、レベロはヤンの無言の質問に答えた。

「きみが反和平活動防止法に違反し、さらには国家の存立に危険をおよぼそうとしている、と帝国の高等弁務官府では主張している」

「本気でそうお考えですか、議長も?」

「わからない。私はきみに否定してもらいたいと思っている」

「否定すれば信じてくださいますか」

言いながら、対話の不毛さをヤンは予感していた。レベロはいちだんと表情を沈めた。

「私個人はずっときみを信じてきた。だが、感情だけで、あるいは個人レベルの道徳で、事態を処理するわけにいかないのだ。国家の存立と安全とは、私ときみとの一対一の関係で左右されるものではない……」

ヤンはため息をもらした。

「まってください、議長、あなたは以前から良心的な政治家といわれておいでですし、実際にいくつかの行動でそれを証明していらっしゃる。そのあなたにして、国家のために個人の人権が犠牲になるのは当然だ、と、そうお考えですか」

レベロの表情は、このとき呼吸器障害の患者を思わせた。

「当然とは思わない。だが、こうは思わないかね。人間の行為のなかで、もっとも崇高なものは自己犠牲だ。きみはこれまでじつによく国家のために献身してきた。その生きかたを最後まで貫徹することが、後世、きみにたいする評価をいやがうえにも高めるだろう」

ちょっと待ってくれよ、と、ヤンは言いたくなる。レベロには苦悩もあれば立場もあるにちがいないが、ヤンにしても多少は自己主張の権利を有するはずであった。心がけからみて公務員の鑑《かがみ》でないことは事実だが、つねに給料以上の功績をあげたことはうたがいえない。おまけに税金もきちんと納めている。戦死した部下の遺族から「人殺し」とののしられて、石をぶつけられるのは甘受せざるをえないが、なんだってヤンに命令する立場の人間からお説教されねばならないのか。下品な言いかたをするなら、「あんたらのために戦ってやったんだ」と極言してもよいのである。

ヤンは極言はしなかった。小さくため息をついて、ソファーにすわりなおす。

「で、けっきょく、私はどうすればいいのですか」

むろん教えをこうなどという殊勝な意思はない。明確に本音を聞いておきたいのである。レベロの発言は過度に抽象的で、それがヤンの脳裏の警戒信号を刺激することははなはだしいものがあった。

「きみは若くして名声と地位をえた。強大な敵と戦って一度も敗北せず、たびたび国家の危機を救い、民主主義の死滅を回避しつづけてきた。当代と後世の人々は、きみにおしみなく敬意をはらうだろう」

ヤンは相手の顔を凝視した。形式過剰な言いかたに、聞きながしえないものを触感したのである。レベロは〝墓碑銘を読んでいる〟のではないか。レベロは現在のヤンにむかって語りかけているのではない。それこそ〝当代と後世〟にたいして自己弁護しているのだ。

ヤンの思考回路は急速に稼動した。じつのところ、彼の知的活動の果樹園には多くの果実がみのっていて、そのなかには、シェーンコップと同様の結論もみのっていたのだ。彼はそんなことを信じたくなかったのだが、事態はどうやら好みで左右される段階をこえてしまっているようであった。自分は甘かったらしい、と、ヤンは認めざるをえない。不安定ながらこの状況が五、六年はつづくのではないか、と漠然と考えていたのだが、事態はローラースケートをはいて彼のほうへ全速力で突進してきている。羞恥心のブレーキはまるで作動していなかった。

「法にしたがうのは市民として当然のことだ。だが、国家がみずからさだめた法に背いて個人の権利を侵そうとしたとき、それに盲従《もうじゅう》するのは市民としてはむしろ罪悪だ。なぜなら民主国家の市民には、国家のおかす罪や誤謬《ごびゅう》にたいして異議を申したて、批判し、抵抗する権利と義務があるからだよ」

そうユリアンにヤンは語ったことがあった。彼は闘争のすべてを否定はしなかった。不当な待遇や権力者の不正をうけいれ、それに抵抗しない者は、奴隷であって市民ではなかった。自分自身の正当な権利が侵害されたときにすら闘いえない者が、他人の権利のために闘いうるはずがない。

もし同盟政府が、〝同盟軍の所有物たる艦艇や兵器をほしいままに処分した〟という理由でヤンを裁判にかけるとしたら、彼は甘んじてそれにしたがったであろう。彼にも主張はある。法が存在し、それに抵触したのであれば、法廷に立たされるのはしかたがない。しかたがない、で諦観しえないのが、ヤンの現在の境遇だった。

彼はどうやら謀殺されようとしていた。それは冤罪同様に忌《い》むべきことであった。政府の有する権力は、正当な手つづきにのっとって法をつくり、法にしたがって罪人を処断することである。謀殺とは、そういう正当な権力行使の枠内にはいる行為ではなかった。行為それじたいが、動機の醜悪さを証明するのである。

それにしても情ないのは、彼をもっとも不当に遇しようとする相手が、彼がいささかの貢献をなした彼の国の政府であるという事実だった。そこまで追いつめられたかと思えば同情の余地もあるかもしれない、と思いかけて、ヤンはあわてて首をふった。とんでもない話で、殺すがわより殺されるがわが、より同情に値するのは理の当然である。

一〇〇歩、いや一万歩をゆずって、政府に彼を謀殺する権利があるとしても、ヤンにだまって殺される義務はない。ヤンには自己陶酔の気分が薄かったから、レベロの〝墓碑銘〟に同調して、自己犠牲の死をとげるのが自分にとってもっとも意味のある行為だ、などとマゾヒスティックに納得するようなことはなかった。彼は招かれざる悲劇役者の姿を透過して、その背後に、フレデリカのヘイゼルの瞳を見ていた。ヤンがこのように不当なかたちで無益な死をとげること、それ以前に不当に拉致《らち》されることを、彼女が手をこまねいて見物しているはずはなかった。彼女は、甲斐性のない亭主を救うため、勇気と思考力のかぎりをつくしてくれるだろう。彼女が来るまで時間を稼がねばならなかった。レベロが立ちあがって別れを告げるのにもなかば気づかず、ヤンは思案をめぐらせていた。

レベロ政権の発足後、統合作戦本部長の座についたロックウェル大将は、夜半になっても帰宅せず、オフィスである報告を待っていた。統合作戦本部ビルは、先日、帝国軍ミッターマイヤー艦隊のミサイル攻撃をうけて地上部分は消滅しており、地下の数室でささやかに業務がおこなわれている状態だった。

午後一一時四〇分、特命隊指揮官ジャワフ大佐から通信がはいった。シェーンコップ、アッテンボロー両中将を拘禁するのに失敗した、というのである。大将は失望の色もあらわにジャワフ大佐をなじった。

「シェーンコップ中将は白兵戦技の達人だ。アッテンボロー中将もその心得は充分にあるだろう。だが、たったふたりではないか。貴官には二個中隊をあたえてあったはずだぞ」

「ふたりではなかったのです」

荒々しいくせに陰気な口調で、ジャワフ大佐は訂正した。

「薔薇の騎士《ローゼンリッター》連隊の兵士どもが突然あらわれて吾々に襲いかかり、彼らを逃がしたのです。第八ハイウェイは炎上した車やら死体で、ごらんのとおり……」

大佐が半身の姿勢をとると、濃藍色のキャンバスにうごめくオレンジ色の絵具のなかに、右往左往する人影が見えた。ロックウェルの胸郭《きょうかく》のなかで、心臓が三段とびを演じた。

「薔薇の騎士《ローゼンリッター》連隊全員が、彼らに加担したというのか⁉」

ジャワフ大佐は、頰骨のあたりを薄紫色にいろどるあざを掌でなでた。これこのとおり、努力はしたのだ、と言いたいのであろう。

「バーミリオン星域会戦のあと、人員の補充はなされておりませんが、それでもなお一〇〇〇名以上の兵士が同連隊に所属しております。しかも尋常《なみ》の一〇〇〇名ではありませんぞ」

ロックウェル大将は戦慄を禁じえなかった。講釈をうける必要もなかった。〝薔薇の騎士〟連隊の戦闘力が通常の一個師団のそれに匹敵する、とは、誇張があるにしても虚構ではないのだ。

「閣下、火をつけるのはけっこうです。ですが、消火の準備は万全なのでしょうな」

いやみ半分にそうただしたジャワフ大佐は、上司の返答を聞いて、延焼はのがれられぬもの、と悟らざるをえなかった。ロックウェル大将は、苦虫を一ダースほどまとめてかみつぶしながらうめいたのである。

「私は知らん。政府に尋け」

第六章　聖　地

Ⅰ

　標高四〇〇〇メートルの高原は、過剰な陽光と、豊潤《ほうじゅん》さを欠く乾ききった希薄な大気にみたされていた。ユリアン・ミンツは、風や水よりもまず時間に侵蝕《しんしょく》された大地の上にすわって、ゆるやかに寄せてはかえす波の律動を見つめていた。視線を水平にしても、対岸は彼の視力のおよぶ外にある。やさしさを欠く風が亜麻色の髪を無秩序になぶっていた。

　ナム・ツォというこの湖は広漠たる大陸の南よりにあって、もっともちかい南方の海岸から一〇〇〇キロも離れた内陸にありながら、二〇〇〇平方キロにちかい面積をもつ。交易商人や巡礼の人々は、この湖上に宇宙船を着水させ、高度馴化《じゅんか》の時間をすごしてから、地上車《ランド・カー》や徒歩で聖地へ——地球教の本拠のあるカンチェンジュンガという八〇〇〇メートル級の高山にむかうのである。黒衣の人々が点となって大地の上をささやかにうごめく。その姿を三日ほどユリアンはながめてきた。

青紫色の空、磁力をもつように視線を吸いあげる空を見ていると、ユリアンは、ポリスーン星域の補給基地ダヤン・ハーンでポプランに紹介された少女の瞳を思いだしてしまう。ただ、あの瞳の奥には圧力の高い生命の気がみちていて、相手の視線をはじきかえすような感触があった。たしか名前はカーテローゼ、通称カリン。姓はなんと言ったかな、とにかくどこか人生の途上ですれちがった顔なのだ。充分に美しい、それ以上に印象にのこる少女だったから、記憶が風化するとも思えないのだが……。

傍に誰かが腰をおろした。視線の角度を変えたさきにオリビエ・ポプランの笑顔があった。

「頭痛はしないか?」

「大丈夫です。ぼくは中佐より若いし、順応力がよけいあるはずですよ」

「ふん、へらず口がたたけるあいだはまあ大丈夫だろうて」

ポプランは長い両脚を前方に投げだすと、目を細めて青紫色の巨大な天蓋《てんがい》を見あげた。彼は、〝空〟と呼ばれる領域の外側にしか関心がないのだが、この〝ろくでもない惑星〟の地表におりたってからは、わずか三日で大気圏の彼方に郷愁をいだくようになっていた。もともと地面の上で生活するようにできた自分ではない、と、若い撃墜王《エース》は言うのだが、これはむろん自慢しているのである。いまのところユリアンに郷愁はない。だが、いずれポプランに同感することになるだろう、と、少年は思っていた。

七月一三日、ユリアンは四名の同行者とともに、用意しておいた地上車《ランド・カー》に乗り、南方三五〇キロのカンチェンジュンガ山をめざして出発した。同行者は、オリビエ・ポプラン中佐、ボリス・コーネフ船長、ルイ・マシュンゴ少尉、それにナポレオン・アントワーヌ・ド・オットテールという装飾過剰の姓名をもつ乗組員《クルー》である。〝親不孝《アンデユーテイネス》〟号の留守は、事務長のマリネスクと航宙士のウィロックとがその任にあたった。なにかことがあって地球から逃亡するとき、いつでも発進できるようにしておく必要があったのだ。

彼らの見送りをうけて湖畔を離れ、大地の隆起をひとつこすと、世界はモノクロ・フィルムの支配下におかれた。水の色が視界から消えたのだ。

大地の色は単調だった。灰白色に微量のブラウンをまじえて三方の地平線、そして南方の高山帯までつづく。造物主がこの荒涼とした土地をつくりあげたとき、その絵具箱はほとんど空になっていたにちがいない。

大気も陽光も、皮膚にやさしくない。見はるかす山の稜線《りょうせん》は描いたように明確で、この地は、自他を峻別《しゅんべつ》し、他を拒否することではじめて自己の存在を主張しうるのかもしれなかった。

カンチェンジュンガ山まで、実質的に一二時間。途中でテントを張って一泊する。高地では自己の体力を過信することはできない。わざわざ一万光年の旅をして地球に到着し、あげくに高山病に倒れたとあっては、笑い話の主人公たる資格のみ充分だった。

地上車《ランド・カー》の後部には、宇宙食と薬品、それにささやかながら銀塊がつまれている。〝喜捨物《きしゃぶつ》〟である。幾組かの巡礼をはこんだ経験から、ボリス・コーネフはこの種の喜捨物が商品としての貨幣価値以上に有益にはたらくことを知っていた。彼に言わせれば、ただでものをもらって喜ばない奴はいない、と、明快なものだった。

途中、ときに帰路の巡礼に行きあうと、さりげないあいさつをかわす。その間、コーネフは地球についていくつかの知識を披露した。

「反地球連合軍は黒旗軍《BFF》と称していたのだが、その無差別攻撃のあとでも、一〇億人ぐらいは居住者がいた。だが、あっという間に減ってしまったらしいな」

不毛と化した母星を見捨てて他の星々へ去った人々がそのほとんどだが、地上に残された人人のあいだで、最初は生存のため、ついで信仰をめぐって、流血がつづいたという。具体的なことはボリス・コーネフも知らない。たしかなことは、もはや人類社会の支配者としての地位から転落した地球の住民が、支配欲や闘争心をみたすには、手近の同胞とあい喰《は》むしかなかったという酸鼻《さんび》な事実である。

「地球の現在の衰退ぶりは、そういう無意味なあらそいが原因なんでしょうか」

「さあな、西暦《AD》が終わって八〇〇年だ。しかも孤立し閉鎖された社会だ。衰退しないほうが不思議じゃないか」

たしかにそれは不思議ではない。不思議なのは、衰退しきったはずの地球が、異常な方法ながら勢力をふたたび人類社会に浸透させつつある、その理由である。

「地球教の本拠に、資料庫のようなものがあればいいけど」

「あるとしても、侵入できるとはかぎらんぞ」

「警戒が厳重だとすれば、侵入をこころみたとき、相応のリアクションがあるでしょう。そこでなにかきっかけがつかめるかもしれない」

自分の主張は大胆というより粗雑なものだ、と、ユリアンは思わずにいられない。より多くの情報を集め、より正確に判断し、より効率的に行動せねば、ほんとうはいけないのだ。しかし、それを充分承知しているはずのヤン提督が、無謀なまでのくわだてを許してくれたのは、現在のユリアンになしうる範囲で有意義なことがあると考えてくれたからだろう……。

翌日の午後、ユリアンたちは地球教の本部に到達した。かつては碧空《へきくう》を突き刺してそびえたっていたであろうカンチェンジュンガの峰は、頂上から一〇〇〇メートル余をミサイル攻撃で吹きとばされ、建設途上で永遠に放棄されたピラミッドを思わせる。高原と峰のあいだに深い谷が切れこみ、ユリアンたちは地上車《ランド・カー》を捨て、夕刻までかかって崖をおりねばならなかった。

厚さ六〇センチ、鋼鉄と鉛の板を幾枚もはりあわせた巨大な扉のなかは、むきだしのコンクリートに包囲された広間になっており、さまざまな衣服の上に黒衣をまとった信者たちの群が案内を待ってすわりこんでいる。五〇〇人はいるらしい、と目で計算しながらユリアンがすわりこむと、その傍の床に毛布をしいて長いこと待っているらしい白髪の老婦人が、人のよさそうな笑顔でバスケットをさしだしてきた。一瞬とまどったが、ユリアンは礼を言ってライ麦パンの一片をうけとり、ついでに、どこから来たのかたずねてみた。

それに答えて、老婦人はユリアンの知らぬ惑星の名をあげた。

「お若い人、あんたはどこから？」

「フェザーンです」

「それはまた遠くから感心なこと。若いのにりっぱだね。きっとご両親の教育がよかったんだねえ」

「どうも……」

このように素朴な人々の信仰心を利用して、陰謀をめぐらし、権力の回復をもくろんでいるであろう地球教団の幹部たちにたいして、ユリアンは好意的になりえなかった。

あらためて周囲を見わたすうち、内奥の小さな扉がひらいて、おそらく最下級の、あるいは修行中の聖職者であろう、信者同様の粗末な黒衣を着た五、六人の男が人々のあいだをまわりはじめた。防水布の袋に喜捨物をうけ、祝福らしき言葉をとなえながら、案内書を手わたしていく。ユリアンも、なるべく顔を見られないようにしながら、ほかの巡礼たちにならった。

「ここは地下のシェルターだ。かつて地球政府軍の幹部たちは、この要塞にこもって植民諸星との戦いを指揮した。といえば聞こえはいいが……」

広間にはいったとき、ボリス・コーネフは露骨な侮蔑の口調で言ったものだ。軍の幹部たちは厚い岩盤と膨大な火器と空気浄化装置にまもられた要塞の奥にこもって、地上の惨劇を見物していた。食糧どころか酒にも女にも不自由せず、何年でも地下の天国で自分たちだけの泰平を謳歌《おうか》するつもりだった。その卑劣さに激怒した黒旗軍《BFF》司令官は、力ずくの攻撃が無益と知ると、ヒマラヤ山脈の地下をはしる巨大な灌漑《かんがい》用水路の一部を爆破し、数億トンの水を地下要塞に流しこんだ。たてこもった男女二万四〇〇〇名余のうち、溺死をまぬがれた者は一〇〇人にみたなかった……。

手わたされた案内書をユリアンは点検した。おそらく全貌は記されていないだろう、と思う。本部の建物にせよ、財政にせよ、全容を信徒に開放している宗教団体など、過去にも現在にも存在しない。しかし、記されているかぎりにおいては虚偽はないだろう。

大礼拝堂、納骨堂、主教級集会所、大主教級集会所、総大主教謁見室、懺悔《ざんげ》室、瞑想《めいそう》室、審問室……大小無数の部屋が記されている。巡礼たちのための宿舎や食堂もむろんあるが、資料室は見あたらない。

「おい、尼僧の控室というのはないか」

「さあ、ないようですね、中佐」

「すると、男女が雑居しているのかな」

「……そういう見解ができるってうらやましいです」

半分本気でユリアンは言い、旅行カバンを片手にさげて立ちあがった。巡礼者たちは聖職者たちにうながされ、従順に列をつくって扉のなかへ緩慢に流れこんでゆく。扉をくぐるとき、小さな札をわたされた。記してある数字は、宿泊する部屋の番号らしい。

ユリアン、ポプラン、コーネフ、マシュンゴ、オットテールの五人は、すばやくたがいの番号を確認しあった。マシュンゴとオットテールが同室であるほかは、すべてことなる部屋である。偶然か、それとも故意だろうか。ユリアンが考えこんだとき、蛍光色に照明された通路を、感激と興奮のささやきが流れ、信者たちは壁ぎわにさがって両ひざを床についた。理由はすぐに判明した。前方から陰気な黒衣の行列があらわれ、

「総大主教猊下《グランド・ビショップげいか》」

というささやきが波をうったのである。

ユリアンはほかの人々のまねをして拝跪《はいき》しながら、列の中央に位置する人物を用心深く観察した。

黒衣をまとった、というより、黒衣によってようやくその存在が視覚化しうる。それほど存在感を欠く老人だった。立体映像《ホログラム》ではないか、と、ユリアンが疑念をいだいたほどだった。足音もほとんどひびかない。皮膚は蛍光照明にとけこむようであり、視線は現世にとどまってはいないようにみえる。老人の体内になにがつまっているのかユリアンは知りたかったし、知らねばならなかった。

ポプランの傍に立つ老信者が、感涙に顔の下半分を濡らしながらささやいた。

「総大主教猊下のご尊顔を拝するなど、一生に一度あるかどうかですぞ。なんと、望外のこと

……」

「できれば一生、拝したくなかったな」

ポプランは憮然として口のなかでつぶやいた。黒衣の老人は、彼には皺《しわ》と筋《すじ》のかたまりとしか見えなかったのである。水分など涸れてしまっているようだから、火葬にしたらよく燃えるだろう、と、ヤン・ウェンリー以上に不信心な撃墜王《エース》はひどいことを考えた……。

その大主教は三〇歳前後の若さだった。異例の出世は、教理をきわめたためでも信仰の深遠たるためでもなく、生来の俗人としての能力のゆえであった。地球に官僚社会があれば、そのなかで頂点をきわめたであろう。それがなかったため、彼は地球教団にはいり、一、二年のうちに総書記代理の地位を確保した。彼は怜悧《れいり》だったので誰にも口外しなかったが、狂信者の群のなかにあって、じつは自分の才覚だけを信仰の対象としていた。

「惑星オーディンの支部は潰滅か……」

「残念ながらさようでございます、ド・ヴィリエ大主教」

上司の倍は人生を閲《けみ》したであろう老いた主教が面目なげに頭をたれた。

「キュンメル男爵は死に、支部員ことごとく殉教いたしたそうにございます」

「キュンメル男爵か、役にたたん奴めが。なんのために生きてなんのために死んだのやら……」

大主教の顔を陰気な失望の雲がよぎった。彼の執務室は天井の低い広い部屋で、九世紀昔の溺死者の霊がでると言われていたが、彼に言わせれば（けっして口にはださないが）笑止のきわみだった。

「失敗したのはキュンメル男爵の罪としても、いささか性急にことをはこんだのではありますまいか……」

老いた主教の声には、上層部の戦術的判断の誤りを批判するひびきがあった。すくなくとも大主教はそう解釈したようで、自分よりはるかに年長の配下を見やる眼光には毒々しい元素がふくまれていた。だが彼は本心を口にしないことに慣れている。

「帝国軍の侵攻は、目前にせまっている。失敗を悔いたところではじまらぬ。皇帝暗殺の件は目前の害をのぞいてからだ」

「まことに……吾《われ》らの聖地を異教徒の邪悪な手からまもらねばなりませぬが……」

「心配するな。総大主教《グランド・ビショップ》猊下はすでに手をおうちだ」

大主教の唇が半月形をかたちづくった。笑ったのだ。

「皇帝の身辺にさえちかづきうる吾らだ。一提督の身辺にちかづきえないはずがないではないか」

II

アウグスト・ザムエル・ワーレン上級大将の指揮する地球討伐軍は、五四四〇隻の艦艇からなる姿を、七月二四日には太陽系外縁にあらわしていた。命令受領後、彼は日をおかず高速艦のみの部隊をつくり、航行しつつ編成するという難事をやってのけたのである。アウグスト・ザムエル・ワーレンはローエングラム王朝創業の功臣である。その戦歴にはいくつかの敗戦も存在するが、勝利のほうが圧倒的に多く、巧妙果敢な用兵と剛毅な為人《ひととなり》によって兵士の信望も厚い。

彼にとって屈辱的な敗戦といえば、この年三月、自由惑星同盟領《フリー・プラネッツ》のタッシリ星域付近においてヤン・ウェンリーの詭計《トリック》にかかり、一方的にたたきのめされた例があげられるだろう。当時は無念さに全身の血管が灼《や》けきれるかと思えたが、敵を評価する点でワーレンは同僚のレンネンカンプより柔軟さにめぐまれており、現在、ヤンの智略に苦笑まじりの感歎はしても、怨恨をいだいてはいなかった。〝二度はやられぬ〟という決意は確乎《かっこ》たるものがあったが。

地球教の本拠を攻略すべしという皇帝《カイザー》ラインハルトの命令は、彼には喜ばしいことだった。これほど早く名誉回復の機会があたえられるとは期待していなかったのだ。ビッテンフェルトの志願をしりぞけて彼に任務をあたえてくれた皇帝の知遇《ちぐう》にこたえねばならなかった。

地球教がたんに狂信者の集団であれば、八世紀の昔に銀河連邦《USG》がそうしたように、辺境の一惑星に封じこめておけばよい。だが、政治権力にたいする野心と、組織力と、財力とを放置しておくわけにはいかなかった。

まして皇帝の弑逆をたくらんだ組織である。宗教に名をかりたテロリスト集団に、なんら仮借する必要はなかった。

ワーレンはヤン・ウェンリーやオスカー・フォン・ロイエンタールと同年の三二歳で、脱色した銅線のような髪とたくましい長身の所有者である。五年前に結婚した。一年後、男児が生まれ、難産で妻は死んだ。生まれた子はワーレンの両親のもとで育てられている。再婚の話は両手両足の指の数ほどあるが、その気になれない。

旗艦の艦橋のメイン・スクリーンには、九〇〇〇年昔に人類が見離した辺境の惑星が映し出されている。参謀長のライブル中将、情報主任参謀のクライバー准将らが司令官の周囲に参集し、三次元ディスプレイを前に攻撃案を語りあっていた。

「なるほど、ヒマラヤ山脈の地下か」

「地下本部の上を、一〇〇兆トンをこす土塊《どかい》と岩盤が保護しております。極低周波ミサイルを撃ちこむにしても、一発二発ではらちがあきますまい」

「山ごと押しつぶす、か。芸がなさすぎるな。それに、無辜《むこ》の民衆を犠牲にするな、と、皇帝《カイザー》のおせだ」

「では陸から装甲擲弾兵をもって侵攻いたしますか、いささか時間を要しましょうが」

参謀長の声に、ワーレンは小首をかしげた。

「地下本部の出入口はいくつあるのだ？　それを確認しておかねば、吾々が追うにつれて奴らは逃げるだけのことだろう。本部を破壊し、末端の狂信者どもを殺したところで、首魁《しゅかい》どもに逃げられたのでは、皇帝《カイザー》の御意にかなわぬ」

「それでは……」

あわてるな、と、ワーレンは参謀長の性急さを制した。

「地球は逃げはせぬし、奴らを地球の外へ逃がしもせぬ。衛星軌道に達するまでに、よい思案をねっておけ。秘蔵の四一〇年ものの白ワインを賞品にだすぞ」

幕僚たちをいったん解散させると、ワーレンは壁ぎわにたたずんで腕をくみ、指揮シートとことなる角度からスクリーンを見つめた。新任士官時代からの、癖ともいえぬ彼の癖だった。ひとりの下士官がやや泳ぐような歩調でちかづくのに、彼は気づかない。

「提督！」

危険を知らせる幕僚の声は、悲鳴にちかかった。

ワーレンは反射的に長身をひねった。急転換する視野を、一条の閃光が斜行した。その光が戦闘用ナイフのかたちをとったのは、とびすさろうとして背中を壁にうちつけたときだった。

とっさに左腕をあげて、ワーレンは咽喉もとをかばった。軍服の布地が異音を発して裂け、灼熱感が皮膚と筋肉の上にはじけた。それが冷えて痛覚と化すまで一瞬の間があった。

ワーレンは暗殺者の瞳を――暗赤色の殺意が劫火となって噴きあがる瞳を見た。彼自身の腕から飛散する血のシャワーがそれをさえぎった瞬間、ワーレンの右手がブラスターの引金にかかり、ほとばしった光条が暗殺者の右肩と右胸の接合点を正確に撃ちぬいた。

ナイフをもつ手を高々とかざしたまま、暗殺者はのけぞり、苦痛の悲鳴を発した。

それまで司令官にあたることをおそれて発砲しえずにいた幕僚たちが、一瞬の空白をのがさず躍りかかり、暗殺者を床にひきずり倒した。

「殺すな！　生かしておけ。背後関係を聞きたい」

出血と苦痛に蒼白な顔をして、それでも自力で起《た》ちあがりながらワーレンが命じる。だが、意識野の一点で白い光が炸裂《さくれつ》し、地球討伐軍司令官は壁にそって床にくずれ落ちた。

かけつけた軍医が、ナイフにアルカロイド性の毒が塗ってあったことを確認した。左腕を切断しなければ生命にかかわる。

手術がおこなわれ、ワーレンは生命とひきかえに左腕を失った。さらに、体内にまわった少量の毒素が彼を発熱させ、反対に幕僚たちの心を寒くした。

常人ならおそらく死神と握手することになったであろう重傷と高熱を、ワーレンはたえぬいたが、完全に意識を回復したのは六〇時間ののちだった。

軍医のすすめる栄養剤を飲むと、ワーレンは、失われた左腕については一言も発せず、彼を襲った下士官を病室につれてこさせた。肩に包帯をまき、左右をほかの兵にはさまれた暗殺者は、彼以上に衰弱しているようにみえた。

「拷問はしておりません。こいつが食事をとろうといたしませんので……」

弁解する部下にうなずいておいて、ワーレンは暗殺者を正視した。

「どうだ、私の暗殺を誰に命じられたか、告白する気になったか」

灰色の霧にとざされていた暗殺者の瞳に、あの暗赤色の炎が噴きあがった。

「誰に命じられたのでもない。母なる地球の神聖をおかす者は、全宇宙を律する超越的意思によって罰せられるのだ」

ワーレンは疲れた笑いをわずかに浮かべた。

「私は卿《けい》の哲学を知りたいのではない。卿に暗殺を指令した者の名を知りたい。いずれ地球教の関係者だろうが、この艦内にいるのか？」

緊張が、病室内の人々をわしづかみにした。暗殺者は音程のくるった叫びをあげて暴れはじめた。ワーレンはひとつ首をふると、残った右手をあげて独房へつれもどすよう命じた。参謀長が気づかわしげに司令官を見やった。

「再度、尋問をなさいますか、閣下？」

「どうせしゃべるまい。狂信者とはそういうものだ。ところで、義手はいつできる？」

問われた軍医は、両日中には、と答えた。ワーレンはうなずき、毛布の上にたれた中身のない左袖を見おろしたが、感傷をあらわさない視線をすぐにそらした。

「義手といえば、たしか、この艦に義手の士官がいたな」

不意に司令官が言うと、ほかの幕僚はとまどったように視線を交錯させあったが、記憶力をほこるクライバー准将が答えた。

「旗艦に搭乗する幕僚のひとりで、コンラート・リンザー中佐という者であります」

「そうだ、コンラート・リンザーだ。キフォイザー会戦の直後だったか、ジークフリード・キルヒアイスにひきあわされたことがある……よし、彼を呼べ」

こうして、帝国軍中佐コンラート・リンザーは、本隊にさきがけて地球へ降下し、地球教の本拠を偵察、かつ僚軍の侵攻に道を開くよう、ワーレン上級大将の命令をうけることになったのである。

Ⅲ

地上では――というより地下では――しばらくのあいだ、無為に時がきざまれていった。七月一四日に地球教の地下本部に潜入して以来、一〇日間をユリアンは信徒の一員としてすごしたが、その間、なんらの収穫も見いだせなかったのである。

各処にモニター・カメラが設置されていて軽率な行動が不可能だったし、下層へつうじる階段やエレベーターにはかならず複数の監視員がいた。同行者の全員と別室にされて、おたがいの連絡にも不自由をきたしている。こうなれば信用をかうしかない、と考えて、〝自発的奉仕〟と称する労働にとりくみ、礼拝やら祈禱《きとう》やら説教やらの合間には、ほかの信者とともに広間を清掃したり食糧倉庫を整理したりし、地下本部の図面を身体に記憶させた。だがじつのところユリアンでさえしばしば、ばかばかしさを感じずにいられなかったのだから、目的意識のないポプランやボリス・コーネフの苦痛は尋常なものではなかったろう。

二六日の夜(地下に昼も夜もないが)、ユリアンはようやくセルフ・サービスの食堂でポプランのむかいの席にすわることができ、小声で話しかけた。

「どうです、お気にいった美女はいましたか」

「だめだめ、半世紀前は女でした、という骨董品《こっとうひん》ばかりさ」

まずい豆のスープを、ポプランはまずそうにすすった。食堂は混雑の時間帯をはずれかけて、周囲に人影はすくなく、ふたりはひさびさに、なお他をはばかりながらではあったが、語りあうことができた。

「それより、資料室なりデータバンクなりは見つかったか」

「だめですね。もっと下層にあると思います。ちかいうちにきっと見つけますよ」

「意気はかうが、あせるなよ」

「ええ」

「それと、いままで言わずにきたが、たとえ資料室を見つけたところで、お前さんののぞむようなものがそこにあるとはかぎらん。こいつらはたんに誇大妄想の狂信者どもの集団にすぎんかもしれんのだからな」

ポプランは口を閉ざし、女のことを話すときと人格が転換したようなするどい視線をユリアンの肩ごしに投げつけた。ユリアンはふりかえった。完全にふりかえるより早く、けたたましい音が鼓膜を不快に揺さぶった。

視界に映ったのは、食器ごとひっくりかえされたテーブルと、両腕をふりあげて立ちつくす男の信者の姿だった。テーブルの下で、べつの信者がもがいている。周囲にいた老人や女の信者が悲鳴をあげて逃げ散る。黒いフードの下で、抑制を失った両眼の光がちらつき、男はおどろくほどの膂力《りょりょく》でテーブルをかかえあげると、信者の群に投げこんだ。あらたな破壊音と悲鳴。

誰かが通報したのであろう、高電圧銃をもった下級聖職者たちが五、六人ドアからとびこんできて男を包囲した。細いコードが銃口からはしって先端が男の身体に突きささる。低出力・高電圧の電流が男の身体を宙にはねあげ、短い絶叫とともに男は床につっこんでうごかなくなった。

なかばフードに隠れたポプランの顔は完全に色を変えていた。なにか不吉な疑惑に思いあたったようであった。

「畜生、そうだったのか、おれとしたことが、いままで気づかなかったとは……」

うめいたポプランは、いきなりユリアンの手首をつかんで食堂をでた。いまの騒ぎを聞きつけて食堂へ走りよる群衆にさからいながら急ぎ足に歩く。ようやく理由をたずねたユリアンに、ポプランは深刻な視線をむけた。

「すぐトイレへ行って、いま食べた料理をはきだせ」

「毒でもはいっていたんですか」

一瞬の間をおいて、撃墜王は答えた。

「毒の従兄弟ぶんさ。いま食堂で男が暴れただろう、あれはサイオキシン麻薬にたいする身体の拒絶反応だ」

ユリアンは声をのんだ。驚愕のシンバルが脳裏で鳴りひびくなか、理解のか細い歌声が彼に真実を教えた。この一二日間にわたって彼が教団本部の食堂でとりつづけていた食事には麻薬が混入されていたのだ。しかも、きわめて悪質な合成麻薬、この摘発にかぎって帝国と同盟がひそかに協力したことすらあるというサイオキシンが……。

「地球教徒の奴隷的な従順さの一因は、こいつだったんですね」

あえて話題が個人レベルをこえたのは、せりあがる不安を無視したいがためだった。ポプランは不機嫌そうに肩をすくめた。

「大昔の革命家が、宗教は精神的な麻薬だと言ったそうだが、これを見たらなんというやら」

トイレにはいると、口のなかに指をつっこんで、ふたりは食事を吐きだした。口のなかをすすぐとき、水を飲みこまないようユリアンは注意された。水道の水じたいに麻薬が混入されているという可能性もあるのだ。

「今日と明日は食事を抜け。もっとも、万が一にも禁断症状がでたら食欲なんてなくなるだろうがな」

「ほかの三人にも知らせないと……」

「わかっている。なんとか早めに知らせよう」

共通の認識がふたりのあいだにあった。たとえその行動がモニターされ、地球教団がわの不審と猜疑をかうことがあってもしかたない。そのリアクションに、こちらの活路を賭けるしかないのだ。他方には、教団から提供される食事をとりつづけて忌むべき麻薬中毒患者になり、地球教の家畜となりさがる途《みち》しかないのだから、選択の余地はなかった。

「それにしても、中佐は、いろいろご存じなんですね」

ユリアンに賞賛されたポプランは、片頰だけで笑ってみせた。

「おれもな、女だけで苦労したわけじゃないからな。青春の苦悩ってやつの、おれは歩く博物館なんだぜ」

その夜はどうにか無事にすんだ。おそらく兵員用の宿舎だったのであろう、壁面が岩盤のまま むきだされた、広いだけの部屋に、三段ベッドが五〇ほども設置してある。カーテンだけが信者のプライバシーをまもる、ぼろ布の盾《たて》だった。ベッドのなかでユリアンは、現実の空腹感と、ちかい未来の禁断症状への不安を交互に見つめながら、いつか眠りこんでしまった。

翌日の昼ごろから、ユリアンは体調と気分の悪化を自覚しはじめた。悪寒がするし、皮膚が汗で湿気をおび、不快さをそそる。〝奉仕〟にも身がはいらなかった。だいいち、飲まず食わずでの労働はきつい。

完全な禁断症状の発現はその夜に生じた。

来る、という予感が、急速に精神の地平へとせりあがり、なにかがめくれるような音が身体の奥でしたかと思うと、身体がぐらりと揺れる感覚が襲ってきた。悪寒が脊椎《せきつい》を駆けのぼり、心臓のリズムが急に乱れる。そこまではまだ冷静にユリアンは自分を観察していたが、幼児のころ以来経験したことのないはげしいせきにみまわれると、さすがに余裕がなくなった。

ほかのベッドでとがめるような声がしたが、意志力でせきがとまるものではない。毛布のなかに頭をつっこみ、せきが外にもれないようにするのが最大限の努力だった。それも一時的に波がひいて、けんめいに呼吸をととのえていると、老信者の親切そうな声が上のベッドからふってきた。

「お若いの、大丈夫かね、なんだったら医務室につれてってあげようか」

「いえ、大丈夫です、ありがとう」

かろうじて声をだす。冷たい汗が首筋や胸を重く濡らし、シャツを皮膚にはりつかせている。

「無理をしないがいいよ」

「大丈夫です、ほんとに、大丈夫です……」

ユリアンは遠慮したわけではなかった。なまじ医師の診察をうけて禁断症状と知れたら、より強力な麻薬の注射をされて完全な中毒者にしたてあげられかねない。教団の関係者はみんなぐるなのだ。

嘔吐《おうと》感《かん》が胃から口へむかって体内をジャンプしてきた。吐くものといえば胃液しかない。シーツを口に押しつけて、ようやくにがい体液を吸収させたが、それが一段落すると、ふたたび胸が痛くなるほどの激しいせきがつづく。

ほかの四人——ポプラン、コーネフ、マシュンゴ、オットテールもこの苦痛にたえているにちがいなく、ユリアンひとりが脱落するわけにはいかなかった。にしても、全身をわしづかみにし、もみしだくような苦痛と不快感はたえがたいものがあった。性質《たち》の悪い風邪のさなかに、もっとも苛酷な耐G訓練をしいられているように思えた。冷たい汗の衣を着た皮膚の下で、筋肉細胞が勝手な方角へ暴走をはじめ、内臓と神経網のすべてがヒステリックな反抗の歌をがなりたて、ユリアンの自我は強風と雷鳴のなかでこづきまわされた。身体の中心からあらゆる方向へ苦痛と不快感が放射され、それが皮膚の内側で乱反射して中心へとたたきつけられてくる。ふさいだ瞼《まぶた》の黒いキャンバス一面に流星がとびかい、炸裂して超新星となり、ユリアンの意識を乱打した……。

「どうしたのかね、きみ」

やさしさをよそおった声が耳道に流れこんできて、ユリアンは蒼ざめた顔を毛布からだした。どれほどの時がついやされたのか、体内の嵐は緩慢に、だが確実に、平穏さへと座をゆずりわたしつつあった。ふたりの男が儀礼的な同情の目をユリアンにむけている。

「ほかの信徒たちから、きみがたいそう苦しんでいると報告があってね。おなじ信仰をもち、心をわかちあう吾々だ。なんの遠慮がいろう。医務室へおいで」

男たちの黒衣には白い方形の布が両袖に縫いつけられており、それは医療班のマークだった。拒否しようとして、ユリアンは天啓《てんけい》の存在を感じた。これこそ利用すべきリアクションではないか。素直にうなずいてみせて、ユリアンは立ちあがった。それを合図としたかのように、苦痛と不快感は過去の領域へと退却していった。歩調を弱々しくみせるため、かえって多少の演技が必要だった。

Ⅳ

医務室にはいったとき、ユリアンは、アリババの洞窟がようやく彼の前に扉をひらいたことを知った。診察室にふたりの先客がいたのである。緑色の目をした瀟洒《しょうしゃ》な印象の青年と、黒い牡牛のようなたくましい巨人。ふたりとも憔悴《しょうすい》しきっているようにみえるが、ユリアンに集中させた視線には鋭気がひらめいていた。ユリアンは一瞬ごとに自信と活力を回復していく自分を発見した。彼にとって、運命はまだ、柔和な老婦人の横顔を見せているようだった。

「今日はなぜか体調の悪い信徒の方が多いようだ」

黒衣の集団のなかにあって例外的に白衣をまとった中年の医師がくぐもった声をたてた。医道に献身する人のようにみえないのは、おそらく先入観のためだったのだろうが……。

「なにか身体の変調に心あたりはあるかね」

医師は一ダースほど銀色の盤にならべた注射器をつぎつぎと検査していた。ポプランがひとつ床を蹴ると、

「あるね」

と気圧の低い声をたてた。

「ほう、なにかね」

「サイオキシン麻薬のケチャップづけを食わされたからだよ、行商人野郎!」

形相をかえてとびあがった医師の手がレーザーメスをつかんだ。だがポプランの敏速さにはとうていおよばなかった。若い撃墜王の強靭な手首がひらめくと、右の眼球に注射針を突き刺された医師は、固形物を吐きだすような絶叫を発してのけぞった。ドアがひらき、医療班の男ふたりが躍りこんでくる。

電圧銃をかまえるよりはやく、ユリアンの右足が全体重をかけて黒衣の腹部にめりこんだ。男は声もたてずに吹きとんだ。いまひとりの男はマシュンゴの巨腕につかまれ、秒速一〇メートルで壁と接吻させられている。

ポプランはデスクの抽斗からとりだした白い粉をコップのなかでとかし、もっとも大型の注射器で吸いあげた。床に倒れ、右目をおさえて苦痛と怒りにあえぐ医師の前に片ひざをつく。マシュンゴに医師の片腕をおさえさせ、ゴム管をまかせると、ごくやさしげな口調をつくった。

「わかるな? これだけの量のサイオキシン麻薬を血管に注射したら、あんたは一分以内にショック死することになる」

「や、やめろ」

「おれもやめたい。だけど人生はままならぬものでな。おとなになるってことは、やりたいこととやらねばならぬことを区別することさ。では、ごきげんよう」

「やめろ！」

医師はわめいた。

「助けてくれればなんでもしゃべる。やめろ」

人の悪い微笑をうかべて、ポプランがユリアンをかえりみた。ユリアンは撃墜王《エース》のかたわらに片ひざをついた。

「地球教の秘密を知りたい。具体的には、まず、地球教の財政基盤だ」

医師の左の眼球がユリアンのほうへうごき、恐怖と狼狽をたたえた。まったく何気ない口調でユリアンがもとめたものは、医師の動揺を最大限にそそるものであったのだ。

「そんなことは……私は知らん。知るはずもない」

「あなたが知らないなら、知る方法、でなければ知っている人を教えてほしい」

「私は一介の医師だ……」

ポプランが鼻で笑った。

「そうか、なんの役にもたたないというわけだな。それじゃ一介の死体にしてやろう」

その言葉だけで医師が悲鳴を発したとき、それを圧するような警報のひびきが空間をみたした。三人の身体に緊張の電流が走った。警報に、銃声や爆発音がかさなったのだ。

またもドアがひらき、ころげこんできた主教級の聖職者は、室内の光景を見るなり声をかぎりに叫んだ。

「異教徒が侵入したぞ！　ここにもいる、地球の神聖を侵す者を殺せ……」

言い終えぬうちにマシュンゴの巨大な拳が主教のあごをとらえ、三メートルほどの空中飛行ののち、壁に激突させた。壁に抱擁を拒否されたかのように、声もなく床にずり落ちる。

「聖職者のくせに人を売ろうなどとするからだ。心の貧しさを神の前で懺悔しろ」

勝手なことを言いながら、ポプランは、主教の黒い上衣をはがしはじめた。変装に使うつもりなのだ。

「どうも男の服はぬがせにくい。だいいち、ぬがせ甲斐がない。わざわざ地球まで、おれはこんなことをしにきたのか。ヤン元帥は美人と甘い新婚生活を送っているのに、不公平なことだ」

ぬがされるがわの不本意を無視してポプランは毒舌を弄していたが、ふとなかば開いたドアごしに外を見やると、無音の口笛を鳴らし、黒衣をかかえたまま二、三歩後退した。うんざりしたように首をふる。

「なあ、ユリアン、ものごとってやつは、最初のうちはなかなかうまくはこばないものでな……」

「時間がたつと？」

「だいたいは、もっとひどくなる」

ポプランが指さしたのは、交錯する銃火のなか、重火器の威力にものをいわせて通路を前進してくる帝国軍兵士の一群の姿だった。

第七章　コンバット・プレイ

I

燃えあがる炎がハイウェイの一角をオレンジ色の油彩画にかえている。散乱した死体と車体の破片のあいだを消防隊員や救急隊員が右往左往し、サイレンが人々の不安を増幅する。夜は緊張をはらんで、同盟首都ハイネセンの頭上にひろがっていた。

一街区をはなれた小高い丘の上に、武装した兵士の集団がたたずんで、死と炎の遠景を、肉眼や暗視双眼鏡でながめやっている。

同盟軍の制服を着た三人の退役士官が集団の中心部にたたずんでいた。退役中将ワルター・フォン・シェーンコップ、退役中将ダスティ・アッテンボロー、退役少佐フレデリカ・G《グリーンヒル》・ヤンである。いまや彼らは同盟政府にたいする叛乱部隊の指揮官という身分に、どうやらなってしまっているようであった。考えてみれば、フレデリカがヤンと結婚し、ほかの二者が辞表をたたきつけて下野したとき、ヤン・ウェンリーと同盟政府のいずれをとるか、去就はすでにさだまっていたのかもしれない。

〝戦略とは状況をつくる技術。戦術とは状況を利用する技術〟という定義にしたがえば、この夜のシェーンコップとアッテンボローは、一流の戦術家として行動したといえよう。

「第一に騒ぎを大きくすること」

同盟政府は、物証なしに不当逮捕したヤン提督を密殺しようとしている。帝国軍の介入を恐怖するあまり恐慌状態におちいり、ヤン提督の存在さえなければ国家の安全がたもてると錯覚しているのだ。ここで騒ぎを大きくし、帝国軍にあるていどの介入をさせるのはヤン救出という彼らの目的にかなう。

「第二に、大きくした騒ぎを制御すること」

混乱が無制限に拡大すれば、帝国軍の対応も大規模なものになり、レンネンカンプ弁務官という狐でなく皇帝《カイザー》ラインハルトという虎を呼びこむことになりかねない。レンネンカンプの処理しうる範囲内で混乱を収束させ、レンネンカンプをいわば防壁にしたてあげること。いずれにせよ時間かせぎが必要なのだ。

そしてヤンを擁して惑星ハイネセンから逃げだし、メルカッツらと合流する。

そのあとは？　あとは自分たちではなくヤン・ウェンリーが考え、構想することだ。それをさせるため、彼を救いだしてやるのだから！

「問題はヤン提督がイエスとおっしゃるかだが……」

「おれたちが迫ってもイエスと言わんかもしれんが、奥さんがすすめれば、おのずとことなるさ。だいいち、ノーと言って獄中で死んだところで、誰ひとり救われん」

シェーンコップが言うと、アッテンボローが肩をすくめた。

「ヤン提督もお気の毒に。せっかく軍隊を離れて、花嫁と年金で両手に花というはずだったのにな」

シェーンコップはフレデリカに片目をつぶってみせた。

「花園は盗賊に荒らされるものだし、美しい花は独占してよいものではないさ」

「あら、ありがとうございます。でも、わたしは独占されたいと思っているんですけど」

すまして答えるフレデリカの足もとに、スーツケースがおかれているのを、ふたりの退役中将は発見した。

「少佐、このスーツケースは？」

アッテンボローがただすと、フレデリカは悪びれない笑顔をつくった。

「あの人の軍服です。けっきょく、あの人にはどんな礼服よりもこれが似あうと思って……」

「というより、ほかの服はなにを着ても似あわん」

とシェーンコップは思ったが、口にはださなかった。

「おれも独身主義を放棄しようかな」

夜空にむかってアッテンボローがつぶやく。

「それもいいさ。だが、その前に手早く、ひと仕事といこうか」

するどい口笛がシェーンコップから放たれ、武装した兵士たちは行動をおこした。同盟政府は帝国軍に事態を知られることをおそれ、いかに糊塗するか考えまどい、軍を本格出動させる決心をつけかねているだろう。その間隙《かんげき》をついてこそ、〝叛乱部隊〟には勝算があるというものだった。


自由惑星同盟《フリー・プラネッツ》評議会議長ジョアン・レベロが事件の第一報をうけたのは、評議会ビルの執務室からまさにひきあげようとするときであった。通信スクリーンに浮かびあがったロックウェル大将のこわばった顔は、〝薔薇の騎士《ローゼンリッター》〟連隊反逆の報に立ちすくむ議長を見すえて、報告をむすんだ。

「失敗の批判は甘んじておうけしますが、小官はもともとこのようなあざとい策略には反対でした」

「いまさらなにを言うのだ」

レベロはかろうじて怒声の爆発を抑制した。実施段階の技術面において問題なしと保証してみせたのは、なにかと政治的な行動の多い、この軍事官僚だったのだ。責任回避の前に、まず〝叛乱部隊〟を鎮圧してみせるがよい。

「むろん鎮圧はいたします。ですが、事態が大きくなると帝国軍の知るところとなり、彼らが介入する口実をあたえることになりかねません。その点についてご高配いただければさいわいです」

もはや議長にたいして尊敬をはらう必要すら認めがたい気分なのだろう。ロックウェルはしらじらしい表情のまま画面から消えた。

数秒の思案ののち、レベロは彼に〝あざとい策略〟を教授した国立中央自治大学長オリベイラを呼びだした。彼はすでに自邸にもどっていたが、シェーンコップらが逮捕の網をのがれたばかりか、力ずくの反撃にでたことを知らされ、きみの策が失敗したのだとなじられて、高級ブランデーの酔いをさましてしまった。

「いまさらそんなことを言われても……」

と、今度はこの御用学者《ブレーン》が不平を鳴らす番だった。彼はつねに権力者の意向にそって法律の条文を解釈し、特権の正当化合法化をおこなってそのおこぼれにあずかり、しかも社会になんら責任をおわずにきたのだった。彼は提案し企画するだけで、決断と実施は他人の責任だった。彼は自分の企画力をほめ、他人の実行力をけなしているだけでよかったのだ。

「議長、私は自分の提案を採用するよう、あなたに強制したおぼえはありませんぞ。すべてはあなたの判断の結果です。このうえは、私の身に危険がおよばぬよう、警護の手配を願いたいものですな……」

軍部もブレーンも頼みがいのないことを思い知らされながら、レベロは評議会ビルをでて地《ラン》上車《ド・カー》に乗りこんだ。つまり彼は沈没しかけた老朽船ということであるらしい。いや、同盟政府が船で、彼は無能な船長というわけか。

レベロにとっては苦業でしかないが、この夜彼は帝国高等弁務官と同席して、オペラを観劇することになっていた。欠席すれば変事の発生をうたがわれてしまう。むざむざ二時間をこす時を浪費するために、彼は国立オペラハウスへおもむかねばならなかった。

レベロの地上車《ランド・カー》の前後は、警護官《SP》の地上車《ランド・カー》二台ずつにはさまれている。以前は一台ずつだった。警護の強化は、統治能力《ガバナビリティ》の衰退に比例するものだ。来年には四台が八台になるかもしれない。不安と焦慮を両腕にかかえ、ひざにのせた後悔の念を一秒ごとに成長させながら、レベロは腕をくんで運転手の後頭部をにらみつけていた。同席の秘書官は、なるべく上司の顔を見ないよう、窓外の夜景に視線を固定させていたが、不意に声をあげた。窓外にむけたレベロの視線が凍結した。反対方向から走ってきた数台の地上車《ランド・カー》が法規を無視して突然Uターンしたのだ。地上交通管制センターのコントロールをカットして、完全な手動運転にしているらしい。

運転手が罵声を、秘書官が悲鳴をあげた。肉迫してくる一台のルーフウインドゥから、円筒形の奇怪な武器、ハンド・キャノンをかまえた軍人の上半身がはえているのが見えたのだ。

ハンド・キャノンを肩にかついだ士官が、レベロの視線にみずからのそれをあわせて声をたてずに笑った。レベロの背中を、氷塊がすべりおりた。権力の座にある以上、テロリズムの標的となる覚悟はあったが、ハンド・キャノンの砲口は観念的な決意を圧して恐怖の思いを呼びおこした。

火箭《かせん》が走り、轟音が夜を撃ちくだいた。ＳＰの乗った地上車《ランド・カー》が黄金色の炎の塊となって路上を数回転した。炎の塊はほとんど同時に四個発生し、レベロの地上車《ランド・カー》の前後にめくるめく輪をつくった。

「とめるな、このまま前進しろ」

やや音程のくるった声で議長は叫んだが、運転手は、権威より武器に屈伏するほうをえらんだ。レベロの命令は無視され、窓外の風景は速度による変化をとめた。前後左右を見知らぬ車に包囲されて路上の一角に釘づけされた地上車《ランド・カー》から、レベロはおりた。自分の足で歩みでたのが、彼としてはせめてもの矜持だった。敗北感に両肩をおさえこまれてたたずむ評議会議長の前に、ひとりの士官が歩みよった、先刻、ハンド・キャノンでＳＰの車を吹っとばした長身の男である。むろん、いまは肩になにもかついでいない。

「最高評議会議長レベロ閣下ですな」

「きみは誰だ⁉　こんなところでなにをしている」

「姓名はワルター・フォン・シェーンコップ、たったいま、あなたを吾々《われわれ》の人質にしたところです」

レベロは必死で肺と心臓の機能を調整した。

「きみの勇名はつねづね耳に親しんでいる」

「それは恐縮のきわみですな」

熱のない口調でシェーンコップは応じた。

「なぜこのような暴挙にでたのかね」

「お言葉ですが、暴挙とはあなたがたのなさりようでしょう。私たちのことはおいても、ヤン・ウェンリーへの遇しかたが、公明正大であったと胸をはっておっしゃることができますかな」

「言いづらいことだが、国家の存亡は一個人の権利というレベルで語りうるものではない」

「一個人の人権をまもるために国家の総力をあげるのが民主国家というものでしょう。まして、ヤン・ウェンリーが、あなたたちのために貢献してきた過去を思ってもごらんなさい」

「私の心が痛みをおぼえないとでも思っているのか。非道は承知している。承知のうえで私は国家の生存をとらざるをえんのだ」

「なるほど、あなたは良心的でいられる範囲では良心的な政治家らしい」

辛辣な笑いがシェーンコップの端整な顔をななめに流れおちた。

「だが、けっきょくのところ、あなたたち権力者はいつでも切り捨てるがわに立つ。手足を切りとるのは、たしかに痛いでしょう。ですが、切り捨てられる手足からみれば、けっきょくのところどんな涙も自己陶酔にすぎませんよ。自分は国のため私情を殺して筋をとおした、自分はなんとかわいそうで、しかもりっぱな男なんだ、というわけですな。〝泣いて馬謖《ばしょく》を斬る〟

か、ふん。自分が犠牲にならずにすむなら、いくらだってうれし涙がでようってものでしょうな」

レベロの舌は、もはや自己正当化の言葉をつむぎだそうとしなかった。汚名を甘受するなどというのは権力者の思いあがりにすぎないことを明確に指摘されたのだ。

「シェーンコップ中将、きみはこれからなにをしようとしているのだ」

「なに、ごく常識的なことです」

平然と、退役中将は言ってのけた。

「ヤン・ウェンリーという男には悲劇の英雄などという役柄は似あわない。観客としてはシナリオの変更を要求したいわけですよ。場合によっては力ずくでね」

すでに場合によっていますかな、とつけくわえてシェーンコップはもう一度笑った。その笑いに、レベロは妥協や譲歩を感じえなかった。自分が自分自身以外の者の道具であるにすぎないことを、これほど納得させられたことはなかった。

Ⅱ

ヨブ・トリューニヒトの地位放棄によって自由惑星同盟《フリー・プラネッツ》最高評議会議長の座につくまで、ジヨアン・レベロの手腕や人格にたいする評価は低いものではなかった。彼は宇宙暦《SE》七九九年にはちょうど五〇歳で、すでに二度の閣僚歴を有し、ことに財政・経済方面の政策立案能力や行政処理能力において非凡なものをみせている。無謀な外征にはつねに反対し、軍隊の肥大化をおさえて外交面で帝国との関係を改善するよう主張してきた。政敵のヨブ・トリューニヒトが〝巧言令色《こうげんれいしょく》〟としばしばののしられるのにたいし、レベロが人格面で攻撃されたことはない。

その彼が、議長職につくや、帝国高等弁務官レンネンカンプの圧力に屈し、さらにその要求をさきどりするかたちでヤン・ウェンリーの抹殺をはかったことは、大いなる非難の対象となった。〝平時の人材ではあったが、非常時に際してメッキがはがれた〟とみられるのである。

ただ、このような評価のしかたには、〝平時に有能な人材〟を〝非常時に有益な人材〟より下等な存在とみなす偏見がふくまれがちである。端的に言えば、これと対極に位置する人材の一例がヤン・ウェンリーなのだが、この両者が半世紀はやく世に生をうけていれば、レベロは有能で高潔な為政者として自由惑星同盟《フリー・プラネッツ》に貢献し、ヤンは二流以下の歴史学者として、学校の父母会から「あの教師は生徒に自習ばかりさせて、まじめに授業をしない」などと苦情を言われるのがせいぜいであったろう。むしろそちらのほうがヤンにとっては本望であったかもしれないが。

いずれにせよ、レベロが人質として貴重な人材であることはうたがいない。さしあたり、現在のシェーンコップとアッテンボローにとってはそれがもっとも重要なことだった。

軍用地上車《ランド・カー》のなかで、シェーンコップは軍部専用のTV電話《ヴイジホン》回線に介入した。白濁した携帯TV電話《ヴイジホン》の画面のなかで、急速に有彩色と無彩色が秩序化し、太い眉と角ばったあごをもつ中年男性の愕然とした顔を映しだす。みごとに、統合作戦本部長ロックウェル大将の執務室につながったのだ。

「こちらは不逞にして兇悪な叛乱部隊だ。統合作戦本部長ロックウェル大将閣下に、誠意と礼節をもって脅迫の文言を申しあげる。心してお聞きあれ」

シェーンコップの特技のひとつは、気にくわない相手を本気で逆上させる弁舌と態度である。このときも、ロックウェルは相手の不遜さに、血管網と神経網が怒りのきしりをあげるのを自覚した。彼は五〇代なかばで、満足すべき健康状態にあったが、やや血圧が高めであるのが唯一の不安材料だった。

「薔薇の騎士連隊長《ローゼンリッター》だったシェーンコップだな。みだりに舌をうごかすな。造反者めが」

「腹話術の心得がないのでね、舌をうごかすのはやむをえざるところだ。脅迫の内容を話していいかね」

わざとらしく許可をもとめながら返答を待とうともせず、シェーンコップは朗々とつげた。

「吾々は尊敬すべき同盟元首ジョアン・レベロ閣下を、すてきな牢獄にご招待してある。もし吾々の要求がいれられないときは、吾々はレベロ閣下に天国にご避難いただき、自暴自棄のあげく、同盟軍の名のもとに帝国軍に突入し、市民をまきぞえにしてはなばなしい市街戦を展開することになるだろう」

帝国軍装甲擲弾兵と〝薔薇の騎士《ローゼンリッター》〟連隊との市街戦！

その想像は、ロックウェル大将を戦慄させた。一部には軍人の通弊《つうへい》である〝流血のロマンチシズム〟もふくまれていたが、大部分は恐怖と不安の支配下に属するものであった。

「きさま、自分たちが助かるために、無辜の市民を戦火にまきこもうというのか⁉」

「あんたたちこそ、自分たちが助かるために無辜の人間を殺害しようとしているはずだ」

「なんのことかわからぬ。根拠のない中傷はよせ」

「では脅迫のほうをつづけよう。レベロ議長の国葬を出したくなかったらヤン提督を傷ひとつつけず解放しろ。そうそう、ついでに特上のワインを一〇〇ダースほどつけてもらおうか」

「本職の一存では決められん」

「急いでもらおう。もし同盟政府に当事者能力がないというなら、直接、帝国の高等弁務官府と交渉してもいいのだからな」

「はやまるな。可及的《かきゅうてき》すみやかに返答する。交渉はあくまで同盟政府および軍部とおこなえ。いや、おこなってほしい」

あわてて言いなおしたが、権高な命令になれた本部長に冷笑のひとかけらを投げつけて、TV電話《ヴイジホン》は切れてしまった。画面をにらみつけていた視線が、副官に転じられた。副官は絶望的な身ぶりをしめした。移動をつづける電波の発信源をつきとめることができなかったのだ。ロックウェルは音高く舌打ちし、白濁した画面にむけて罵声の石を投じた。

「売国奴め！　非国民め！　だから奴のような帝国からの亡命者などを信用してはいけなかったのだ。メルカッツにしてもしかり、シェーンコップにしてもしかり……」

そして、彼らを重用してきたヤン・ウェンリーもしかり。才能だけで忠誠心や国家意識の欠落した奴らを信頼すべきではなかった。生きるために戦う者など必要ない。疑問や反発などいだかず命令のままに喜んで死んでいく精神的家畜こそ、国家と軍隊にとって有為の人材というべきではないか。重要なのは民主主義をまもることではない。民主国家をまもることだというのに。

ロックウェルは急に目を光らせた。不穏当だが正しいと思われる事態の打開策が、抵抗しがたい甘美さで、彼を誘惑した。虜囚の身となったレベロ議長を救出するのは困難だ。だが、虜囚の存在を無視すれば、叛乱部隊を同盟軍の手で処理することは可能なはずではないか。そう、重要なのは国家をまもることだ。そのためには質においても量においても、犠牲など問題ではない……。


ロックウェルが精神的体温を急激に上下させているころ、帝国高等弁務官レンネンカンプは国立オペラハウスの贅をつくした貴賓席に、かたくるしい軍服姿を沈澱《ちんでん》させている。

彼は僚友たるメックリンガーの一万分の一も芸術などに愛着をもたなかったが、社交的礼節というものをわきまえていたので、招待された時刻の五秒前にオペラハウスに到着した。ところが彼の当然な怒りをそそるがごとく、招待主のほうが遅刻しているのだ。

「議長はなぜお見えにならぬ？　軍服を着た野蛮人との同席を、いさぎよしとされぬゆえかな」

「いえ、すでに評議会ビルを発《た》ってこちらへむかっているはずなのですが……」

レベロの文官房長は卑屈に手をもんだ。彼は官僚の悪《あ》しき属性のひとつとして、人間関係を上下方向の軸としてしかとらえることができなかった。レベロは彼のうえに立ち、レンネンカンプはレベロのうえに立つ。上位の人間にたいしてなら、いささかも矜持を傷つけることなく、頭と腰を低くすることができるのだった。

不機嫌そうにレンネンカンプがオペラグラスをもちなおしたとき、貴賓室にＴＶ電話《ヴィジホン》がつうじた。高等弁務官をのぞく全員が、下僕のごとくうやうやしく廊下へでると、レンネンカンプは弁務官事務所の首席武官ザーム中将からの報告をうけた。どうやらレベロ議長はヤンの部下たちによって拉致されたらしいことを、高等弁務官は知った。

レンネンカンプの鼻ひげになかばかくれた唇の両端が上方へカーブを描いた。このうえない口実、願ってもない口実だった。同盟政府の対処能力の欠如を公然と非難し、ヤンを処断し、同盟の内政自治権を蚕食《さんしょく》する機会が、彼のポケットに飛びこんできたのだ。

レンネンカンプは貴賓席のやわらかすぎる椅子から勢いをつけて立ちあがった。もはや芸術や表現にたいする興味の欠落を、いささかも糊塗する必要を認めず、うろたえる同盟政府や劇場の関係者を傲然と無視して、レンネンカンプは歩みさる。彼の主演する流血のオペラをより華麗なものとするために。

Ⅲ

「あの当時、対立しあうどの陣営がもっとも事態を把握しえていたか、自分にはわからない。ハイネセン全土が沸騰し、たちこめる蒸気のなかで、なにも見えぬままに人々は走りまわり、無意味な衝突をくりかえしていたようだ」

後日、ダスティ・アッテンボローは歴史の証人らしげにそう語ったものだが、彼は僚友シェーンコップとくんで、錯乱の炎に油をそそいでまわっていたのである。第三者をよそおって論評するなどずうずうしいというべきであろう。

油をそそがれた側は完全な逆上状態にあった。銀河帝国高等弁務官府も、自由惑星同盟政府《フリー・プラネッツ》も、それぞれ陰謀めいた糸をはりめぐらしながら、いっぽうで混乱の全体像を把握することができず、まず相手の弱点を見いだしてそれにつけこもうとした。まず、帝国軍結集の露骨なうごきに、同盟政府が抗議する。議長不在なので、代表者となったのは国務委員長シャノンであった。

「これは同盟内部において解決すべき問題である。帝国軍は過剰な干渉をひかえられたし」

帝国軍の返答は高圧的だった。

「当方は同盟政府に治安維持の能力なきものと認めざるをえぬ。よって、弁務官府の安全と、帝国の正当なる権益は、自力をもってこれを擁護するであろう。それを妨害するものは、所属をとわず帝国の公敵として遇されることを承知ありたい」

「もし事態が吾々の処理能力をこえるときには当方より出動を依頼する。そのときまでお待ちねがいたい」

「では同盟政府の最高責任者たる評議会議長閣下に、直接交渉したい。議長閣下はいずこにおられるか」

嘲弄をまじえてそう問われると、同盟政府は返答のしようがない。

〝バーラトの和約〟において、同盟は帝国との友好をさまたげる者を弾圧するよう強制された。〝反和平活動防止法〟がさだめられたゆえんである。ただし、反和平活動防止法違反の犯人を帝国にひきわたすべし、との条文は和約中にない。帝国軍および高等弁務官府の関係者が殺傷でもされないかぎり、彼らが干渉にのりだすべき正当な理由は、どんな抽斗にもはいっていなかった。敗者たる同盟政府としては、おしつけられた和約を逆用して、帝国軍の干渉をせいぜい礼儀ただしく排さねばならなかった。レンネンカンプも強引に和約を無視して行動する契機《きっかけ》を、すぐにはつかめずにいる。

いずれにしても、双方の視野がきわめて狭くなり、その射程が短くなっていたことは事実であった。ヤン・ウェンリーの身柄を手中におさめた陣営こそが勝者となろう、との奇妙な共通認識がいつしか独立して歩きはじめている。

ヤンにしてみれば、「私も出世したものだ」とでも言いたいところである。混乱と錯乱が拡大すれば、同盟政府の治安維持能力と帝国高等弁務官府の危機対処能力と、その双方が問われることになろう。事態が惑星ハイネセンの地表をこえないうちに、適当な時機をはかって幕をひき、痛みわけというかたちで手をうって口をぬぐうという解決法もあるはずだ。だが、同盟政府の長たるレベロも、高等弁務官のレンネンカンプも、そのような意味での厚顔さとは無縁であるから、まじめに、必死に、目的地へむかって泳ぎつづけ、あげくのはて、破局の滝に転落しかねない。

おつかれさま、と、ヤンは自分の境遇を忘れて同情を禁じえないのだが、同時に彼は、故意に混乱を拡大させる要素が、彼の部下たちにあるのを洞察していた。

「火を煽っているな、シェーンコップあたりが。騒動師め、やりすぎなければいいけど」

中央検察庁の一室でヤンが黒い髪をかきまわしたとき、鋼鉄のドアがひらき、身体じゅうの皮膚に〝軍人〟という文字を印刷した士官があらわれた。クルーカットの髪にするどい視線とかたくなそうな口もと。ヤンよりやや若い年輩で、階級は大尉と知れた。

「お時間です、ヤン提督」

士官の声と表情は、沈痛というより陰惨だった。ヤンは心臓がへたなダンスを踊りだすのを感じた。最悪の予想が盛装して具象化し、ヤンを寒すぎる国へつれさろうとしている。

「まだ腹はへってないよ」

「食事ではありません。これから将来《さき》は、食事や栄養の心配をなさる必要はいっさいないでしょう」

士官の手がブラスターを引きだすのを見て、ヤンはため息をついた。こんな予想が的中したところで、すこしもうれしくない。

「なにか最後の望みはおありですか、閣下」

「そうだね、ぜひ宇宙暦《SE》八七〇年ものの白ワインを飲んでから死にたい」

たっぷり五秒ほど、大尉はヤンの言葉の意味を吟味していた。ようやく理解すると、腹をたてたような表情になる。この年はまだ七九九年なのである。

「無理なご注文には応じられません」

そんなことはわかっている、と言ってやりたいのをこらえ、ヤンは根本的な疑問を提示してみせた。

「そもそも、なぜ私が死ななくてはならないんだ」

大尉は姿勢をただし、おごそかに、あきらめの悪い死刑囚を説諭しにかかった。

「あなたが生きておいでのかぎり、同盟のアキレス腱《けん》となるのです。祖国のため身命をおささげください。それこそ英雄にふさわしい名誉の死です」

「アキレス腱だって、たいせつな身体の一部だよ、差別はよくない」

「ヤン提督、むだ口はやめて、どうかいさぎよくご最期を。名声に恥じぬ死に方をなさいますよう。不肖ながら小官が力をお貸しいたします」

言う本人は自己陶酔の極で声さえ震わせているが、望みもしない死を強制されるほうは、喜びも感激もおぼえようがない。恐怖よりもしらじらしい気分で銃口を見つめていると、覚悟ができた、と勝手に解釈したのだろう。大尉は思いいれよろしく深呼吸してまっすぐ右腕をのばし、ヤンの眉間に狙点をさだめて引金《トリガー》をしぼった。

だが、光条は虚空をつらぬき、反対側の壁面に炸裂して光の微粒子をはじけ散らせた。意外な失敗に驚愕した仕官の視線が、絶体絶命なはずの獲物をもとめて室内空間を縦横に切り裂いたが、すぐ床面の一点に固定した。ヤンは射殺の文字どおり寸前、椅子ごと床に倒れこんで、ブラスターの光条を回避したのだ。

ヤンの行動は、彼にしては上できだった——と、彼を知る者は皆のちにそう言った。だが、彼は袋小路に逃げこんだだけのことだった。ひとたび椅子ごと床に倒れこんでしまうと、それ以上は敏速にうごきようがない。暗殺者の顔にひらめいた表情の残忍さを見ると、けっきょくのところヤンとしては、死場所が一メートルほど下方へ垂直移動しただけのこととしか思えなかった。

「見ぐるしいですぞ、閣下、それでも奇蹟《ミラクル》のヤンと呼ばれるおかたですか」

死の深淵を見おろしながら、ヤンは本気で腹がたった。なにか言い返してやろうとしたとき、士官の背後で鋼鉄のドアがひらく光景が視界の一端をかすめた。つぎの瞬間に、一本の光条が士官の厚い胸板から水平にはえた。のけぞった士官は天井へむけて絶鳴をたたきつけ、たくましい、たくましいだけの身体を半回転させると、顔から床につっこんでうごかなくなる。生の岸に手をかけて起きあがろうとしたヤンは、眼前にひろがる金褐色の髪、涙の膜につつまれたヘイゼルの瞳、彼の名をくりかえして呼ぶ唇を見た。ヤンは腕をのばして、生命の恩人の華奢《きゃしゃ》な身体を抱いた。

「生命のさしいれ、ありがとう」

ようやくのことでヤンは言い、フレデリカは何度もうなずいたが、じつのところ夫の言葉の内容を理解しえたかどうか。爆発した感情のすべてが液体化して涙になり、わずかな制御の意志をおし流してしまうと、あとはただ、一一年前からかわらない子供のように泣きつづけるだけだった。

「ああ、ああ、せっかくの美人がだいなしだ。ほら、泣きやんで……」

一万隻の敵艦隊に後背から襲いかかられたときよりも困惑しながら、ヤンは妻をなだめにかかったが、いささか無粋《ぶすい》な侵入者がその場を収拾するようにあらわれた。

「吾らが元帥どの、お迎えに参上しました」

　優雅なまでの不敵さで、先代の〝薔薇の騎士《ローゼンリッター》〟連隊長は一礼した。ヤンは片腕にフレデリカを抱いたまま、このときばかりはてれもせず敬礼を返した。

「超過勤務、ご苦労さま」

「どういたしまして。長生きするにしても、おもしろい人生でなくては意味がありませんからな。あなたをお助けするゆえんです」

　シェーンコップの作戦行動は辛辣をきわめていた。議長を人質にしたことを軍部に告げ、返答に時間をあたえておいて、じつはその間に実力でヤンを救出してしまったのである。ロックウェルは手玉にとられた。時間かせぎをしたつもりで、シェーンコップの行動に便宜をはかることになってしまったのだ。もっとも、ロックウェルが事態を奇貨としてヤンを〝処理〟する挙にでようとまでは、シェーンコップも予測しえなかった。彼は、充分すぎる余裕をもって、悠々とヤンを救出する予定だったのだが、実態は間半髪というところだったのだ。

「まあ、どうせ役にはたたんでしょうが、いちおうブラスターをもっていてください」

　シェーンコップが合図すると〝薔薇の騎士〟連隊長代理ライナー・ブルームハルト中佐がヤンにブラスターをさしだした。

　法制のうえから言えば、現在、〝薔薇の騎士〟連隊の指揮官は、このブルームハルト中佐である。第一三代の連隊長シェーンコップは将官に昇進して当然ながら一連隊の指揮官たりえなくなった。第一四代連隊長カスパー・リンツ大佐は隊員のなかばをひきいてメルカッツ艦隊に身を投じ、公式には戦闘中、行方不明というあつかいである。ブルームハルトは首都帰還後、連隊長代行の辞令をうけはしたが、同盟が帝国に屈服した以上、亡命者の子弟によって編成される〝薔薇の騎士《ローゼンリッター》〟連隊が存続を許される可能性は高いとは言えなかった。連隊が解散させられるだけならまだしも、隊員が報復的処罰の対象とされるかもしれない。その不安が、彼らの旗色をおのずから決定させた。ヤンがメルカッツらに責任をおったように、シェーンコップは彼らに責任をおい、この日、彼らと彼自身の未来を、最大限の行動によって選択したのである。もはや帰路は存在しなかった。

ドアの外で、警備兵たちのうごめく気配がしている。

「吾々は薔薇の騎士連隊だ」

マイクを使って、ブルームハルトは誇らかに名のった。

「それと知ってなお闘うというのなら、遺言書をしたためて来い。すぐに役だつようにしてやる。なんならきさまら自身の血で、吾々が代筆してやるぞ」

虚喝《はったり》であるが、シェーンコップと〝薔薇の騎士〟の過去の武勲は、中央検察庁の警備兵たちを畏怖させるにたりた。彼らの闘争心は急速に鎮火の方向へむかった。勇敢さも大胆さも生命あってのことであった。同盟政府はかつて敵国をおそれさせるためシェーンコップらの驍勇《ぎょうゆう》をやや誇大に宣伝したものだが、いまや夜風の音におびえるのは、かつての味方たちだった。

夜をつらぬいて走る大型地上車《ランド・カー》の後部座席で着なれた軍服に着替えると、短い年金生活の日日が消えて、ヤンはイゼルローン要塞在任当時の姿を回復した。フレデリカがうれしそうに夫の〝勇姿〟を見つめている。

「今夜のボランティアはどういう動機からなんだ、シェーンコップ中将」

かぶった黒ベレーの角度を妻の手で修正されながら、あらためてヤンが事件の主犯に問いかけた。

「あなたのように、つねに命令をうけ法にしばられてきた人間が、そういった桎梏《しっこく》をのがれたとき、どう考え、どう行動するか。私には大いに興味がありましてね。お気にめしませんか？」

ヤンは答えずに、カフスボタンを模した超小型の短波発生装置をもてあそんでいた。それは家からつれだされるとき、フレデリカに着せてもらったサファリスーツについていたもので、これが彼の所在を妻に教え、彼自身の生命を救ってくれたのである。小さな生命の恩人をポケットにしまいこむと、ヤンはなにやら考えこんでいたが、また質問した。

「きみは以前から私をけしかけてきたな。権力を私の手でつかむべきだ、と。もし権力をにぎったとして、その後私の人格が一変したらどうする？」

「それで変わるとしたら、あなたもそれまでの人だ。歴史はくりかえし、たんなる歴史年表上の人物がひとり、後世の中学生にとって頭痛の種にくわわるだけでしょうよ。まあ、とやかく味をうんぬんする前に、食べてみたらどうです」

ヤンは腕をくんで低くうなった。

士官学校の後輩であるダスティ・アッテンボローまで、しかつめらしくうなずいてみせるのだった。

「シェーンコップ中将の言うとおりですよ。ヤン提督、あなたにはすくなくともあなたを救出するために戦った連中に応える責任があります。もはや同盟政府になんの借りもないでしょう。自分の財布で勝負にでるときですよ」

「脅迫としか聞こえないがね」

ヤンはぼやいてみせたが、半分は本気であったかもしれない。生命を救われた瞬間から、彼は彼自身だけの所有物ではなくなっていた。

「きみたちは楽観的すぎる。帝国と同盟を相手にして生き残れると思っているところが度しがたい。明日は葬式自動車に乗っているかもしれんのに」

「まあそれもいいでしょう。不老不死でいられるわけではないし、死ぬのだったら納得して死にたい。帝国の奴隷のそのまた奴隷として死ぬより、反逆者ヤン提督の幕僚として死ぬほうを、すくなくとも私の子孫は喜ぶでしょうよ」

このとき抗議の声をたてたのは、ヤンの胃であって、口ではなかった。半日以上、食事をしていないことにヤンは気づいた。フレデリカが心得顔でバスケットをとりだした。

「サンドイッチをつくってきたんです、どうぞ、あなた」

「やあ、ありがたい」

「はい、紅茶も」

「ブランデーはいれてある?」

「もちろんですわ」

アッテンボローが、あごをなでてつぶやいた。

「こいつはピクニックだったのか」

シェーンコップが苦笑まじりに応じた。

「ちがうね、ピクニックってやつは、もっとまじめにやるものだ」


ヤン・ウェンリーの姿を視界の中心にとらえたとき、ジョアン・レベロは、反射的にはずしかけた視線をひきもどして、ヤンの面上に固定させた。同盟元首として、威厳をまもり正義を主張する必要が、彼にそうさせた。昂然と胸をはる彼の姿を見て、ヤンのほうがため息を禁じえない。公人としては尊敬するが、私人としてはつきあいきれないな、と思う。

そこは〝薔薇の騎士《ローゼンリッター》〟が後日にそなえて確保していたアジトで、放胆にも、帝国高等弁務官府のおかれた〝ホテル・シャングリラ〟から一キロほどしか離れていないビルの一室だった。

完成寸前に所有者が破産し、無人で放棄されている。むきだしのコンクリートの内壁に防音板がはりつけてある。一国の元首を迎える部屋としては、格調と設備の点で、いまいつつほど不足していたであろう。

　最初の一弾は、囚人の口から放たれた。

「ヤン元帥、きみは自分のやったことに罪の自覚があるのだろうな。武力をもって法をおかし、国家の尊厳をそこない、秩序をおとしめている」

「私がどのように法をおかしました？」

「現にこうやって私を不法に監禁し、しかも免罪を強要しているではないか」

「……ああ、なるほど」

　苦笑めいた表情がヤンの顔をよぎり、彼は、教授に論文の欠陥を指摘された助教授のようにもみえた。アッテンボローが声をたてて笑ったが、これはむろんレベロにたいするあてつけである。それはレベロの即座に了解するところとなった。彼は屈辱にいちだんと青ざめながら、声を高めた。

「このうえ、罪をかさねたくなかったら、すぐ私を釈放したまえ」

　ヤンは黒ベレーをぬいで髪をかきまわし、弟子の演技を見まもる演劇教師のような目つきをした。レベロは鼻白み、そびやかしていた肩を落とした。

「なにか要求があるのかね。あるなら言ってみたまえ」

「真相を」

「…………」

「冗談ですよ。そんな無益なものはもとめません。注文は私たちの安全だけです。それも永久にではなく期限つきです」

「きみたちは政府の公敵となったのだ。正義に反する取引には応じられないぞ」

「すると、要するに、自由惑星同盟《フリー・プラネッツ》政府が存在するかぎり、私や私の友人たちに安寧の日はおとずれないというわけですか」

レベロは即答しなかった。ヤンの口調に危険の従弟のような存在を感じとったのであろう。

「だとすると、私もエゴイズムの使徒になるしかありませんね。必要とあれば私の属していた国家を、二束三文で帝国に売りわたすかもしれませんよ」

「そんなことが許されると思うのか！　きみも元帥として国家の重職だった身だ。良心に恥じたまえ」

「けっこうな論理ですな。国家が個人を売るのはよいが、その逆は許されないとおっしゃる」

シェーンコップの冷笑を、レベロは無視した。ヤンがひとつ小さなせきをした。

「では私の提案をご考慮くださいますか」

「提案？」

「私たちはレンネンカンプ弁務官を人質として、惑星ハイネセンを離れます。同盟政府は、脅迫されたというかたちで、私たちを追わずにいただきたい。帝国にたいしては、私が争乱のすべての責任をおいます。同盟から帝国にたいして、どうかヤン・ウェンリーを討伐、逮捕してほしいと頭をさげれば、帝国にたいしても弁解がたつのではありませんか」

レベロは沈黙のうちに、ヤンの提案を考慮しているようだった。打算が心の迷宮のなかを、安全な出口をもとめて走りまわっている。

「これにはひとつ条件があります。同盟政府に残る者すべてには、絶対に処罰をくわえないでいただきたいのです。私の麾下にいた者……キャゼルヌ、フィッシャー、ムライ、パトリチェフ、そのほかにも多勢いますが、今回の件は彼らのまったくあずかり知らぬところ。彼らに累《るい》のおよばないことを、同盟政府の、また民主主義の矜持にかけてお約束いただければ、私はハイネセンを退去します。むろん、議長も釈放してさしあげますし、市民にはいっさい迷惑をかけませんが、いかがですか」

政府といわず市民というところが、ヤンの心情を代弁するものであったろう。レベロは大きく息を吐きだした。どうにか出口が見つかったらしい。

「……ヤン提督、私はきみに謝罪しようとは思わない。私は最悪の時期に最重量の責任をかせられた。自由惑星同盟《フリー・プラネッツ》を生き永らえさせ、つぎなる世代に譲りわたすためになら、私はどんな卑劣な手段でももちいよう。非難はむろん覚悟している」

「つまり、レンネンカンプを人質とする提案に賛成いただけるのですね」

散文的なヤンの反応だった。

「……というしだいだ、シェーンコップ中将、実戦指揮はきみに一任する」

「一任されましょう」

楽しげにシェーンコップはうなずいた。戦争屋め、と言いたげな視線を投げつけたレベロが、自分はいつ自由を回復できるのか、とたずねるとヤンは答えた。

「不幸なレンネンカンプ閣下が自由を失ったときですよ」

大物どうしの会話を壁ぎわで見まもっていたグループの一員、バグダッシュ大佐がシェーンコップの傍に歩みよってささやきかけた。

「私などが申しあげるのも妙ですが、うかつに信じないほうがいいでしょうな。レベロ議長個人をでなく、その周囲の権力者集団をです。掌はかえすために存在すると思っている連中ですからな」

「すると、ヤン提督の提案を、奴らは拒否するかな」

「イエスとは言うでしょうよ。事件それじたいを隠しおおせなくなった以上、ヤン提督に全責任をおしつけたいところでしょうからな。ですが、それも状況しだいでどう変わるやら。それが有利とみれば、レンネンカンプもろとも吾々を抹殺するぐらいやりかねませんぞ」

バグダッシュは諜報や破壊工作の専門家で、かつてヤンに敵対する陣営にいたことから、ヤンの幕僚に名をつらねて以後も、しばしば白眼視されていた。だが今回の事件で、情報の収集分析やレベロ襲撃計画に大きく貢献し、ようやく地歩と信頼をきずきあげたのである。いささか時機を失したかもしれないが……。

「おれが気がかりなのは、同盟の民主政にたいするヤン提督の未練さ。自分が処罰されて同盟が安泰になれば、などと思ってくれたらこまる」

「まあ大丈夫でしょう。いまさら後悔してもどっても、年金をくれるはずはないし、あきらめて自立せざるをえませんよ」

「貴官も、あきらめたか」

「あきらめのいいのだけが、私の特長《とりえ》でしてね。二年前、シェーンコップ閣下に私の計画を看破されたときもそうだったはずです」

シェーンコップはにやりと笑っただけで答えない。バグダッシュが腕時計を見た。

「そろそろ夜が明けますな」

厚い夏雲の間隙から、バーラトの太陽が最初の一閃を投げかけた。夜は急速に後退しつつあったが、混乱は人間社会に遺棄されたまま、黒々とした影を移動させようとしなかった。市街の各処で交通が遮断され、同盟軍と警察は混乱した指揮系統の下で右往左往している。

「さて、そろそろ夜明けの急襲といくか」

シェーンコップが装甲服のヘルメットをとりあげた。

「ホテル・シャングリラですね」

ブルームハルト中佐は記憶の街路から敷石をひきはがした。裏面に有益な情報が記されていた。彼は勝算を確立させた表情で一笑すると、中隊長級の士官を集めて戦術上の指示をあたえた。

ホテル・シャングリラは、完全武装した帝国軍兵士の海にかこまれる岩と化していた。レンネンカンプの命令一下、同盟首都ハイネセン市街の要所を制圧し、戒厳令の布告を容易ならしめるための布陣である。同盟元首が〝叛乱兵グループ〟の捕虜となった以上、主権の尊重などというたわごとはダストシュートに放りこむだけの価値しかない。既成事実をつくってしまえばよい。同盟はむろん、帝国本国においても事態の発生すら知らぬ間に、同盟首都を制圧し、同盟の存在を版おくれの辞書のなかだけのものにしてしまうのだ。同盟政府が事態を帝国軍に知られぬよう必死にならざるをえなかったのは、夜半までのことである。

夜半以後は、ハイネセン駐屯の帝国軍が、味方に情報をもらさぬよう苦心していた。

ホテルの一五階に陣どるレンネンカンプは、事態を惑星ハイネセンの地上部隊、つまり彼の指揮下にある合計一六個連隊の兵力のみで処理してしまうつもりであった。もしこれで消火しえないとしたら、炎は宇宙の深淵をへて、ガンダルヴァ星系に駐屯する帝国軍のシュタインメッツ提督の目に映るであろう。

そうなれば、鎮圧の功績はシュタインメッツに帰し、レンネンカンプは事態を処理しえなかった無能ぶりを糾弾されるであろう。レンネンカンプ自身がヤン一党を鎮圧し、同盟政府を隷《れい》従《じゆう》させ、功績にふさわしいあらたな地位と権力を勝ちえないかぎり、昨夜来の混乱にはなんらの価値もなかった。

叛乱兵グループは、たとえ勇敢な〝薔薇の騎士《ローゼンリッター》〟連隊を中核とするとしても、一〇〇〇名前後の少数である。彼らの動向をつかみえぬまま、逆上してヤンの処分へと猪突《ちよとつ》し、返り討ちにあった同盟政府の醜態は笑止のかぎりであった。ただ、レンネンカンプも、彼らの動向を完全に把握しているわけではなかった。彼は自分がレベロによってヤン一党に売りわたされたことを知らない。

早朝五時四〇分、レンネンカンプの足もとで、一瞬、厚いカーペットが床ごと波うった。にぶい爆発音がそれにつづいた。窓外にひろがる早朝の都会の風景がなければ、乗艦に敵砲の直撃をこうむったと錯覚したであろう。これがあるいは地震というものか、と思ったとき、顔面が血液の過疎状態にある仕官が執務室にとびこんできて、すぐ下の一四階が正体不明の武装兵に占拠されたことを告げた。レンネンカンプは、急速に無彩化する風景のなかに立ちすくんだ。

ホテルまでは地下の通信回線用のトンネルを通り、さらにホテルの建物全体を縦につらぬくエレベーター補修用の穴を使って、シェーンコップたちは魔法使いよろしく、いきなり一四階に出現したのである。二カ所のエレベーターと三カ所の階段を爆破した彼らは、帝国軍がかろうじてそれを阻止した東の階段のうえで、帝国軍と対峙《たいじ》することになった。大佐の階級章をつけた帝国軍の士官がどなりあげる。

「無益な抵抗はやめろ！　でないと血の海で水泳を練習することになるぞ」

「そいつはこまった。水着を用意してきてない」

嘲弄されて、士官は血圧を急上昇させた。

「へらず口は許してやる。降伏しろ。拒否するならただちに攻撃にかかるぞ」

「まあ最善をつくしてみてはどうかね」

「よし、大言壮語を忘れるなよ、下水道の鼠族《そぞく》めが」

「そちらこそ、爆発前には反省することだな、相手の発言を最後まで聞くべきだった、と」

大佐は開いた口を見えざる掌でふさがれ、声を殺した。悲鳴寸前にかろうじてとどまった部下の報告が、疑惑を事実に昇格させた。

「だめです、火器は使えません。ゼッフル粒子の濃度がレッド・ゾーンに達しています」

敵の狡猾さに歯ぎしりした大佐は、即座につぎの決断をくだした。五個中隊の装甲擲弾兵がホテルの内部に呼びこまれる。白兵戦で侵入者どもを倒し、孤立した高等弁務官を救出しなくてはならなかった。

階段の下に、銀灰色にかがやく戦闘服の大群が集結するありさまを、シェーンコップはヘルメットごしに平然とながめやった。人間の生まれついての伴侶たる恐怖心を、母親の胎内におきすてたかのようにみえる姿は、豪胆と呼びうる範囲をこえているかもしれない。彼を尊敬するブルームハルトでさえそう思ったほどだから、接近する帝国軍は無神経な傲慢さと釈《と》って、全身を灼熱させずにいられなかった。突撃命令がくだされると、帝国軍は階段を踏み鳴らして駆けあがり、先頭の兵士が炭素クリスタルの刃をもつ戦斧《トマホーク》に照明光を反射させて、シェーンコップに躍りかかった。

この凄惨《せいさん》な殺しあいは、すくなからず浪漫主義に毒された人々に、〝赤いカスケード（水の流れる階段）〟という名で知られるようになる。その最初の血は、この不幸な兵士の肉体から飛散したのである。空を切った戦斧の下に身を沈めたシェーンコップは、つぎの瞬間、ななめにみずからの戦斧を滑走させ、ヘルメットと戦闘服のつぎめを一撃で切断した。その直下に頸《けい》動脈《どうみゃく》があった。血をまき散らしながら兵士は転落していき、下方から怒りと憎悪の声が噴きあがる。

ブルームハルトがいまさらのように叫んだ。

「中将、陣頭指揮をなさるのは危険です。おさがりください」

「無用な心配をするな。おれは一五〇歳まで生きる予定なんだ。あと一一五年ある。こんな場所で死にはせんよ」

「女もいませんしね」

戦場以外でのシェーンコップの赫々《かくかく》たる武勲を承知しているブルームハルトが、冗談とも断定しえない台詞をはいた。シェーンコップは反論できなかった。その暇をあたえられなかったのだ。すさまじい足音の一隊が、階段を躍りあがってきたのである。

シェーンコップとブルームハルトは、たちまち、怒号と悲鳴、金属音と衝撃音、血と火花の交錯するサイクロンのなかに身をおいた。炭素クリスタルの戦斧《トマホーク》が弧《こ》を描くと、致命傷をうけた帝国軍兵士が宙を泳ぎ、血しぶきの上着をまとった姿で階段をころげおちてゆくのだ。

シェーンコップは、同時に複数の敵を相手どる愚をおかさなかった。四肢と五官と武器を中枢神経の完璧なコントロール下におき、一方向に単一の敵をおいて、苛烈だが短い斬撃《ざんげき》の応酬ののちに、確実に戦闘不能の状態につきおとしていく。

躍りかかる帝国軍兵士の一撃を、長身をひねってかわしざま、返す一閃を頸部にたたきこむ。致命傷をおった敵が床に倒れたとき、加害者はすでに数歩を移動して、あらたな敵とわたりあっているのだった。

ひとつの戦斧《トマホーク》が風をおこすと、べつの戦斧がその風を裂く。激突した刃面が、火花と炭素クリスタルの細片を宙に踊らせ、噴きあがる血が床や壁面に赤いジグソーパズルを描きあげた。死によってのみ中断される苦痛が、大量に生産されていく。シェーンコップは最初のうちはたくみに返り血をさけていたが、やがて完璧な防御のためには美学をうんぬんしていられなくなった。中世騎士の甲冑《かっちゅう》を思わせる銀灰色の装甲服は、みるみる数種類の血液型でいろどられた。

やがて損害にたえかねた帝国軍が、無念さに歯ぎしりしつつも、なだれをうって階段下に後退すると、シェーンコップはブルームハルトの肩をたたいた。

「レンネンカンプをとらえる功は、貴官にゆずる。一〇名ばかりつれていけ」

「ですが、閣下」

「さっさと行け！　砂時計の砂粒は、この際ダイヤモンドより貴重だ」

「わかりました」

ブルームハルトが一〇人ほどの兵士をしたがえて姿を消すと、残る二〇人ほどをひきいたシェーンコップは、階段の降り口に長身をさらし、人血でみがきあげられた戦斧《トマホーク》を挑発的にひとふりしてみせた。

「どうした、ワルター・フォン・シェーンコップの前に立つ奴はもういないか」

ことさらにシェーンコップは豪語した。帝国軍を怒気と復讐心の池に放りこみ、理性の岸へはいあがらせることなく時間をかせぎださねばならない。

ひとりの若い兵士が、ゆたかな決意と貧しい経験をあらわに、階段を駆けのぼってきた。戦斧をふりかざす動作はエネルギーにみちていたが、むだだらけにシェーンコップにはみえる。

戦斧《トマホーク》が激突し、火花がひらめく。勝敗は一瞬で決し、いっぽうの手から戦斧が飛んで床の上で車輪のように回転した。戦斧を咽喉もとにつきつけられた兵士は、シェーンコップの笑いを悪魔のそれにひとしく感じた。

「若いの、恋人はいるか」

「…………」

「どうなんだ?」

「い、いる」

「そうか、では死に急ぐな」

戦斧の柄で勢いよく胸をつかれた兵士は、短い叫びを踊り場の上空に残して、階段を転げ落ちていった。階段の下で、あらたな怒りのうめきがおこったが、それが戦意に直結するには、人血でつくられた濠が深すぎた。その濠をシェーンコップらが掘っているあいだに、ブルームハルトらはレンネンカンプの部屋に突入していた。ドアをめぐって、より浅い人血の濠がうがたれた。

帝国軍の、勇敢だが無益な抵抗は、秒単位で最終楽章に達した。八個の死体が床にころがり、高等弁務官は孤独の人となった。

レンネンカンプの右手からブラスターの光条がほとばしった。それも一閃ではない。たてつづけの速射であり、狙いも正確だった。彼ももともと戦士であったのだ。〝薔薇の騎士《ローゼンリッター》〟連隊員のひとりが、ヘルメットの中心部を撃ちぬかれて横転した。肉迫していたので回避しえなかったのだ。だが、その犠牲が生きて、レンネンカンプの右側面にすばやくまわりこんだブルームハルトが戦斧の一撃でブラスターを床にたたきおとし、さらにその柄を弁務官のあごにたたきこんだ。

「殺せ！」

よろめいたレンネンカンプは、デスクに両手をついて転倒をこらえ、血の流れだす口から虚勢をこえる声を発した。

「殺しはせん。あなたは捕虜だ」

「下級兵士ならいざしらず、上級大将ともあろう身が、不名誉な捕虜たるに甘んじると思うか」

「甘んじていただく。あなたの美学や矜持に興味はない。興味があるのはあなたの生命だ。吾にはあなたの生きた身体が必要でね」

ブルームハルトが言いはなつと、その非礼さ以外のなにかがレンネンカンプの思考力を刺激し、弁務官は低くうめいた。

「そうか、私を人質にしてヤン提督と交換するつもりだな」

それは完全に正確な洞察ではなかったが、ブルームハルトはあえて訂正しなかった。

「感激してほしいな。あなたをヤン・ウェンリーと等価と認めているのだから」

その一言がどれほどレンネンカンプを傷つけたか、発言者には想像もつかなかった。恐怖ではなく屈辱のためにレンネンカンプはみごとな口ひげまで蒼ざめた。

「私が生命おしさに、きさまらと妥協するなどと思うなよ」

「思わないけどね、妥協するのはあなたじゃない。あなたの属僚《ぞくりょう》どもさ」

「……きさま薔薇の騎士《ローゼンリッター》とやらの士官らしいが、ではもともと帝国人ではないか。祖国の恩にたいして忸怩たる点はないのか」

ブルームハルトは相手を凝視したが、それは感銘をおぼえたからではなかった。

「おれの祖父は共和主義思想家だというので、帝国内務省にとらわれて拷問のあげく殺された。祖父が真実、共和主義者だったら、それはいっそ名誉の死というべきだろう。だが、祖父はたんなる不平屋にすぎなかったのさ」

片頬だけでブルームハルトは笑った。

「これが帝国のありがたいご恩さ。とても恩では返せないので讐《あだ》で返そうとこころざしている。さあ、時間はエメラルドより貴重だ。いっしょに来ていただこう」

盗用まじりに中佐はうながした。

そのたとえは正確だった。ひとつ下の階で鳴りひびいていた白兵戦狂騒曲は、水平の位置から聞こえるようになっていた。シェーンコップらが一四階を放棄して駆けあがり、なお敵を斬りはらっているのだ。

三分後、血と汗と復讐心にまみれた帝国軍はレンネンカンプの執務室に躍りこんだ。そこは無人だった。彼らが救おうとした人も、殺そうとした者も姿を消しさっていた。シェーンコップらは来たときと同じ道を使って、それほど悠々とでもなかったが、脱出に成功したのである。

直後に、エレベーター補修孔で爆発が生じ、追跡するルートは帝国軍の前から失われてしまった。

Ⅳ

レンネンカンプは無人の空間を凝視していた。天井の下、床の上、壁の手前。そこでは絶望が黒い衣をまとって陰気に破滅の歌をうたっている。彼がすわりこんでいるのは、叛乱部隊のアジトの一室だった。むきだしのコンクリートの壁と床、打ちつけられた防音板。ホテル・シャングリラの豪華な執務室にくらべ、落差は想像を絶するものがあった。

もう終わりだ、と、虜囚となった帝国高等弁務官は思った。ここに連行されてすべてがわかった。彼はヤン一党に敗北しただけでなく、同盟政府を代表するレベロによって売られたのだ。なんの面目があって皇帝《カイザー》にまみえることがかなうだろうか。皇帝は、ヤン・ウェンリーにたいする彼の敗北を赦し、高等弁務官の顕職《けんしょく》をあたえた。彼はその寛大さと信任にこたえねばならなかった。新王朝一〇〇〇年の計のために、障害物を除き、帝国が同盟領を完全に征服するための道路を切りひらかなくてはならなかった。それが現実はどうか。ここへ連行されるまでは、間隙をみて逆転し優位に立つ可能性を計算していた。だがヤンのみならずレベロの姿を見て、自分がピエロでしかなかったことを彼はさとったのだ。さすがに後ろめたかったか、議長はヤンの背後でなかば顔をそむけていたが、レンネンカンプは、彼を難詰する気力をその瞬間に失ってしまっていた。敵と味方の嘲笑をさけるには、もはやただひとつの方法しかない……。もともと狭い視野は、さらに狭くなっていた。正気を失い、ゆがんだ名誉欲だけが肥大した目で、レンネンカンプは天井を見あげた……。

昼食をはこんできた兵士が、レンネンカンプの姿を空中に見いだしたのは、二〇分後である。彼は呼吸をとめたまま、ゆっくり左右に揺れる軍服姿を見つめ、セラミックの盆《トレイ》を用心深く部屋の隅におき、それからおもむろに大声をあげて急を知らせた。縊死体《いし》は、かけつけたブルームハルト中佐らの手で床におろされた。

衛生兵の資格を有する兵士が、一〇以上も階級のはなれた人物の胴にまたがり、教本と経験にもとづく人工呼吸のかぎりをつくした。

「だめです、蘇生しません」

「どけ、おれがやる」

ブルームハルトは衛生兵の作業を完璧に再現した。結果も再現された。レンネンカンプは彼らの努力にたいして、かたくなに生への門戸をとざしつづけた。やがて中佐が死者にひとしい顔色で立ちあがったとき、ドアがひらいて、通報をうけたシェーンコップがあらわれた。約束にしたがって、レベロを監禁場所からつれだし、手足をしばってとある公園の隅に放りだしてきたところである。いつもの不敵さにやや刃こぼれが生じて、表情は深刻だった。約束の履行を遅らせればよかった、と後悔したが、いまさらおよばぬことである。

「レンネンカンプが死んだことを悟られるな。同盟政府め、これを奇貨として全面攻撃にうってくるぞ。あらゆる手段で奴を生きつづけさせろ」

人質がいなければ、同盟軍が〝叛徒ども〟への攻撃をためらう理由がない。ましてレンネンカンプが死んだとあれば真相は彼とともに葬られる。同盟政府としては、あらゆる事実と風聞を火中に投じてしまいたいところであろう。

レンネンカンプの訃報《ふほう》を聞いて、ヤンは考えこみ、やがてにがい薬を嚥下《えんか》する表情で決断した。

「公式的にはレンネンカンプ提督には、まだ当分生きていてもらう。冒瀆《ぼうとく》のきわみだが、ほかに方法がない」

この一件だけでも、地獄の特別席は確実だ、と思っているヤンに、フレデリカが提案した。死者の顔に多少のメイクアップをほどこせば、失神しているだけと思わせることができるのではないか、と。悪くない考えだ、とは思えたが、

「しかし、そんな気色わるい仕事を誰がやるんだ」

「メイクアップはわたしがします。言いだした本人ですし、女だから適任だと思います」

男たちは顔を見あわせたが、胆力はともかく化粧の技術で劣位にあることはあきらかなので、

いささか歯ぎれ悪く、不快な作業をグループの紅一点にゆだねて退室していった。

「死人にメイクアップするなんて最初で最後の経験でしょうね。もうすこし美男子だと、化粧のさせがいがあるのだけど」

フレデリカはつぶやいた。死者にたいして非礼な冗談でも口にしなければ、仕事の陰惨さにたえられそうになかった。自分で提案したことではあったが。彼女が化粧品の箱をひらいて仕事をはじめたとき、ドアがひらき、ヤンが気まずそうに顔をみせた。

「フレデリカ……その……こんな仕事をさせて……」

「謝罪の言葉なら聞きたくないわ」

死者に化粧する手を休ませず、フレデリカは夫の機先を制した。

「わたし、後悔もしてないし、あなたにたいして怒ってもいません。結婚してからたった二カ月たらずだったけど、それは楽しかったし、これからもあなたといるかぎり、退屈な人生を送らないですみそうですもの。どうか期待させてくださいね、あなた」

「エンターテインメントとしての夫婦生活か」

ヤンは黒ベレーをぬぎ、おさまりの悪い黒髪をかきまわした。現在は彼の妻になっている若い美しい女性は、しばしば彼をおどろかせる。夫にとっても、夫婦生活は退屈なものではなさそうだった。

「それにしても、あまりムードのある場所じゃないな、ここは」

ヤンは不謹慎なことをつぶやいた。先刻のフレデリカとおなじ心情であったろう。新婚の夫と妻のほかに存在する第三の人物が、彼らの交歓に、濃い濁った影を落としていた。ヘルムート・レンネンカンプ、銀河帝国の高等弁務官、上級大将、ヤン・ウェンリーと同じ惑星の地表に立ちながら、心は数百光年もはなれたまま死にいたった男。おそらく、彼の本来の価値観からはたえがたいほどみじめに生を終えた男。レンネンカンプ本人はまだしも、遺族のことを思うと、ヤンは後味の悪さを禁じえない。また幾人か、彼を復讐の対象とする者がふえるのだろう。

ヤンはかるく首をふり、妻の不愉快な義務をさまたげないようドアをとざした。そして思った。不本意な死にかたをしいられることと、不本意な生きかたを強制されることと、どちらがまだしも幸福の支配領域にちかいといえるのだろうか……。

第八章　休暇は終わりぬ

I

この年——新帝国暦一年、宇宙暦《SE》七九九年の七月三〇日、帝国首都オーディンには、吉兇《きっきょう》ふたつの報告がもたらされた。

ひとつは地球討伐軍司令官アウグスト・ザムエル・ワーレン上級大将からのものであった。

「本職は地球におもむき、地球教なるテロリスト集団の本拠を制圧、教祖および幹部を捕縛《ほばく》すべく勅命《ちょくめい》をこうむりしが、過日、戦闘のすえ、地球教本拠を潰滅《かいめつ》せしむるをえたり。ただし教祖および幹部は、本拠を爆破してみずからを土中に埋めたるにや、ついに捕縛するあたわず。つつしんで任務の完璧に終わらざるを謝するものなり」

コンラート・リンザー中佐以下の二個大隊を地表に送りこんだワーレン艦隊は、本拠に侵入した中佐からの連絡で数カ所にわたる地上からの出入口を知り、いっせいに大気圏に突入し、総攻撃を開始した。中佐の情報は、〝亜麻色の髪の少年〟を代表とするフェザーン独立商人の一グループにおうところ大であった。

完全武装の帝国軍兵士たちに、黒衣の地球教徒たちはナイフや軽火器で襲いかかったのだ。その無謀さに唖然とした帝国軍も、絶対平和主義者ではありえなかったから、即座に応戦し、原始的な武器しか所有しない狂信者たちを、草でも刈りとるように撃ち倒し、死体を踏んで奥へ奥へと侵入していった。

一方的な殺戮は、最初のうち、血と炎の赤い人生に慣れた兵士たちを酔わせたかもしれない。だが、彼らの精神的胃腸も、やがて限界に達した。狂信とサイオキシン麻薬に身心を侵された教徒たちを死神のポケットに突き落としながら、兵士たちは嘔吐し、ヒステリックな笑い声をあげ、ついには泣きだした。

戦いつつ地下八層に達したとき、帝国軍は地下迷宮の最深部に足を踏みこんだことを知った。ここでも信徒たちの抵抗は激烈をきわめ、降伏をすすめる帝国軍の勧告は銃火によって酬《むく》われた。三度の勧告が三度の射撃を招くと、帝国軍は教祖の老人――総大主教《グランド・ビショップ》をはじめとする首魁たちの捕縛を断念し、鏖殺《おうさつ》を決意せざるをえなかった。

火力、人数、戦闘技術において圧倒的であるはずの帝国軍が、苦戦あるいは悪戦をしいられたのは、地球教がわに地理上の優位があり、信徒らが死を恐怖しなかったからである。彼らは通路に地下水を流しこんで仲間もろとも敵兵を溺死させ、神経ガス弾を投じて仲間に殉教を、敵兵に戦死をしいた。

「奴ら、ばかか」

と叫んだ帝国軍の士官がいたのは、自分自身の死にたいする感性さえ欠落させた地球教徒たちに、恐怖と嫌悪感を禁じえなかったからである。それは殺しあいですらなかった。帝国軍の銃火をあびて、地球教徒たちは〝自殺していった〟のである。そしてついに、本拠地の最奥部を爆破してみずからを土中に葬りさったのだ。

「狂信者ども、はたして全滅したのかな」

「さあ……」

帝国軍の兵士たちは、勝利の喜びもなくささやきかわした。どの顔も青ざめ、疲労の影におおわれていた。

総大主教という老人はむろんのこと、信徒の大部分は死体すら見つからなかった。すべて数兆トンの土塊の下に埋もれてしまったようにみえる。だが、欲望や怨念《おんねん》もともに埋もれてしまったとは思えなかった。一〇キロ四方にわたって本拠地周辺の地形は陥没し、聖なる山はゆがみくずれた無惨な形相を薄い大気にさらしつづけた。

ユリアンがはじめて会ったワーレンという提督は、顔色に衰弱が見られた。重傷のためだということをユリアンはすでに聞いていたが、沈毅《ちんき》な表情や言動に乱れがないのをみて、内心で賞賛せずにいられなかった。ユリアンがもっとも崇拝するのは、むろんヤン・ウェンリーの

〝すこしも英雄らしくない〟ところなのだが、それと趣《おもむき》のことなる鋼鉄づくりの剛毅さにも魅力を感じる。

「リンザー中佐によれば、地球教の本拠を攻略するのに、すくなからず協力してくれたそうだな」

「はい、理不尽にも地球教徒にとらわれておりましたので、なかばは自分たちの意趣《いしゅ》がえし、喜んで協力させていただきました」

このワーレンという提督が尊敬に値する人物だと判明しているので、正体を隠すということがユリアンにはいささか心苦しかった。

「なにか礼をもって功に酬いたいが、望みはないか」

「私ども一同が、つつがなくフェザーンへもどれますなら、このうえ、なんの望みもございません」

「もし商売のうえで損害をこうむったなら、補償してやってもよい。遠慮せず申しでることだ」

辞退すれば欲がすくなすぎるとして、うたがわれる可能性もある。ユリアンはつつしんで──じつはずうずうしく、司令官の好意をうけ、後日、損害額を算定して提出することにした。ボリス・コーネフ船長への謝礼にすればよい。彼自身の報酬は一枚の光ディスクで充分だった。

それには記されている。人類社会の覇権を失った地球が、欲望と怨念を動力源として、九〇

○年にわたる陰謀のゴブラン織を執念ぶかくあみあげてきた、その知られざる歴史が。
これをヤン提督の手にわたしてこそ、ユリアンが地球まで長い旅をしてきた甲斐があるのだ。ユリアンは帝国軍を案内するとみせて——事実案内もしたが、彼らに人的物的な障害物を排除してもらい、ついに資料室を発見したのである。ナイフをふりかざす信徒をなぐりたおし、意外に近代的な資料室で検索と書きかえ《ランダム・アクセス》をおこなうのに五分間を要した。帝国軍の手にわたらぬよう、残余の記録をすべて消してしまったが、その資料室も土葬されてしまったので、結果としては二重手間になりはしたが。

ユリアンがワーレンの前からしりぞき、断崖の縁にたたずんで陥没した地形を見おろしていると、ボリス・コーネフが傍に立った。

「あの下には信徒たちの遺体が埋もれているんですね」

「教団にとって信徒の生命ほど安いものはない。権力者にとっての国民、用兵家にとっての兵士とおなじさ。怒るには値するが、おどろくには値しないよ」

ボリス・コーネフの毒舌に、容認しがたい成分がふくまれているのをユリアンは感じた。だいじな乗組員《クルー》のひとりを乱戦のなかで死なせてしまい、ボリスは機嫌が悪そうだった。

「ヤン提督はちがう、と言いたそうだな」

見すかしたように船長は肩をすくめてみせた。

「ヤンを人間として好きになるのはいい。おれだって彼が好きだ。用兵家として尊敬するのも当然だろう。だが、用兵家という職業じたいは、罰あたりな存在だ。ヤン自身はそれをわきまえているだろうから、お前さんがむきになることはない。お前さんにも、むしろそのことを承知しておいて、軍人にたいする批判を許容してもらいたいね」

すこし離れてオリビエ・ポプランが彼らを見ていた。

「ユリアンという奴も不思議だな」

撃墜王は小首をかしげて独語した。彼自身も例外ではないが、ユリアンにかかわる年長者は、この少年の後見人たる役割をみずから任じてしまうようであった。

人徳でしょう、と、陳腐《ちんぷ》ながら説得力のある表現でマシュンゴが応じた。身体の数カ所を、ゼリーパーム（水を極薄のプラスチック被膜につつんだ医療品）と包帯でつつみ、巨大なシマウマのようにも見える。彼を凌駕する膂力と戦闘能力の所有者など地球教団にはいないのだが、身体の表面積がきわめて広いので、さまざまな種類の破片を皮膚でうけとめざるをえなかった。

「人徳？　ふん、奴はまだ修業中さ」

ポプランは肩をすくめた。彼は地上でも俊敏をきわめて、戦闘の被害は衣服の下におよばず、無傷だった。地面に足をつけて戦うのは、彼の好まざるところだったが、その戦いぶりはマシュンゴでさえ敬意をはらうほどだったのだ。

「恋愛の一〇や二〇やらなくて、一人前といえるものか」

彼らの声はユリアンにとどかず、少年は断崖上で亜麻色の髪を地球の風になびかせている。

ユリアンは一定の目的から、地球へ行きたいと思った。だが、地球へ帰りたいと思ったことは一度もなく、将来もないであろう。彼が帰るべき場所、生きるべき場所、死ぬべき場所、そのすべては地球という惑星の上にはなかった。

それはユリアンだけではないはずである。人類の大部分にとって、地球は、過去の領域に属する存在であった。博物館として尊重するのはよい。むしろ当然のことだ。だが、権力政治や軍事の中枢として復古を許すのは、人類になんらの益ももたらさないだろう。ヤン・ウェンリーが言ったように、〝人類の手足は伸びすぎて、揺籃《ゆりかご》へはもどれない〟のだ。地球に人類の過去はあっても、未来はない。美醜、賢愚、いずれであっても、人類の未来はべつの場所に展開されるべきだった。

八月一日、ワーレン艦隊の第一波が地球を離れて帝都オーディンへの帰路についた。〝親不孝《アンデューティネス》〟号もその後尾にささやかな勇姿を見せている。どうせ帰途につくなら、敵国の本拠たる帝都オーディンを見ておこう、と、ユリアンはポプランとのあいだに意見の一致をみたのだった。

Ⅱ

ワーレンの報告に前後して自由惑星同盟《フリー・プラネッツ》の首都ハイネセンからもたらされた情報は、はなはだ不吉なものであった。

レンネンカンプ弁務官拉致と、それにともなう事件のかずかずは、帝国の重臣たちをおどろかせた。乱世に生きて無数の死線をくぐりぬけ、多くの恒星世界を征服した勇将たちでも、おどろきに慣れるということは、なかなかないものだった。

公式報告とともに、レンネンカンプ提督麾下のラッツェル大佐から、旧知のナイトハルト・ミュラーのもとに超光速通信《FTL》による急報がはいっていた。

ナイトハルト・ミュラーは砂色の瞳に興味の色をたたえて不鮮明な画像を注視した。

「すると、レンネンカンプ提督が弁務官として公正を欠いたと卿《けい》は主張するのだな」

「国家の重臣にたいし、また大恩ある上司にたいし、非礼のきわみとは思いますが、レンネンカンプ提督のなさりようは、あえて平地に乱をおこすものでありました」

ラッツェルの語るところによれば、レンネンカンプはなんら物証が存在しないにもかかわらず、いくつかの密告を信じてヤンを逮捕するよう同盟政府に強要したという。事実であれば、公人としても私人としても限度をこえたと言わざるをえない。

「卿はそれを公式の場で証言できるか」

「軍法会議でも裁判でも」

断言するラッツェルを見てミュラーはうなずき、その情報をたずさえて、軍最高幹部の参集する会議にのぞんだ。

会議室への廊下で、彼はウォルフガング・ミッターマイヤーに会い、肩をならべて歩きながら、ラッツェルの証言について語った。

「なるほどな、そういう裏面《うら》の事情があったか」

ミッターマイヤーは舌打ちして、レンネンカンプの心の狭さをなげいた。

レンネンカンプ自身は、むろん皇帝《カイザー》ラインハルトにたいする忠誠心からそれをおこなっているつもりなのであったろうが、ミッターマイヤーなどからみれば、歩調の性急さ、視野の狭さが気にかかった。ラッツェル大佐とやらの言うごとく、なぜことさら平地に乱をおこすか、と思うのだ。

〝疾風《ウォルフ・デア・シュトルム》ウォルフ〟ことウォルフガング・ミッターマイヤーは武人であった。互角の立場で雄敵と戦うことは彼の本懐であったが、弱い者にたいして検察官のような、あるいは拷問係のような所業にでることは、彼の存在の根本的な部分が反発してやまないのだ。

会議には、上級大将以上の高官だけが出席した——ただ一名の例外を除いて。皇帝《カイザー》ラインハルトはかるい発熱もあって、あえて出席せず、自由な討論の結果が奏上されることになっていた。

つねになく最初の発言をもとめたミュラーが、ラッツェル大佐のうったえを披露した。

「ことは帝国の名誉、とくに姿勢の公正さにかかわります。帝国や同盟の枠にこだわることなく、万人の納得しうる結論をだしていただきたい。小官の意見を申しあげれば、まず、無責任な密告により事態の悪化をまねいた者どもの所在をあきらかにすべきだと考えます」

宇宙艦隊司令長官ミッターマイヤーがミュラーの発言を支持した。

「ラッツェル大佐とやらが正しいように思われる。皇帝陛下の威信は、まず恥知らずの密告者どもを処断することによってこそまもられよう。ヤン・ウェンリーの行動が、密告者どもの無法にたいする正当防衛であるとすれば、情状を充分にくむべきだろう」

「レンネンカンプ提督にたいして、いささか酷な発言のようだ」

彼自身の策謀や打算を分子ほどもあらわさず、オーベルシュタインが応じた。

「国家の安全のため、彼はヤン・ウェンリーを後日の禍にならぬようのぞこうとしたのだ。やむをえざる謀略とは釈《と》れぬかな」

「謀略によって国が立つか！」

刺激されたミッターマイヤーが、全身を使ってどなった。

「信義によってこそ国は立つ。すくなくとも、そう志向するのでなければ、なにをもって兵士や民衆に新王朝の存立する意義を説《と》くのか。敵ながらヤン・ウェンリーは名将と呼ぶに値する。それを礼節をもって遇せず、密告と謀略をもってのぞくなど、後世にどう弁解するつもりだ」

「りっぱな発言だ、ミッターマイヤー元帥。二年前、リヒテンラーデ公爵を粛清するくわだてに加担した人とも思えぬ。いまにして良心に痛みをおぼえるか」

ミッターマイヤーの両眼に、おさえがたい怒気が噴きあがった。リヒテンラーデ公の粛清を提案した張本人が口をぬぐってなにを言うか。そう応じかけたとき、隣席の人物が片手をかるくあげて僚友を制した。

統師本部総長オスカー・フォン・ロイエンタール元帥であった。金銀妖瞳《ヘテロクロミア》から犀利《さいり》な光が放たれ、軍務尚書の義眼から射出される光と正面から衝突したようである。

「リヒテンラーデ公の粛清は互角の闘争だった。一歩遅れていれば、処刑場の羊となっていたのは吾々《われわれ》のほうだ。先手をうっただけのこと、恥じる必要はない。だが今度の件はどうか。退役して平凡な市民生活を送っている一軍人を、無実の罪によっておとしいれようとしているのではないか。保身をはかる同盟の恥知らずどもの犯罪に、なぜ吾々が与《くみ》せねばならぬ？　軍務尚書はいかなる哲学のもとに、かかる醜行を肯定なさるのか」

ロイエンタールの舌鋒《ぜっぽう》はするどいだけでなく、諸将の武人としての心情にかなうものであったから、賛同のつぶやきが各処に生じた。

〝芸術家提督〟ことメックリンガーが発言した。

「ヤン・ウェンリーと同盟政府との仲が修復しがたいとすれば、かえって彼と吾々帝国軍とのあいだに、よしみが結ばれるかもしれぬ。彼に、いたずらな軍事行動にでぬよう呼びかけておいて、早急に、調査官を派遣し、解明にあたるべきだろう。私がその任をうけて同盟首都ハイネセンへおもむいてもよいが……」

「卿《けい》らはなにか誤解しているようだ」

軍務尚書オーベルシュタインは、一座の大勢にたいして動じる色もなかった。

「私が問題にしているヤン・ウェンリーの罪とは、密告の有無にかかわるものではない。彼が部下とともに、皇帝陛下の代理人たるレンネンカンプを拉致し逃亡したことだ。この事実を犯罪と言わず、罰せずして、帝国と陛下の威信がたもたれようか。その点に思いをいたしてほしい」

ミッターマイヤーがふたたび口をひらいた。

「言うのは心苦しいが、それも、密告などをかるがるしく信用して無実の者を、すくなくともなんらの証拠もなく処断しようとしたレンネンカンプのみずからもとめたところだろう。威信をたもつ道は、事実を隠匿することにはなく、事実をあきらかにし、非があればそれを正すことにこそあるのではないか」

そこで反駁《はんばく》した者がいる。内務省内国安全保障局長ハイドリッヒ・ラングであった。

「レンネンカンプ上級大将を任用なさったのは、おそれ多くも皇帝陛下であらせられます。司令長官閣下、レンネンカンプ閣下を批判なさることは、神聖不可侵なる皇帝陛下の声望に傷をつけることになりますぞ。そのあたりをどうかご考慮いただきたいものですな」

「だまれ！　下種！」

鞭をたたきつけるような叱咤は、当のミッターマイヤーではなく、ロイエンタールの口からほとばしった。

「きさまは司令長官の正論を封じるに、みずからの見識ではなく、皇帝陛下の御名をもってしようというのか。虎の威を借るやせ狐めが！　そもそもきさまは、内務省の一局長にすぎぬ身でありながら、なんのゆえをもって、上級大将以上の者しか出席を許されぬこの会議にでかい面《つら》をならべているのだ。あまつさえ、元帥どうしの討論に割りこむとは、増長もきわまる。いますぐでていけ！　それとも自分の足ででていくのはいやか」

ラングは蛍光色の影像と化した。題をつけるなら〝屈辱〟だろうが優雅さに難がある、と、メックリンガーは内心で評した。〝屈辱の像〟はやがて小きざみに慄えながら、救いをもとめてオーベルシュタインを見やった。もとめるものはあたえられなかった。

「会議が終わるまで外にでておれ」

軍務尚書にまで言われて、ラングは、ひややかな一同にむかって機械的に頭をさげると、足どりまで蒼白にして会議室をでていった。その背を、誰かがたてた冷笑の触手がたたいた。ロイエンタールにちがいない、と、彼はやはり蒼白な心で決めつけた。じつはケスラーとビッテンフェルトがその主だったのだが、彼の精神の視野はこのふたりを排除していた。

会議がすむまで別室で待機していたラングは、一時間ほどしてオーベルシュタインが姿をあらわすと、日常の冷静さを放擲してうったえた。顔じゅうが冷たい汗にぬれ、ハンカチをにぎる手は小きざみの上下動をやめない。

「わ、私はこれほど侮辱をうけたことはございません。いえ、私だけならともかく、軍務尚書閣下にまで、あれは罵倒をあびせたも同然ではありませんか」

「そういう論法は、ロイエンタール元帥だけでなく、私もあまり好かんな」

オーベルシュタインは冷淡だった。ラングの陰険な煽動にのろうとしない。

「それに、卿《けい》の出席について他の了解をとらずにいたのは、たしかに私の不注意だった。内務尚書や憲兵総監も、卿が私にちかづくのを好まぬようだ」

「お気になさるとは閣下らしくもない」

「嫌われるのはかまわぬが、足をひっぱられるのはこまる」

ラングはハンカチを裏がえしていま一度汗をふき、両眼を細めた。

「……私も心することにいたします。それにしてもロイエンタール元帥のいかにも挑戦的な言動、後日のためにも釘をさしておくべきではございませんか」

オーベルシュタインは完全に表情を消していた。その内心は、明確な語を聞くまで、ラングのうかがい知るところではなかった。

「ロイエンタールは建国の功臣、皇帝陛下の信頼も、レンネンカンプとは比較にならぬ。証拠なしに他者をおとしめるの愚《ぐ》は、レンネンカンプという反面教師によって卿も学んだであろう」

ラングの両眼が脂っぽい光をたたえ、ゆがんだ口から歯の一部がむきだされた。

「わかりました。証拠をさがすことにいたしましょう。ゆるぎない証拠を……」

前王朝以来、彼は二種類の仕事にきわめて優秀な手腕を発揮してきた。罪ある者を処罰することと、無実の者に罪を着せることがそれだった。ただ、彼はそれを職務としておこなってきたのであって、私的欲望や復讐がその動機ではなかった。あるいは、なかったはずであった。しかし、いま、ラングは、したたかに傷つけられた彼個人の名誉のために、金銀妖瞳《ヘテロクロミア》の青年提督の弱点をさぐり、それをもって彼を失墜させようという、正しくも有意義でもない執念にとらわれつつあった。

Ⅲ

微熱を発した皇帝《カイザー》ラインハルトは、寝室のベッドに、身体を横たえていた。近侍のエミール少年が傍につきそっており、医師もひかえている。

自分はこれほど体質が虚弱だったのだろうか、と、ラインハルトは思うのだが、エミール少年に言わせれば、これほど戦争と政務に精励して、多少の熱ぐらいでないほうがおかしいというのだった。自分ならとうに重病になっている、とも未来の皇帝の主治医は言う。

「それにしても、このごろ、よく疲れを感じるのだ」

「あまりまじめにお仕事をなさいますから」

ラインハルトはかるく笑って少年を見やった。

「おや、それではお前は予になまけろと言うのか」

このていどの冗談で少年が真赤になるものだから、皇帝はつい小鳥にでもたわむれる気で相手をしてしまう。もっともこの小鳥は、人語をさえずって、ときに聡明なことを口にする。

「陛下、ご無礼をお許しください。でも、強い炎は早く燃えつきる、と、亡父《ちち》から言われたことがあります。ほんとうに、すこし楽をなさってください」

ラインハルトは即答しなかった。おそろしいのは、燃えつきることではなく、それをなしえぬまま虚しくくすぶりつづけることなのだ。まだこの少年には理解できないだろうが……。

「いっそはやく皇妃をお迎えになって家庭をもたれてはいかがです」

誰かの受け売りにちがいないことを少年は言った。

「予ひとりでもたいへんなのに、皇后だの皇子だのがいては、警備する者たちの負担が重くなってかなうまいな」

ラインハルトは一般に、ユーモア精神だけはそれほどゆたかでないと思われている。このときの発言も、冗談としてはさして上できのものではなく、本心というには底が浅く、エミール少年をさえ納得させることができなかった。

侍従長があらわれて軍務尚書オーベルシュタインの参上を告げた。軍最高幹部の会議で、まがりなりにも結論がでたのでご裁可《さいか》をいただきたいというのである。まだ微熱で身体がだるいので、ラインハルトは寝室に隣接した談話室で彼を迎えた。

オーベルシュタインは、会議の模様を手短に説明した。レンネンカンプの軽挙妄動を批判する声が意外につよく、事件の真相を究明するべしという主張が多かったこと。ただ同盟の秩序維持能力の欠如はあきらかであるから、いつでも兵をうごかしうるよう準備をととのえておくべきである、という結論を紹介する。ロイエンタールがラングを会議室から追放した事件にかんしては一言もふれなかった。

「レンネンカンプを登用したのは予の誤りであった。わずか一〇〇日も地位をまっとうすることがかなわぬとはな。予が鎖をもち、それにつながれていてこそ能力を発揮しうる者もいるということか……」

幾人かの生者と死者の顔を脳裏にならべながらラインハルトがつぶやくと、オーベルシュタインはその感傷を無視して、

「ですが、これで同盟を完全征服する名分ができたではありませんか」

「差出口《さしでぐち》をたたくな!」

烈気が声となって美貌の皇帝の口からはしった。不意に、彼は赫《かっ》としたのだ。オーベルシュタインは一礼したが、心から恐縮したというより病人を刺激しないよう考慮したものらしかった。呼吸をととのえたラインハルトは、さしあたり、レンネンカンプの身柄返還にかんし、シュタインメッツ提督が高等弁務官職を代行してヤン・ウェンリーと交渉するよう命じた。

「レンネンカンプ自身の証言を聞く必要もある。ヤン・ウェンリーの処断はその後でよかろう。同盟政府の動向には充分注意し、もし妨害をたくらむようであれば、シュタインメッツに必要な対抗措置をとらせるがよい」

そう言って、彼は軍務尚書を退出させた。

ラインハルトの心理は単純なものではありえなかった。レンネンカンプの醜態にたいしては、にがにがしい怒りを禁じえないが、彼をたんなる軍人にはつとまりえない要職につけたのはラインハルト自身である。最初にその座に擬《ぎ》したのはロイエンタールであったが、これはオーベルシュタインが反対し、けっきょく、ラインハルトもそれを容《い》れたのである。最終的な責任はラインハルトがおわねばならなかった。

「それとも、おれは内心で期待していたのだろうか。レンネンカンプが失敗することを……」

あるいはそうかもしれない、と、ラインハルトは思う。レンネンカンプの無惨な失敗によって争乱が生じたと知ったとき、ラインハルトは全身の細胞に躍動感をおぼえた。玉座についでわずかな日数を経験しただけであるのに、彼は荘重な安定を息苦しいものに感じはじめていたのだ。玉座とはつまるところ黄金の檻であるにすぎず、そこにおさまるには彼の翼は大きすぎるようであった。

ラインハルトは建設者として豊潤な才能を有していた。二年前、門閥貴族連合軍を敗滅させ、リヒテンラーデ公を粛清して独裁権力を掌握して以来、政治・経済・社会の各方面でどれほど多くの改革が実現したことだろう。特権と富を独占していた貴族階級は、五世紀にわたる不当な栄華を失い、平民は税制度と裁判の公正化を喜んでいる。病院、学校、福祉施設が貴族の邸宅や城館にかわって都市景観の一部になりつつあった。

それらの改革は、彼がほんの少年だったころから胸の奥ではぐくんできたものだった。だが、それらが実現するのに、ラインハルトは喜びはあっても躍動は感じなかった。善政は彼の義務と責任であって、権利ではないように思えた。彼は地位にともなう義務と責任をおろそかにしたことはなく、権力を獲得したからにはよき権力者であろうと努《つと》めてきた。だが、調和と安定は、彼の精神の本来のありかたから微妙にずれているのではなかろうか。

自分には、ほんとうはもう権力など必要ないのだ、と、ラインハルトは思うことがあった。彼にとって必要なのは、もっとべつのものだった。ただ、それが絶対に手にいれることのかなわない、絶対にとりもどしえないものであるとわかっていることは、ラインハルトの気分を昂揚させない。前方に戦火をのぞんで、はじめて彼は生の充実を感じる。というより、戦っているとき、自分の生が充実していると信じこむことができるのだった。

自分は好戦的な皇帝として後世に知られることになるかもしれない。その思いは早すぎる初雪のようにラインハルトの心にちらつくが、いまさら生まれつきを変えようもないではないか。自分は流血を好むのではない、堂々たる意志と智略の衝突をこそ好むのだ……。

ラインハルトは、宮廷に復帰した首席秘書官ヒルダことヒルデガルド・フォン・マリーンドルフ伯爵令嬢を呼んで、布告文を口述筆記させた。

口述筆記をつとめながら、この方の人生には敵手が必要なのか、と思うと、ヒルダはやや痛ましい思いと、微量ながら危惧を禁じえない。膨大で鋭角的な生のエネルギーが、正しい方角をむきつづけてほしい、と願わずにいられなかった。それは帝国以上に彼自身のためにである。

「あるいはこの方はあまりに早く頂点をきわめられたかもしれない。いや、それとも、五世紀昔に生まれて、ルドルフ大帝のように巨大で全否定の対象となりうるような敵手と出会えばよかったのかもしれない……」

そうもヒルダは思う。彼女自身、ヤン・ウェンリーという敵手の力量には感歎しながら、憎悪することはできずにいるのだから。

ラインハルトはヒルダの口述した文章をうけとって読みなおしていたが、不意にいたずらっぽい微笑をひらめかせた。

「フロイライン、謹慎しているあいだにすこし字体がかたくなったのではないか」

これも冗談のつもりであるようだった。

八月八日、皇帝《カイザー》ラインハルトより布告が発せられた。

「大本営をフェザーンに遷《うつ》す。オーディンでは同盟領に遠すぎる。予の代理としてオーディンを統《す》べる役は、国務尚書マリーンドルフ伯にゆだねるとしよう」

さらにラインハルトは、一〇名の閣僚のうち軍務、工部の両尚書が皇帝にしたがってフェザーンに執務室をうつすことを命じた。上級大将以上の最高級武官でオーディンにとどまる者は、憲兵総監と首都防衛司令官をかねるケスラー、あらたに〝後方総司令官〟として旧帝国領のほぼ全域にわたる査閲・指揮権をあずかる身となったメックリンガー、地球討伐の任をはたして帰還途上にあるワーレン、以上の三者のみであることもさだめられた。帝国の中枢、ことに軍事力のたいはんは、あげてフェザーンに移転することとなり、しかもそれには〝一時的なものにあらず〟との註釈《ちゅうしゃく》がつけられていた。このとき、ミッターマイヤー、ロイエンタールの両元帥をはじめとする提督たちは、若い皇帝に、将来フェザーンに遷都する意思があることを、はじめて知ったのである。

移動は年内の完遂《かんすい》をめざし、皇帝自身は九月一七日に帝都を発する。それにさきだち、八月三〇日にミッターマイヤー元帥が進発、ロイエンタール元帥はじめ他の提督たちは、皇帝に同行すること。

皇帝の御前を退出したミッターマイヤーは肩をならべた友人に話しかけた。

「フェザーンか、なるほど、あの方のお考えは吾々と次元がちがう。かの地は新領土をあわせ統治するにふさわしい」

無言でうなずきながら、ロイエンタールは個人的な事情に思いをはせた。彼は独身だから、軍の陣容さえととのえば、いつオーディンを出立してもよい。あの女、エルフリーデ・フォン・コールラウシュ。いつのまにか彼の邸宅にいついてしまった気性の烈《はげ》しい娘は、さてどうするか。憎んでいるはずの彼にしたがってフェザーンへおもむくか、宝石でも盗んで行方をくらますか、どちらでも好きにするがいい、あの女の意思と器量しだいだ。

「それにしても、陛下の誤りは、レンネンカンプではなくオーベルシュタインをもちいたことだ。奴め、自分では忠臣のつもりかもしれんが、このままだと、奴と波長のあわぬ人材をつぎつぎと排除して、ついには王朝の土台にひびをいれるぞ」

ミッターマイヤーが吐きすてた。ロイエンタールは色のことなる両眼をうごかして友人を見やった。

「そうだな、おれもそう思う。ことに気になるのは、皇帝陛下とオーベルシュタインのあいだに、このごろ亀裂が見られることだ。もし奴と波長が合わなくなったときどうなるか……」

自分ながらこの心配は奇妙だ、と、ロイエンタールは苦笑を禁じえない。彼自身、かなうなら何者の下にもつくことない至高の地位を、とのぞんでいるのではないか。ただ、それにもやりかたがあるはずだし、彼がうたがいなく高い評価をあたえているラインハルトが、オーベルシュタインごときの傀儡《かいらい》になりさがったのでは、興ざめもはなはだしいというものであった……。

Ⅳ

ユリアンが地球でヤンのことを考えていたとき、それに感応したヤンがくしゃみを連発したという公式記録は残されていない。

ジョアン・レベロを解放し、死せるヘルムート・レンネンカンプを人質としたヤンは、フレデリカ、シェーンコップ、アッテンボロー、それに軟禁をとかれて駆けつけた旧部下をくわえて巡航艦レダⅡ号に搭乗し、惑星ハイネセンを離れた。七月二五日夜である。艦長役はアッテンボローがつとめたが、彼は、死せるレンネンカンプをだしにして大量の武器と食糧を同盟政府からせしめることに成功し、以後の構想はヤンの頭脳にゆだね、上機嫌の宇宙海賊という態《てい》で口笛を吹いていた。

フレデリカ・G《グリーンヒル》・ヤン夫人は、花がらエプロンのかわりに黒ベレーの軍服に身をつつみ、夫のそばに補佐役としてひかえている。

ハイネセンを出立するにあたり、ビュコック提督に一言あいさつをしたいとヤンは思ったが、これは断念した。

すでに引退し、老病の身を自宅にやしなう前宇宙艦隊司令長官も、同盟政府の猜疑をかっているとみるべきであった。完全に個人的なあいさつであっても、通信それじたいが、老提督の立場を悪化させる条件となるであろう。いずれ老提督にはあらためて会う日のくることを期して、ヤンは欲求をおさえたのだった。

いっぽうで、ヤンは、アレックス・キャゼルヌ中将とは連絡をとった。これは最初から旗色が明快な男なので、連絡をしなければかえってヤンとのあいだに前もって密約が存在したものと猜疑されかねない。それまで後方勤務本部で情報上の島流しにあっていたキャゼルヌは、事情を知ると、妻子に連絡をとり、階級章をはぎとってデスクにおくと、その足でヤンの麾下に身を投じたのだった。「おれがいなくて、ヤンの奴がやっていけるはずがないだろう」というのである。後方勤務本部長代理に去られると知ったロックウェル大将が、いまさらの慰留の声をかけたが、キャゼルヌはふりむきもせず、肩ごしに大将をみやってただ一言、

「ふん！」

と言っただけだったのである。

もと参謀長のムライ、副司令官のフィッシャー、副参謀長のパトリチェフらはこのときハイネセンにおらず、辺境でそれぞれの軍務についており、連絡をとるのは不可能だった。

……この年の夏、ウィリバルト・ヨアヒム・フォン・メルカッツ艦隊の手中におさまったのは、戦艦四六四隻、宇宙母艦八〇隻であった。艦隊構成としてはバランスを欠くものの、戦力の強化は飛躍的なものといえた。

人的資源においても、少数ながら実戦経験の豊かな兵士たちが戦列にくわわった。彼らはむろん、銀河帝国への従属をいさぎよしとしない立場にあったが、彼らのなかでもっとも高い階級を持ち、艦隊戦術オペレーターとしての優秀さで知られるハムディ・アシュール少佐は、メルカッツの乗る戦艦シヴァの艦橋に案内されると、全面的にメルカッツの指揮権を認めることを保留し、臆する色なくみずからの思うところをのべた。

「帝国に叛旗をひるがえす、それについて異存はないが、吾々自身の艦隊はなにをもって旗幟《きし》とするのか。民主共和政か、ローエングラム王朝とことなる王朝の帝政か、それとも軍国主義か」

問われたシュナイダーがメルカッツをかえりみると、亡命の客将は、アシュールにつづけさせるよう合図した。

「非礼を承知で申しあげる。メルカッツ閣下はかつて帝国軍の重鎮であられ、さらにわが国へ亡命されたのちは、銀河帝国正統政府の軍務尚書たる地位におられた。正統政府の目的は、ゴールデンバウム家の失われた世襲権力を回復することにあったはずだが、そのような目的にたいしてなら、小官は協力いたしかねる」

彼の背後で新参の兵士たちが不安げにざわめいたのは、アシュールがたんに上官であるにとどまらず、信望のある人物であることを証明していた。メルカッツはゆっくりうなずいた。

「その点は明言する。わが軍の目的はゴールデンバウム王朝の復活ではない」

「提督には二言なしと聞く。信じよう。だが、これも非礼ながら、民主共和主義を奉ずる将兵を糾合《きゅうごう》するにはメルカッツ提督のお名前ではやや吸引力に欠けると申しあげたい」

「では、なにびとが反帝国義勇軍の指揮官であれば、貴官は納得するのか」

シュナイダーが反問すると、アシュールは精悍そうな浅黒い顔をかるくかたむけた。

「ビュコック提督は民主共和政における軍人として、実績、人望ともに不足ないが、ただ老齢でおいでだから、未来への旗手とは考えづらい。シトレ、ロボスといった歴代の統合作戦本部長も、すでに過去の人だし、より若い、人望と威信のある人にねがいたい」

「ヤン・ウェンリー提督か」

「……あえて名はださぬ。ご本人に迷惑がかかるかもしれない。いずれにしても、今日や明日のうちに実現するものでもない。さしあたり、小官はメルカッツ提督の指揮権にしたがう。その点は信用していただきたい」

艦艇数に比して乗員総数がすくないので、艦隊運航への協力を頼む、といわれたアシュールはうなずいて、兵士に案内されていった。シュナイダーはその後ろ姿にむかってつぶやいた。

「なんと理屈の多い奴だ。まあたよりがいはありそうだが……」

メルカッツはめずらしく苦笑している。

「彼の言うとおりだ。私には民主共和政の旗手たる資格などありはせん。なにしろ私はつい二、三年前まで専制国家の軍人として、共和国の軍隊と戦っていたのだからな。これがいまにして民主共和政をみずからの旗幟にしては、後世から言われるだろう、なんと節操のない男か、と」

「閣下、それはあまりお気をまわしすぎというものでしょう。閣下が意にそまぬ環境をおしつけられながら、つねに最善をつくされたことは誰でも知っております」

「後世の評価はおくとしても、実際、ヤン提督でなくては民主共和政の将兵を糾合できぬ。それゆえ同盟政府も味方ながら彼をおそれるのだろうな……」

このとき彼らは自分たちの行動が無責任な噂をうむ源泉となり、ついにはヤン・ウェンリーとその一党がハイネセンを脱出することになるなど想像もしていない。

メルカッツは急に話題をかえた。

「陛下の行方はいまだ知れぬか」

メルカッツが言う〝陛下〟とは、若い金髪の覇者ラインハルト・フォン・ローエングラムではなく、ゴールデンバウム家第三七代の皇帝、五歳での即位と七歳での亡命をしいられたエルウィン・ヨーゼフをさしていた。シュナイダーは面目なげに視線を伏せた。

「はい、申しわけありません。お聞き苦しいながら、弁解をさせていただけば、このような状況では調査もままなりませず……」

それはメルカッツも承知している。彼ら自身が帝国軍の耳目《じもく》をさけて潜伏と逃避をくりかえす身であれば、公然たる調査や探求の触手を伸ばしようもない。無力化した同盟軍はまだしも、シュタインメッツの帝国軍の索敵能力を軽視することはできなかった。

にもかかわらず、メルカッツが先代《さき》の幼帝を捜索することにこだわるのは、失踪以前から幼帝の精神に亀裂が生じていたのを知るからであった。その自我はしばしば暴発し、側近の肉体から血を流させる。そして血の一滴ごとに、人心は、ゴールデンバウム王家から遠ざかっていった。その常軌を逸した粗暴さが本人の資質によるものだとしても、それを矯正しなかったのは環境の罪であり、周囲にいたおとなたちの責任であった。

ゴールデンバウム王家の再興など、もはや望めぬ。だいいち、人心がそれを望まない。メルカッツが望んでいるのは、エルウィン・ヨーゼフが身心ともに健全に成長し、どのような政治体制のもとであれ無名の一市民として平穏な生活を送ってくれることだった。それは、あるいは王家の再興などという痴者の夢よりも困難なことかもしれない。だが、なんとか実現させたかった。いまひとつ、ヤン・ウェンリーに活動の舞台とその基幹兵力をあたえること。このふたつが彼の人生における最後の仕事だとメルカッツは思っているのだった。

……巡航艦レダⅡ号の艦橋で、ヤン艦隊の三人の中将、キャゼルヌ、シェーンコップ、アッテンボローが、先日のヤンの結婚式でもそうだったように、毒舌の刃で司令官を料理している。

「ヤン・ウェンリーという名優には、自己の限界をきわめてもらいたい。どうも本人に名優の自覚がなさそうで、舞台に追いあげるほうがひと苦労だがな」

「できの悪い生徒になやまされる教師の心情だろう、シェーンコップ中将」

「じつは、おれは教師になろうと思ったことがある。宿題をだされるのはきらいだが……」

「だすのは好きなんだろう?」

キャゼルヌが笑った。手のとどくところに後方勤務本部長の栄職がありながら、「ふん!」の一言でそれを蹴とばしてきた男である。この男の卓越した行政処理能力を失ったことは、ヤン・ウェンリーを失った以上に同盟軍の後悔の種となるかもしれなかった。

「それにしても、シェーンコップ中将は、とぼしい情報と変化のはげしい状況から、よく政府の悪辣なトリックを看破できたものだ」

キャゼルヌにそう賞賛されたシェーンコップは、人の悪そうな表情をひらめかせた。

「さあ、あるいは、政府は、あそこまでは考えていなかったかもしれん。おれの妄想にすぎなかったということもありうるな」

「おい、貴官、いまさら……」

「そう、アッテンボロー中将、いまさら事実の真偽を詮索《せんさく》したところではじまらん。それに、おれがあのときもいまも、同盟政府の悪意と陰謀を信じているのはたしかだ。おれはべつに貴官をだましたわけではないぞ」

「煽りはしたがな」

アッテンボローは皮肉を返したが、急に気になったように回想のフィルムを逆回転させる表情をつくった。

「後悔しているのか、こうなったことを」

「とんでもない、キャゼルヌ中将」

三人中、最年少の男はかぶりをふった。

「おれは三〇にもならぬ青二才で閣下などと呼ばれるようになったのです。ヤン提督の麾下にいたおかげ、あるいはそのせいです。責任はとっていただかないとね」

「しかし、まあ……」

黒ベレーをぬいで、アレックス・キャゼルヌは顔をあおいだ。

「叛乱部隊などとごたいそうに呼ばれているが、おれの見るところ、家出息子の集団にすぎんね」

ほかのふたりは反論しようとしなかった。

……元帥になろうと、叛乱部隊の指揮官と呼ばれようと、たんなる家出息子だろうと、ヤン・ウェンリーはヤン・ウェンリーであった。司令官席で両脚を指揮卓の上に投げだし、黒べレーを顔の上にのせて、二時間以上も身うごきひとつしない。

夫から五メートルほど離れたべつの席で、フレデリカ・G《グリーンヒル》・ヤンは対照的な勤勉さを発揮し、巡航艦レダII号、メルカッツ艦隊、ヤンの〝叛乱部隊〟にかんするデータを分類整理していた。すぐにでもヤンが正確な兵力をもとに作戦立案できるように、である。

夫を救出してから将来《さき》のことは、フレデリカは考えてもいなかった。ヤン・ウェンリーがどのような途《みち》をえらぼうと、彼女は彼の半身としてともに歩んでいくだけのことである。そのヤンのほうはといえば、ハイネセンを脱出して以後のことはいまだ明確な構想をいだいていなかった。だいいち、状況の激変にふりまわされていて構想などたてようもなかったのだ。

〝あの夫妻には正当防衛意識はあるが、その将来《さき》を考えていない。もっと野心をもってもらわねば〟とダスティ・アッテンボローが評したのは、真実の一端を把握したものである。もっとも、ヤンにしてみれば、彼をひきずりまわした張本人のひとりであるアッテンボローに、そんな論評をされる筋はないはずだが。

惑星ハイネセンにいすわり、同盟政府と駐留帝国軍を人質にしたかたちでの抵抗も、一時は考えないではなかった。しかし、それではハイネセン一〇億の住民をまきこむことになる。けっきょく、ヤンは、貢献したはずの政府に背中をつきとばされて〝家出〟するしかなかった。

いまのところ、遺体保存用カプセルにおさまった、死せるレンネンカンプの存在が、あやうく彼らの安全を保障している。レンネンカンプの死を公表し、遺体を帝国軍にひきわたすとき、あらたな危険が訪問してくるかもしれない。

それにしても、古来どれほど多くの名将が、戦場から無事に帰還しながら、祖国にそびえたつ粛清や追放の門をくぐることを余儀なくされたことだろう。ひとつの武勲は一〇〇万の嫉視反感を生み、階をひとつのぼるごとに足もとは狭くなり、転落するときの傷は大きく深くなる。

ある古代の帝国で、反逆罪を理由にとらわれた将軍が、自分にどのような罪があるのか、と、皇帝に問うた。皇帝は目をそらした。

「汝が反逆をたくらんでいたと、廷臣たちがみな言うのでな」

「そんな事実はありません。証拠もないではありませんか」

「事実がなくとも、反逆したいと考えてはいただろう」

「思ったこともありません」

「なるほど、だが、反逆する能力はもっている。それこそが汝の罪だ」

……すぐれた剣をもつ者は、その刃先がことなる方向をむくのを恐怖する。けっきょく、剣はそれじたいがひとつの意思を有する第三勢力たらざるをえないのだろうか。

第三勢力をたとえきずくとして、軍事力のみでそれが維持しうるはずはない。ヤンの基本的な構想にあったごとく、政治力と経済力がともなわねば、反逆のキャンドルはすぐに燃えつきてしまう。根拠地をどこにおくか。帝国軍のみならず、いまや同盟軍の攻撃をどうかわすか。レンネンカンプの死をいつ公表するか。補給は？　組織は？　対外交渉は？……

時間がほしかった。それは老い朽ちるための時間ではなく、成熟と発酵に必要な時間だった。それをヤンはあたえられなかった。権力よりも、権限よりも、それはヤンにとって不可欠なものだったのだ。

ごく短期的には、ヤンは多くの目的をかかえていた。メルカッツと合流し、指揮系統を一本化した共和軍を編成すること。ユリアンの地球からの帰還を迎え、地球教についての情報をえること……。それから将来《さき》はどうすればよいのだろう。不当な死を回避するためとはいえ、ジョアン・レベロを人質にし、ヘルムート・レンネンカンプを自殺せしめてまでえた自由を、どう行使すればよいのか。

漠然とした構想が、半透明の姿をヤンの意識野にあらわしつつある。全宇宙の覇権を皇帝《カイザー》ラインハルトに認める。かわりに、辺境でよい、一惑星に共和主義者の自治を認めさせ、いずれは到来するであろうローエングラム王朝の腐食と崩壊の日にそなえ、そこで汎人類的な民主共和思想の芽を育てる。彼自身に必要な時間より、民主共和思想の発育と質的向上に必要な時間はさらに長いのだから。

人類が主権国家という麻薬に汚染されてしまった以上、国家が個人を犠牲にしない社会体制は存在しえないかもしれない。しかし、国家が個人を犠牲にしにくい社会体制には、志向する価値があるように思えた。ヤン一代では、なにごともなしえるはずがない。だが、種をまくことはできるだろう。かつて一万光年の長征をおこなったアーレ・ハイネセンの足もとにおよばないとしても。

それにしても、ヤンは自己の全能ならざることを、あらためて自覚させられていた。彼に未来を予知する能力があれば、今年の春、イゼルローン要塞を放棄したりはしなかった。戦術的に難攻不落な要塞をそのまま民主共和政の根拠地とすることができたのに。だが、あのとき、自由惑星同盟《フリー・プラネッツ》を救うには、彼がイゼルローンを離れて行動の自由を確保するしかない、と思ったのだ。

しかし、悔いてもはじまらぬことである。だいいち、その後のバーミリオン星域会戦のとき、政府の命令を無視して、ラインハルト・フォン・ローエングラムにとどめをさすことができなかった自分ではないか。けっきょく、ヤンの行動はヤン自身の器量の範囲内のことでしかない。かつて帝国内で自治権を確保したフェザーン人たちの英知と機略が、彼にもほしかった。

「フェザーンか……」

皇帝《カイザー》ラインハルトがフェザーンに遷都し、そこを宇宙の中心としようと考えていることまでは、ヤンは知らない。フェザーンが地球教と密接に結びつき、そのダミーとして活動してきたという事実も、いまだ知ることはできない。だが、彼自身の長期構想において、欠落させえぬ、それは一要素だった。

「ボリス・コーネフを介して、独立商人たちの力を借りることができれば最善だが……」

それもユリアンが帰ってきてからのことである。ヤンは思索の迷路を散歩するのを中止し、黒ベレーを顔からのけて声をあげた。

「フレデリカ、紅茶を一杯」

そしてまた顔にベレーをのせた。ベレーの下でつぶやいた言葉は、誰にも聞こえなかった。

「二カ月、たった二カ月！　予定どおりならあと五年は働かないで生活できるはずだったのになあ……」


……〝叛乱部隊〟から解放されたジョアン・レベロは当然、血相をかえた帝国軍関係者との交渉にのぞまねばならなかったが、それにさきだってひとつの指示を国防委員会にあたえた。

「ビュコック提督を現役に復帰させる手つづきをとってくれ。場合によっては、ヤン一派を掃《そう》討《とう》するのにあの老提督の手腕を必要とするかもしれぬ」

自分が〝悪役〟への一方通行路を直進しているのではないか、との危惧がレベロにはあるが、それ以上に、帝国の圧迫から同盟の独立と主権を、たとえ形式的なものであるにせよまもりとおさなくてはならない、という義務感の強さが、よりまさった。彼が、卑劣な意図からヤン・ウェンリーをおとしいれようとした特権集団とは一線を画する人物であることは、後世の歴史家もひとしく認めている。だが、けっきょく、レベロはみずからの属する国家を信じ、ヤンは信じていなかった。その壁の厚さが、〝協調すれば理想的〟といわれる両者の仲を、最悪のかたちで引き裂いてしまったのであろうか。そして、レベロにとってはまことに不本意なことに、ヤン・ウェンリーとの関係のみにおいて彼の存在は後世の人々に知られるようになってしまうのだ。

……カリンという通称で呼ばれるカーテローゼ・フォン・クロイツェルは、青紫《パープル・ブルー》色の瞳に星々のきらめきを映しだしながら、戦艦ユリシーズの展望室にたたずんでいる。訓練を終えたばかりの頰が上気し、鼓動はわずかにつねよりはやい。片脚をまっすぐ伸ばし、片脚をこころもち曲げ、背中を壁にもたれかけさせるというより触れさせただけの姿勢が、「お父さんそっくり」と母親は言った。迷惑だと思う。こんな姿勢は誰でもとるだろうし、自分が男ならともかく女なのに、父親というより母親の一時的な愛人にすぎなかった男に似ていると言われても、うれしくなどない。

カリンはプロテイン入りのアルカリ飲料の紙コップをにぎりつぶし、多少いまいましげな表情をつくった。父親の顔をふりはらおうとして、べつの顔を意識野にもってきてしまったのだ。亜麻色の髪をした、彼女より二歳年長の少年にはまだ一度会ったきりなのに、それを思いだしてしまったのが彼女には不本意だった。

「なによ、あんな軟弱そうな奴」

自分でも確信しているわけではない悪口をつぶやいて、カリンはふたたび星の大海に注意をむけた。その星々の彼方から、彼女の父親を乗せた一隻の巡航艦が接近しつつあることを、彼女は知りえようはずもなかった。

宇宙暦《SE》七九九年という年は、人類社会を大きく揺動させながら、なお三分の一の月日を残している。この年ほど、歴史が人間に時間をあたえるに吝《りん》だと思えた年はなかった。この年、たしかになにかがはじまったのだが、それが万人にとって望ましいなにかであるか否か、人々は測るすべをもちあわせていなかった。人々は戦乱に疲れていたはずであった――しかし、あるいはそれ以上に、平和に慣れていなかったのである。

この年八月一三日、イゼルローン回廊にちかいひとつの恒星系自治体が、帝国に屈した同盟からの分離独立を宣言した。

エル・ファシルである。

幸運なる出会い――アニメとしての『銀河英雄伝説』

田原正利

『銀河英雄伝説』との出会いは幸運な偶然だった――小説としての『銀河英雄伝説』の解説は他の巻に任せ、アニメのことに限って書かせていただくなら、どうしても私事になってしまうがご容赦《ようしゃ》願いたい。――アニメ業界に一時〝花の六〇年〟という言葉があった。それは一九六〇年生まれのスタッフの活躍が目立ったからだが、これは偶然ではないだろう。このへんの生まれだと、二、三才の物心つく頃に『鉄腕アトム』で日本のＴＶアニメが始まり、中学生時代に『宇宙戦艦ヤマト』があり、高校生のあたりで最初のアニメブームが起こり、大学生ぐらいのときに『機動戦士ガンダム』（ファースト）をリアルタイムで視聴した世代だ。つまり、日本のアニメが〝幼児向け〟から次第にその視聴対象年齢を上に拡《ひろ》げていく過程で、その〝上限〟の年代を同時体験してきた世代なのだと言える。そうした視聴体験の中から自分も創《つく》る側になりたいと思って業界に入った人が多いからではないか。かくいう私自身もそうである。

その世代の私が現実にアニメのプロデューサー（当時は見習いだったが）となったとき、

『ヤマト』→『ガンダム』の流れの延長線上にあって、なおかつ〝大人になった自分と同世代〟の視聴に耐えられるものを作りたいと思うのは自然な流れだった。漠然と考えていたのは、〝SF〟で〝宇宙〟を舞台として、〝ロボットもの〟ではなく、〝戦略〟や〝戦術〟さらには〝政略〟まで盛り込んだもの……だった。当時はアニメと言えば人気コミックのアニメ化が主流だったが、なかなか合致する作品もなかった。そこで、そういう素材をSF小説にも求めていた。

そんなある日、たまたま他の『銀河●●●●』というタイトルの本を捜しにいった書店で、同じ出版社で、似たような名前の作者で、似たようなタイトルのノベルスに出くわした。それが『銀河英雄伝説』だった。そのとき、興味は覚えたものの捜している本とは違ったためにスルーし、ようやく文庫の棚で目当ての本を見つけて買って帰った。その日の夜に件《くだん》の本を読んでしまったのだが、私が求めているアニメの原作になるような世界観の本ではなかった。残念に思うと同時に、急激に気になりだしたのが、書店の店頭で表紙と帯の宣伝文句だけ見た『銀河英雄伝説』という小説だった。

翌日、（当時は第五巻まで刊行されていたのだが）とりあえず一巻と二巻を購入し、会社から帰って読み始め、一気に読んでしまった。さらに先が読みたくてたまらない。翌朝、早々に残りの五巻までを購入し、会社が終わるのももどかしく家に帰ると、ほぼ徹夜でその三冊を読み切ってしまった。読み出したら止まらない状態になってしまったのだ（このあたりは二巻の大森望氏による解説のエピソードによく似ているが、彼も同世代である。「俺たちが読みたかったのはこれだ！」という出会いの興奮は共通のものだったろうと想像できる）。

そしてその翌日には知り合いの徳間書店〈アニメージュ〉の編集部の人に電話をかけ、文芸部への紹介をお願いし……というのが、『銀河英雄伝説』をアニメにしようということになったきっかけだった。

その意味では、誤解を恐れず言うなら、私は『銀河英雄伝説』をアニメ化したかったのではない。私が思い描く〝作りたいアニメ〟の素材として『銀河英雄伝説』が最適だったということだ。この感覚は同世代なら理解してもらえるのではないかと思う。後日、やはりほぼ同世代の某漫画家氏が某アニメ誌のコラムで、「『銀河英雄伝説』のような話は俺だって考えていたんだ」と負け惜しみ（？）を書いていたが、つまりは同じような時代のニーズを感じていたということではないだろうか。確かに『銀河英雄伝説』のような作品が生まれる土壌というか流れのようなものは出来ていたのだと思う。だが、実際に誰がどのように描くかが問題だったのだ。その意味で『銀河英雄伝説』は、その漠然とした時代の期待に応《こた》え、さらにそれを超越していた。少なくとも私にとっては〝期待以上〟の原作に出会った、ということになる。

だからこそ、自分やスタッフが作りたいアニメのために、原作を単なる素材として改変するような作り方をしようとは思わなかった。「アニメと原作（小説でもコミックでも）は違うものだから」と言って、原作を別物に仕立てるのが当然の権利や責務のように考えているアニメ製作者もいるようだし、作品によってはそれも一理あると思う。結果として新たな傑作を産むこともある。だが、『銀河英雄伝説』のように無数の登場人物が蔦《つた》のように絡み合っている作品で、なまじの改変をしてしまうと矛盾《むじゅん》が出たり、収拾がつかなくなったりする。また、細かい個々のエピソードも、その集積が歴史を織り成すピースであると考えるなら疎《おろそ》かには出来ない。

だから私は原作の持ち味を最大限に活《い》かすことが、『銀河英雄伝説』のアニメ版を成功させるキィポイントだと信じて制作にあたった。

「原作のとおりに作るのなら簡単じゃないか」と思われるかも知れないが、実際はそれほど単純なことではない。それは（少なくとも当初は）いわば「従前のアニメの作り方」との鬩《せめ》ぎ合いだったと言えるかも知れない。

例えば用語ひとつとっても、『銀河英雄伝説』ではふだん聞き慣れない言葉が山のように出てくる。脚本家はそれを使いたくないと言う。最初の『わが征くは星の大海』で、二人称の「卿」を使うか使わないかで徹夜の議論になったこともある。シリーズが始まっても同様の問題は無数にあった。登場キャラクターについても多すぎるから整理したい（例えばグリーンヒル大将とキャゼルヌの役割を一人の人物に集約しようとか）という意見もあった。智謀《ちぼう》だけでは絵にしにくいからオーベルシュタインに実戦的な諜報部隊を持たせようとかの意見もあった。

これらの意見は作劇の上や、アニメを作る上では一理も二理もあるのだが、『銀河英雄伝説』をアニメにする上では（原作を忠実に映像化するという方針をとった以上）採用しにくい意見だった。

逆にこうした従来のアニメ化のロジックに則《のっと》った作り方をしていたら、結果はどうだっただろうか？　今以上の大ヒット作になっていたかも知れないし、幾多のアニメの中に埋没してしまったかも知れない。歴史に〝ＩＦ〟はないと言うが、これぱかりは正直わからない。だが、息長くファンに支持され、本伝だけでなく外伝までアニメ化を全《まっと》うすることが出来たのは、原作を忠実に映像化するという方針を貫いたからだと私自身は信じている。

その方針を徹底するために、一期の後半から脚本を河中志摩夫氏一人が書く形に変更した。彼は初めての脚本だったが、逆に従来のアニメのロジックに囚《とら》われないで書けると判断したのだ。その中で、最初の脚本チームから指摘された〝宿題〟も課した。

例えばミュッケンベルガーの扱い。原作では曖昧《あいまい》な形で姿を消してしまうが、『わが征くは星の大海』でラインハルトのひとつの対立軸としてクローズアップし、かつ最後にラインハルトを認める発言をさせてしまったこともあり、その去就《きょしゅう》をきちんと描くことが〝必要〟だった。

グリーンヒル大将は、原作ではリンチ少将に騙《だま》され躍らされただけの人物に見えてしまうので、なぜクーデター計画に加担したのか、その〝必然性〟を描くこと。

ヴェスターラントの虐殺《ぎゃくさつ》――原作どおりにラインハルトが黙認したのだとすると本当に〝手の汚れた英雄〟となってしまい、〝正〟の主人公ではなくなってしまう。〝負〟の主人公ならばそれなりの描き方があるが、それでは物語の根幹《こんかん》が変わってしまう。かといってヴェスターラントの件でラインハルトが負い目を持たなければキルヒアイスとの軋轢《あつれき》が生じなくなる。ここに整合性を持たせること……等々。

それらの〝宿題〟への答えが、一期後半からのアニメに見られる原作からの変更点や加筆点のポイントと言える。幸いにもグリーンヒル大将が心情を吐露《とろ》する亡き妻への墓参のシーンなど、名シーンとの評価をいただけた。

基本的な姿勢とすれば、私は『銀河英雄伝説』をひとつの歴史ものと捉えている。原作小説は第一級史料というわけだ。史料に描かれた事件などの〝史実〟は揺るぎないものとして描くが、その〝解釈〟や、史料に出ていない背景や裏面などは〝推定〟して埋めていく。

もちろん原作に矛盾点や不整合があれば、整合性が保たれるような修正は加えている（逆に原作でも本伝を補う意味合いもあって描かれたであろう『外伝』のエピソードを敢《あ》えて一期の中に組み入れたりもしている）。

その上で、原作の持ち味を侵食しない程度に〝アニメならでは〟の〝見せ場〟を作る（〝要塞対要塞〟の引力による引き潮とか）ことも心掛ける――『銀河英雄伝説』のアニメの〝話〟の部分で心掛けたのはそういうことだ。

あとは原作の〝文学的表現〟をアニメで如何《いか》に描くかに腐心した。細かい具体例を挙《あ》げるなら、軍服の色。原作では帝国も同盟も黒を基調としていると書かれている。だが、それまでアニメは服の色などに普通は黒を使わない。学生服などを考えてもらえばわかると思うが、アニメで〝黒い学生服〟は普通は出てこない。せいぜい濃いグレーである。それがアニメの〝常識〟というものだ。帝国軍の〝黒と銀〟の軍服で、本当に黒を使おうとしたところ、アニメの現場からは猛反対を喰《く》った。今でこそデジタル化でそうした心配はないが、当時のセル画を使ったアニメでは黒はセルに付くゴミや埃《ほこり》を目立たせるので忌《い》み嫌われて（？）いたのだ。まして〝暗黒の宇宙〟に〝漆黒《しっこく》の戦艦〟など〝禁じ手〟もいいところである。そういう部分も従前の作り方との軋轢なのだが、原作での文学的表現を、如何に映像で再現するか、一個一個が検討と工夫と妥協を繰り返しながらの産物だった（ちなみにそうして決めたセル上の色が、フィルムで撮影され、現像され、テレシネされ、ビデオ製品になり、家庭用のモニターに映し出されたときには全然違うものになってしまっていて落胆することも多いのも現実だが）。

もうひとつ例を挙げるなら、アニメの『銀河英雄伝説』の特徴のひとつが大量のテロップだが、これも原作の文学的表現を映像で再現するための小道具のひとつとしての演出のつもりであった。

例えば小説では「黒色槍騎兵」と書いて「シュワルツランツェンレイター」とルビが振って

ある。これは漢字が持つ〝字面《じづら》〟（あるいは〝字義〟）と外来語が持つ〝語感〟（あるいは〝音感〟）の双方の良さを両立させておりうまい表現だなと感心させられるのだが、アニメにするときハタと困った。台詞《せりふ》ではどちらを喋《しゃべ》ればいいのか？　基本的には〝読み〟はルビに従うべきだろうが、そうすると漢字表現の〝字面〟や〝字義〟が失われてしまう。そこで考えたのがテロップの積極的活用だった。あれは単なる説明だけではなく〝演出〟と〝表現〟の一部なのだ。ひと捻《ひね》りしたのは原作のように漢字でテロップを出してカタカナでルビを振るのではなく、欧文でテロップを出し、その〝日本語訳〟のように上段に和文を添えたこと。『銀河英雄伝説』のアニメは、本編の〝芝居〟も極力抑えた演出にして基本的には〝実写〟の〝洋画〟のようなスタイルを心掛けている。テロップも洋画のテロップに日本語訳がついた場合のような作りに敢えてしてしているのだ。だからメインタイトルも欧文がメインで、日本語は片隅に小さく出している。

話が前後するが、従前のアニメの作り方と違うという意味では、根本的に違ったのはこれがビデオをベースにした長期シリーズだったということだろう。

当時はオリジナル・ビデオ・アニメ（ＯＶＡ）の揺籃期《ようらんき》であり、単発かせいぜい六話程度のミニシリーズしか製作されていなかった。長期シリーズというものはＴＶアニメでしか成立し得ない時代だったのだ。だが、ＴＶアニメ化しようと思えば玩具メーカーのスポンサーをつけるとかしなければ成立しない。そうなると変形して人型ロボットになるスパルタニアンとか、合体するブリュンヒルトとかを出さなくてはならなくなるかも知れない。あるいはラスト三分は必ず毎回戦闘シーンを入れなくてはならないとかの制約がつくかも知れない。そうなると原作の世界観を忠実に映像化するというコンセプトそのものから逸脱してしまう。TVではなくOVAのシリーズで、というのは〝原作に忠実〟に映像化する上での必然だったと言えるかも知れない。少なくともTV用であったなら、一話まるまる会議をやっているような話は成立しなかっただろう。その意味ではビデオでのシリーズ製作というアイデアとの出会いは作品にとっては幸運な出会いであったと信じたい。

しかし前例のない試みである。成立までには紆余曲折《うよきよくせつ》があった。直接のきっかけは、『銀河英雄伝説』の企画を抱える一方で発案した『うる星やつら』の五十枚組LD(=LD50)という企画が成功したことだった。これはTV作品の再利用だったが、同じような通信販売による直販で中間経費をなくし、購入者が払った代金が効率よく作品の製作費に充当できるシステムを作れば、新作の製作にも応用できるのではないか? そう会社を説得できたのも、LD50があったればこそであり、そこにも時機という意味で幸運な出会いがあったと言える。

そうして始まった通信販売によって毎週一話ずつ新作が宅配されるという形が成功を収め、途中でスタイルを変えながらも本伝百十話、外伝五十二話の長期シリーズとなったわけだ。その間にTVもBSやCSの普及によって、スポンサーシップに頼らない番組の放映も可能となり、レンタルビデオの普及とあわせて新たなファンの獲得に繋《つな》がった。

ビデオのマーケットもＶＨＳからＬＤ、さらにはＤＶＤへと推移し、そのつど新たな拡販に繋がっていったのだった。

技術的な側面で言うと、前述したが開始当初はセルアニメの時代でもあり、現在のデジタル制作主流のアニメの技術から見れば拙《つたな》い点も多々ある。主に宇宙空間の戦闘シーンなどはＣＧを使えばもっと多様な表現が出来る。その意味ではもう一度最初から作り直してみたい気持ちもある。だが、あの時代、あの時期にしか出来なかった作品の持つ意義も大きいと思う。

最たる例が声優陣だ。〝銀河声優伝説〟とはよく言われるが、少なくとも男性に限っては日本の〝声優〟は網羅したのではないかと思われるほどの豪華なキャスティングだった。これは単なる贅沢ではない。数百人にも及ぶ登場人物を、アニメの絵だけで描き分ける困難さを補う意味で、声のキャラクター＝その声を聞いただけで誰だかわかるだけの特徴と表現力は、やはりこの作品の特殊性を考えたときには必須《ひっす》のものだったと言える。それこそ日本のアニメが（ＴＶアニメのスタートから『銀河英雄伝説』開始当時までの）四半世紀かけて創り上げてきたボイス・アクターの精髄・結実だったのではないか。そしてその中で、ヤン・ウェンリー役の富山敬氏を始め、鬼籍《きせき》に入られた方も多い。その意味でも二度と再現不可能な配役であることは間違いない。

音響面では音楽のことにも触れておかねばならないだろう。もともと最初に原作を読んだときから、少なくとも帝国側には漠然とワグナーのイメージがあった。それはおそらく万人が抱く共通イメージではないかと思う。明確にクラシックをBGMにしようと思ったのは、『わが征くは星の大海』の脚本打ち合わせの際に脚本の首藤剛志氏から「宇宙での戦闘シーンに『ボレロ』のような曲を流したい」という話があったときだ。「だったら『ボレロ』そのものを使いましょう」――クラシックだったら著作権使用料がかからないというコストを考えるプロデューサーとしての助平《すけべえ》根性もなかったわけではないが、オリジナルスコアに拘《こだわ》らずにクラシックの名曲を使うという方向性は、作品イメージと合致するものだと思ったのだ。そのぶん、演奏に金をかければいい。また幸いにも製作出資社の一者である徳間ジャパンが〈ドイツ・シャルプラッテン〉というクラシックレーベルで大量の音源を持っていたこともあって、話はとんとん拍子で決まった。そこにない音源（肝心の『ボレロ』もなかった）は新日本フィルの演奏で新録することも決まった。

足をすくわれかけたのは、ラヴェルの死後五十年で切れていると思い込んでいた『ボレロ』の著作権が生きていたことだ。ラヴェルの母国フランスと日本は第二次大戦で〝交戦国〟だったので、そのぶんが〝戦時加算〟されるのだそうで、これに引っ掛かってしまった。とんだ〝戦争被害〟である。他の曲に替えることも検討したが、『ボレロ』に合わせて戦闘シーンを描くというのは最初に決めた『わが征くは星の大海』の〝肝《きも》〟だった。最終的には音楽部分の追加予算を捻出《ねんしゅつ》して権利処理し、『ボレロ』を使うことが出来たのだが、結果的にはこれがパイロット版としての『わが征くは星の大海』の出来を左右し、ひいてはシリーズ化に繋がる試金石だったのではないかと振り返ってみて思う。以後、クラシックによるＢＧＭは、作品の格調作りと、音楽費のコスト削減の両面でアニメの『銀河英雄伝説』を支えてくれたことになる。

思えばこれも幸運な出会いのひとつかも知れない。当時所属していたキティフィルムはキティレコードの子会社で、本来ならオリジナルスコアでサントラを出すことは当然となる環境だったのだが、出資パートナーが持っている音源を使うのだから、ということで無理やり引っ込ませてしまったのだから。そうでなければクラシックによるＢＧＭは実現しなかった可能性が高い。

つらつらと書き綴《つづ》ってきたが、振り返ればアニメの『銀河英雄伝説』は、様々の幸運な出会いの産物だったと言える。もちろん、原作小説の魅力によるところが大であることは言うには及ばないが、その原作の誕生時期と、日本のアニメ市場の生育時期、ビデオ媒体の普及時期、通信販売の定着時期、さらにはそれに繋がるインターネットの普及時期などが、うまく重なったからこそ空前の長期シリーズとしてのアニメ版『銀河英雄伝説』が、内容面も含めてああいう形で成立し得たと言えるのかも知れない。

そのアニメ版に最も深く関わった者として、願わくは、原作小説だけでなく、アニメの『銀河英雄伝説』もさらに息長くファンに支持され続けることを……。そしてそこに新たな幸運な出会いがあらんことを……。

本書は一九八五年にトクマ・ノベルズより刊行された。九二年には『銀河英雄伝説5　風雲篇』と合冊のうえ四六判の愛蔵版として刊行。九七年、徳間文庫に収録。二〇〇一年、徳間デュアル文庫に『銀河英雄伝説 VOL.11, 12［飛翔篇上・下］』と分冊して収録された。創元SF文庫版では徳間デュアル文庫版を底本とした。

検　印
廃　止

著者紹介　1952年，熊本県生まれ。学習院大学大学院修了。78年「緑の草原に……」で幻影城新人賞受賞。88年《銀河英雄伝説》で第19回星雲賞を受賞。《創竜伝》《アルスラーン戦記》《薬師寺涼子の怪奇事件簿》シリーズの他，『マヴァール年代記』『ラインの虜囚』『月蝕島の魔物』など著作多数。

銀河英雄伝説6　飛翔篇

2007年12月28日　初版
2023年 2 月 3 日　19版

著　者　田《た》　中《なか》　芳《よし》　樹《き》

発行所　（株）東京創元社
代表者　渋谷健太郎

162-0814/東京都新宿区新小川町1-5
電　話　03・3268・8231-営業部
　　　　03・3268・8204-編集部
URL　http://www.tsogen.co.jp
振　替　00160-9-1565
DTP　フォレスト
暁印刷・本間製本

乱丁・落丁本は，ご面倒ですが小社までご送付ください。送料小社負担にてお取替えいたします。

ISBN 978-4-488-72506-8　C0193

SFの抒情詩人ブラッドベリ、第一短編集

THE OCTOBER COUNTRY◆Ray Bradbury

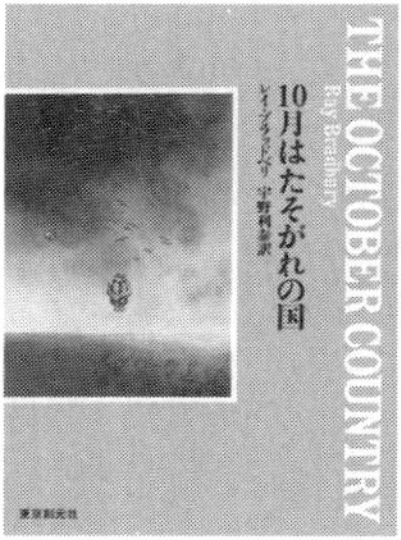

10月はたそがれの国

レイ・ブラッドベリ
宇野利泰訳　カバーイラスト＝朝真星
創元SF文庫

◆

有栖川有栖氏推薦――「いつ読んでも、
何度読んでも、ロマンティックで瑞々しい。」

松尾由美氏推薦――「束の間の明るさが
闇の深さをきわだたせるような作品集。」

朱川湊人氏推薦――「ページとともに開かれる
異界への扉。まさに原点にして究極の作品集です。」

第一短編集『闇のカーニバル』全編に、
新たに５つの新作を加えた珠玉の作品集。
ここには怪異と幻想と夢魔の世界が
なまなましく息づいている。
ジョー・マグナイニの挿絵12枚を付す決定版。

作者自選の16編を収めた珠玉の短編集

R IS FOR ROCKET◆Ray Bradbury

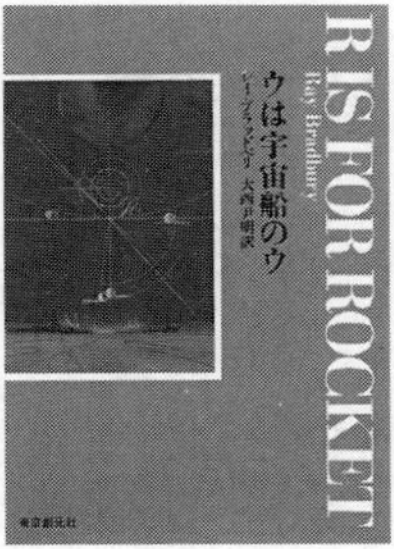

ウは宇宙船のウ【新版】

レイ・ブラッドベリ

大西尹明 訳　カバーイラスト＝朝真星

創元SF文庫

◆

幻想と抒情のＳＦ詩人ブラッドベリの
不思議な呪縛の力によって、
読者は三次元の世界では
見えぬものを見せられ、
触れられぬものに触れることができる。
あるときは読者を太古の昔に誘い、
またあるときは突如として
未来の極限にまで運んでいく。
驚嘆に価する非凡な腕をみせる、
作者自選の16編を収めた珠玉の短編集。
はしがき＝レイ・ブラッドベリ／解説＝牧眞司